Beck'sche

BsR

Zu Beginn der 60er Jahre lag die westdeutsche Geschichtswissenschaft in tiefem restaurativen Schlummer. Dann aber riß ein Paukenschlag die ehrwürdige Zunft aus dem Schlaf. Fritz Fischer veröffentlichte 1961 „Griff nach der Weltmacht", ein Buch, das den Hamburger Historiker über Nacht weltberühmt machte. Fischers Thesen über den Ursprung des Ersten Weltkriegs gingen ans Mark der deutschen Geschichte. Gab es, so hat er auch in seinen späteren Werken immer wieder gefragt, spezifische Strukturen gesellschaftlicher, ökonomischer und politischer Macht im Kaiserreich, die eine expansive, aggressive Außenpolitik begünstigt haben? Welche Rolle kam dabei den Eliten zu, und in welchem Maße hat ihr Einfluß Hitlers Aufstieg ermöglicht?

Daß Fischer nicht um eine klare Antwort auf diese Fragen herumredet, zeigen die sieben Aufsätze in diesem Band. Mit starken Argumenten stützen sie die zentrale These des berühmten Historikers: Hitler war kein Betriebsunfall der deutschen Geschichte.

Fritz Fischer, geb. 1908, war bis zu seiner Emeritierung Professor für Geschichte an der Universität Hamburg. Seine Bücher „Griff nach der Weltmacht" (1961) und „Krieg der Illusionen" (1969) lösten die sog. „Fischer-Kontroverse" in der Geschichtswissenschaft aus.

FRITZ FISCHER

Hitler war kein Betriebsunfall

Aufsätze

VERLAG C.H.BECK

Die Deutsche Bibliothek – CIP-Einheitsaufnahme

Fischer, Fritz:
Hitler war kein Betriebsunfall : Aufsätze / Fritz Fischer. –
Orig.-Ausg., 4., unveränd. Aufl. – München : Beck, 1998
(Beck'sche Reihe; 459)
ISBN 3 406 34051 2

Originalausgabe
ISBN 3 406 34051 2

4., unveränderte Auflage. 1998
Umschlagentwurf: Uwe Göbel, München
Umschlagbilder: Kaiser Wilhelm II., Adolf Hitler
(Süddeutscher Verlag, München)

Gesamtherstellung: C. H. Beck'sche Buchdruckerei, Nördlingen
Gedruckt auf säurefreiem, alterungsbeständigem Papier
(hergestellt aus chlorfrei gebleichtem Zellstoff)
Printed in Germany

Inhalt

Meiner lieben Frau gewidmet
für viel Geduld und guten Rat
in 50 gemeinsamen Jahren

Einleitung

Deutschland nach dem 8. Mai 1945: Die Wehrmacht hat kapituliert, die deutschen Gebiete sind von den Alliierten besetzt, das Deutsche Reich existiert nicht mehr. Die Städte liegen in Trümmern, die wirtschaftliche Not steigt, zumal bei dem Hereinströmen von Flüchtlingen und Vertriebenen aus den früheren deutschen Ostgebieten, Demobilisierung, Demilitarisierung und Entnazifizierung bringen neue Wirren. Unter dem Schock dieser „Katastrophe", die nur von einer Minderheit als „Befreiung" erfahren wurde, flüchteten sich viele deutsche Journalisten, Publizisten, aber gerade auch viele Historiker (soweit sie sich zu Wort melden konnten) in die Schlagworte: dunkles Rätsel, Schicksal, Verhängnis, Dämonie oder auch Tragik. Sie begriffen sich mehr als Verführte und Opfer denn als Mithandelnde oder Mitläufer in diesem Geschehen. Ob der Historiker mit solchen metaphysischen Begriffen wie Fatum oder Tragödie arbeiten darf, mag man bezweifeln; seine Aufgabe ist es, mit den Mitteln rationaler Erkenntnis und den Methoden seines Faches die Voraussetzungen und Bedingungen, die Entscheidungen und Handlungen aufzuklären, die jene als schicksalhaft empfundenen Entwicklungen und Ergebnisse möglich gemacht und herbeigeführt haben.

Als eine erste Lösung des „Rätsels" erschien es dabei vielen notwendig, die Person Hitlers von der deutschen Geschichte abzulösen, ihn zu isolieren, nun nicht mehr wie 1933 als den von Gott Gesandten, sondern als Dämon. Es begann die Dämonisierung des Diktators, seiner Gedanken und Taten, als eines aus der Hölle aufgestiegenen Bösewichts. Allenfalls noch wurde er zurückgeführt auf die „Massendemokratie", geboren aus der Französischen Revolution mit ihrem Blutrausch der Guillotine, also aus einer nicht-deutschen politischen Tradition; so etwa tat dies der Freiburger Historiker Gerhard Ritter in vielen Vortrāgen. Damit wurden Hitler und das „Dritte Reich" von ihrer innerdeutschen Vorgeschichte abgetrennt, und die Zeit der Weimarer Republik und des Deutschen Kaiserreichs wurde in das helle Licht guter konservativer und gemäßigt liberaler Traditionen getaucht; ihre Regierungen und politischen Träger erschienen zugleich als gute Europäer. In der Erwartung, die auch viele amerikanische Historiker und Politologen damals teilten, daß in Europa unter dem Einfluß des Marshall-Planes die alten, überholten Staatsgrenzen und Grenzpfähle bald fallen würden, schwärmten die Deutschen der ersten Nachkriegsjahre von Europa, in dem nun alle Wunden des Krieges nicht nur geheilt, sondern auch alle Schuldzuweisungen und Anklagen ein Ende haben würden. Als dann mit dem Beginn des Kalten Krieges, der erneuten Feindschaft gegen das kommunistisch-bolschewistische und gottlose Sowjetrußland, mit der Gründung der Bundesrepublik Deutschland unter ihrem christdemokratischen ersten Kanzler Konrad Adenauer und bald auch mit der Wiederaufrüstung Westdeutschlands ein religiös-ideelles Motiv Nordamerika und Westeuropa einte, fanden die deutschen Historiker (z.T. in neuen Zeitschriften) einen politisch-geistigen Halt in der Idee des „christlichen Abendlandes", der atlantischen Gemeinschaft, als der zündenden Parole der Zukunft. Vergessen wurde dabei, daß bereits der ‚Dämon' Hitler 1941 mit dem Überfall auf die Sowjetunion das christliche Europa und seine Kultur zu verteidigen vorgegeben hatte, und dies mit dem Segen der Geistlichkeit beider christlichen Konfessionen!

So konnte man sich in dieser Lage, ungestört durch zu viele Gedanken an die innerdeutsche Vorgeschichte des Hitlerreichs, mit gutem Gewissen daranmachen, vor allem die militärische Geschichte des Zweiten Weltkriegs, besonders des Rußland-„Feldzugs", zu schreiben, zumal schon bald nach 1945 hohe deutsche Militärs, Rüstungsfachleute (Peenemünde) und Nachrichtenfachleute („Organisation Gehlen") von den Amerikanern, im Blick auf einen möglichen neuen Krieg mit Rußland, in Dienst genommen worden waren. Es erschienen verschiedene Ausgaben der Protokolle von Hitlers „Tischreden", die bändereichen Kriegstagebücher von OKW und OKH und viele Memoiren von Militärs. Wenn schon die Kriegsgeschichtsschreibung[1] eine lange Tradition in Deutschland hat, so konnte man auch in der übrigen Historiographie auf den alten Pfaden bleiben, und viele taten das auch, als sei nichts geschehen.

Erste Einbrüche in die traditionelle Geschichtsauffassung

Bereits ein Jahr nach dem Kriegsende, 1946, als im April im russisch besetzten Teil Deutschlands die Sozialdemokraten in eine Ehe mit den Kommunisten gezwungen wurden, in die später in der SBZ bzw. in der DDR alles beherrschende SED, und im Herbst die Nürnberger Kriegsverbrecherprozesse durch Urteile und Hinrichtungen zum Abschluß kamen, veröffentlichte einer der ältesten und zugleich angesehensten deutschen Historiker, Friedrich Meinecke, ein kleines Buch mit dem Titel „Die deutsche Katastrophe. Betrachtungen und Erinnerungen".[2] Es gehört seinem Tenor nach noch in die kurze Periode deutscher Reue- und Besinnungsbereitschaft, die freilich sehr bald zu Ende ging, und enthält einige wichtige Antworten auf die Frage, wie es zu Hitler, zum Zweiten Weltkrieg und seinem Ausgang hatte kommen können.

Anstelle von Fatum, Dämonie und Tragödie benannte es reale Ursachen in der Zeit vor Hitler, ja in der Zeit vor Weimar, darunter nicht zuletzt auch die Elemente in der deutschen Gesellschaft, die man später als die „Eliten" bezeichnete. So schrieb Meinecke über die Wilhelminische Epoche der deutschen Geschichte: „Die Hakatisten in Posen und Westpreußen [d.h. die extrem polenfeindlichen Politiker, die für eine Germanisierung dieser Regionen eintraten, F.F.] , die Scharfmacher der Großindustrie, die junkerlichen Bureaukraten in den Ministerien und Provinzialregierungen, das waren die konkreten Träger dieses innenpolitischen Machtsystems, dessen Komplement nach außen nun jene alldeutsche Bewegung wurde". Die alldeutsche Bewegung war für Meinecke also keine Kleingruppe von Sektierern, sondern einflußreich und fest in der Gesellschaft verankert. Wie vorsichtig Meinecke sich aber bis in die

Wortwahl zur Frage einer Kontinuität äußert, das zeigt seine Bemerkung, der Erste Weltkrieg sei eine Zeit gewesen, „in der gerade im Zusammenhang mit der Frage der Kriegsziele der Weg in Regionen führte, in denen auch Hitler später sein Lager aufschlug". Und weiter: „Es kommt auf das Jahr 1866 und die Blut- und Eisenpolitik Bismarcks jetzt an. Man hört heute [1946! F.F.] mit tiefer Bewegung auf damalige Stimmen der Besorgnis vor kommendem großen Unheil [...] Dieser üble Borussismus und Militarismus war wie eine schwere Hypothek, die auf dem Werke Bismarcks lag und sich von diesem aus weiter auf das Werk seines hybriden Nachfolgers vererbte [...] Theodor Fontane schrieb: ‚Das aber, womit am ehesten gebrochen werden muß, ist der Militarismus'. Aber der erschütternde Verlauf des Ersten und noch mehr des Zweiten Weltkriegs läßt die Frage nicht mehr verstummen, ob nicht Keime des späteren Unheils in ihm [dem Reich von 1871! F.F.] von vorneherein steckten [...] Man mag nun die Unterschiede des damaligen unsozialen Herrengeistes von dem späteren Nationalsozialismus Hitlers noch so stark betonen, – im großen Zusammenhang gesehen, war er doch eine Vorstufe zu ihm".

Da Meinecke damals in tiefem Pessimismus über die Zukunft Deutschlands das Heil nur in Goethe-Lesegesellschaften sah, konnte er außer Bescheidung kein positives Ziel anbieten und wurde in seinen wichtigsten Einsichten vergessen, auch wenn er später wie eine Art Galionsfigur einer deutschen Umkehr aufgebaut und mit Ehren überschüttet wurde.

Direkter und tiefgehender, ja ein erster Angriff auf das tradierte Bild deutscher Geschichte, war das Buch von Rudolf Stadelmann „Deutschland und Westeuropa" (1948). Es enthielt drei Aufsätze, darunter den besonders wichtigen Beitrag: „Die Epoche der deutsch-englischen Flottenrivalität".[3] Er unterzog die Tirpitzsche Flottenbaupolitik einer vernichtenden Kritik. Tirpitz „ergriff die Idee des Flottenwettbewerbs mit England wie ein Glaubenspanier". Auch als „die Berechnungen und Voraussagen Zahl um Zahl sich als falsch herausstellten", und ebenso klar wurde, „daß das Ziel unerreichbar und in Anbetracht der deutschen Lage schlechterdings irreal war", hielt Tirpitz an seinem Ziel fest: „Durch rein militärische Mittel sollte diese gewaltsame Veränderung der Wirklichkeit bewerkstelligt werden", nämlich daß dort, wo die Engländer standen, „die Deutschen an ihre Stelle treten sollten". Tirpitz stellte „die gesamte Zukunft von Nation und Welt" „auf eine einzige Schlacht, auf die entscheidende Seeschlacht zwischen Helgoland und der Themse". Von allem war in seiner unermüdlichen Propaganda die Rede, „nur nicht von der Herausforderung Englands", die doch der erste Schritt zur Isolierung und damit zum Niedergang Deutschlands war. Es war dies freilich, sagt Stadelmann, eine Sache der Deutschen insgesamt: „Aber niemand wollte über die Hintergründe und Konsequenzen des Flottenplans nachdenken", denn dem „Deutschen kann ein gestecktes Ziel als Befehl, als Parole, als Massensuggestion, als Glaube eingeflößt werden, ohne daß er sich einen Augenblick darüber den Kopf zerbricht, ob dieses Ziel mit den vorliegenden Mitteln zu erreichen und im Rahmen der gegebenen sittlich-politischen Welt überhaupt vernünftig ist". „Er macht das Unwahrscheinliche möglich und achtet es kaum, wenn auf der vorgezeichneten Bahn die ganze Welt und er selber zugrundegeht". Doch dieser Anstoß Stadelmanns zu kritischer Selbstbesinnung ging verloren, man blieb bei der Apologie; erst 40 Jahre später haben Wilhelm Deist und Volker Berghahn das zentrale Problem des Tirpitzschen Flottenbaus in gleich kritischem Sinne wieder aufgenommen.[4]

Im selben Jahr 1948 erfolgte ein neuer Anstoß zu kritischem Denken über die jüngste deutsche Geschichte, der weit mehr Staub aufwirbelte als die Abhandlungen von Meinecke und Stadelmann. Der Archivar und Historiker Ludwig Dehio veröffentlichte eine geschichtsphilosophisch konzipierte, geradezu revolutionäre und überdies höchst provozierende Schrift: „Gleichgewicht oder Hegemonie. Betrachtungen über ein Grundproblem der neueren Staatengeschichte".[5] Nach einer weit ausgreifenden Rekonstruktion des Prinzips der großen Hegemonialkämpfe von dem Spanien Karls V. und Philipps II. zu dem Frankreich Ludwigs XIV. und dem Frankreich Napoleons, denen sich jeweils eine von England geführte Koalition der übrigen Mächte entgegensetzte, wurden als letzte zwei in diese Kette das Deutschland Wilhelms II. und das Deutschland Hitlers eingereiht, denen wiederum eine von England geführte Koalition siegreich entgegentrat.[6] Das war nun ein Sakrileg, und zwar gleich ein doppeltes: denn nicht nur wurde damit der deutsche Imperialismus unter Wilhelm II. weit aktiver und aggressiver gesehen, als die bisherige Apologie es wahrhaben wollte, sondern vor allem wurden Hitler und sein „Drittes Reich" in den Gang der deutschen Geschichte zurückgeholt (auch wenn Dehio später im Ersten Weltkrieg nur eine Vorstufe des Zweiten sehen wollte, in dem erst die volle Höhe des „Dämonischen" erreicht worden sei). Die Verbindung der beiden Anläufe Deutschlands zu einer Hegemonialstellung sah Dehio darin, daß die beiden Elemente hegemonialer Dämonie nach 1918 ihre Wirkung behielten: nicht nur die „Verblendung", sondern auch das „Kraftgefühl" (zwei Kennzeichen, die Deutschland mit allen früheren Hegemonialmächten der Geschichte teilt); wozu nach 1918 als Stimulanzien noch die Not und in ihrem Gefolge die fortschreitende Auflösung überkommener gesellschaftlicher Verhältnisse traten.

Nicht weniger Aufsehen als das Buch Dehios von 1948 erregte sein Vortrag auf dem Deutschen Historikertag 1951 in Marburg über „Deutschland und die Epoche der Weltkriege". Dehio betonte darin, daß die preußisch-deutsche Geschichte vor dem 1897 begonnenen Flottenbau „die ausgeprägtesten Züge des rein kontinentalen Machttyps" zeigte, „freilich gesteigert durch eine zu ihrer Zeit unvergleichliche Vehemenz und Jugendlichkeit". „Wir Deutsche" strebten dann jedoch „in echt preußischer Methode, das heißt mit Hilfe systematischer Rüstung, diesmal zur See, aus der europäischen Enge hinaus in das erhoffte Weltgleichgewichtssystem einzudringen", „so wie einst Preußen eingedrungen war in das europäische Gleichgewichtssystem". Das war aber nicht möglich, „ohne zugleich England auf sein Altenteil zu verweisen; ohne es zurückzudrängen – in Europa aus seiner Stellung als Bürge des bisherigen Gleichgewichts, in der Welt aus seiner Stellung als Inhaber der Seehegemonie". Mit diesem Streben schlugen wir unausweichlich den Weg in den Weltkrieg ein: „Wir und nur wir bedrohten die zentralen Lebensnerven der englischen Weltmacht". Ein neben mir sitzender älterer Kollege äußerte nach diesem Vortrag Dehios: „Der Mann zerstört in einer Stunde, was wir in 20 Jahren aufgebaut haben." Ich fragte mich: Wer sind wir? Und was haben wir aufgebaut?

In ergänzenden Aufsätzen zeigte Dehio, daß die gesamte Phalanx der deutschen Historiker um 1900, der Neo-Rankeaner (Max Lenz, Hans Delbrück, Otto Hintze, Erich Marcks, Friedrich Meinecke, Hermann Oncken, usw.), hinter diesen Weltmachtideen stand und sogar noch an ihnen festhielt, als der Ausgleich Englands mit seinen früheren Gegnern in der Welt (Frankreich 1904, Rußland 1907) eine völlig neue Machtsituation in Kontinentaleuropa schuf. Man hielt fest an der Verdrängung Englands aus seiner Suprematie; denn darauf, und nicht auf einen „bestimmten territorialen Gewinn irgendwo in der Welt", bezog sich der „offensive Wille", der „allein die zureichende Erklärung für unseren Flottenbau bietet". Mit der antienglischen Grundstimmung des deutschen Imperialismus hängt nach Dehio ein im deutschen Bürgertum tief verwurzelter antiwestlicher Impuls zusammen, wie ihn noch Thomas Manns während des Ersten Weltkriegs erschienenen „Betrachtungen eines Unpolitischen" zeigen, die gegen die westliche „Zivilisation" und Demokratie für die deutsche „Kultur" und ihre aristokratischen Werte eintreten.

Um 1960 setzte sich Dehio mit dem Militarismusbegriff Gerhard Ritters in dessen Buch „Staatskunst und Kriegshandwerk" auseinander;[7] er fand ihn viel zu eng und zeigte, wie sehr in Preußen-Deutschland auch das gesamte zivile, das bürgerliche Leben von militaristischen Werten und Gefühlen durchsetzt war. Während Ritter Hitler und Preußen radikal trennen wollte, schrieb Dehio unerschrocken über den „Zusammenhang der preussisch-deutschen Geschichte 1640–1945". Das Anliegen Dehios ist erkennbar aus dem Schlußwort seines Marburger Vortrags: „Die Voraussetzung zu jeder schöpferischen Reaktion Deutschlands auf die Epoche der Weltkriege ist die rücksichtslose Erkenntnis unserer furchtbaren Rolle in ihr – als der letzten und also der höchst dämonisierten Hegemonialmacht des absinkenden alten Europa". Doch auch diese großangelegte kühne Einladung zu kritischer Selbstbesinnung war schon vergessen, als Dehio 1963 starb.

Nach dem Angriff von Ludwig Dehio auf die apologetisch-konservative Tradition der Zunft im Blick auf Kaiserreich und Hitlerreich erfolgte seit 1955 durch eine jüngere Historikerin ein weiterer auf das allzu friedliche Bild der Weimarer Republik. Anneliese Thimme wagte es, die Galionsfigur der ‚Europa'-Historiker zu kritisieren und das idealisierte Bild des deutschen Außenministers Gustav Stresemann (1923–1929) als eines großen Europäers in Zweifel zu ziehen, und das in einem Moment, als der Friedensnobelpreisträger Stresemann die einzige Figur geblieben war, die man für die Friedenspolitik der deutschen Republik vorzeigen konnte. Für die bisherigen Biographen Stresemanns war dessen Politik ein Lichtpunkt in der deutschen Geschichte gewesen. Anneliese Thimme jedoch leugnete das „Damaskus"-Erlebnis im Leben des noch im Ersten Weltkrieg nationalistisch gesinnten Stresemann. 1952 erhielt sie vom Bollwerk-Verlag (mitfinanziert von der Bundeszentrale für Heimatdienst in Bonn, der Vorläuferin der späteren Bundeszentrale für Politische Bildung) den Auftrag, eine Biographie Stresemanns unter dem Gesichtspunkt seiner Wandlung vom Nationalisten zum Europäer zu schreiben, wobei besonderes Gewicht auf den Europäer gelegt werden sollte. Nach dem Studium des gedruckten Nachlasses und der Schriften des Außenministers erschien ihr das bisherige Bild falsch, weshalb sie der später von ihr veröffentlichten Biographie den Titel „Gustav Stresemann. Eine politische Biographie zur Geschichte der Weimarer Republik" gab.[8]

Frau Thimme konnte zeigen, daß die Friedensrhetorik Stresemanns auf der Völkerbundbühne in Genf in Wahrheit deutsche Revisionspolitik war; denn wenn Stresemann von Europa sprach, so meinte er stets das Europa ohne Versailles, wenn Briand von Europa sprach, so meinte er das Europa nach dem Status quo von Versailles. Die Ziele der beiden „Freunde", Briand und Stresemann, schlossen sich gegenseitig aus. Den

Dawesplan und selbst noch den Locarnopakt hat Stresemann nur als „Waffenstillstand" bezeichnet. Das deutsch-französische Verhältnis war also für die Zukunft schweren Belastungsproben ausgesetzt. Stresemann hat zu kurz gelebt, als daß er das Scheitern seiner politischen Ziele noch erleben konnte. Es zeichnete sich bereits mit der französischen Reaktion auf den Zollunionsplan zwischen Berlin und Wien von 1931 ab, der in Paris als Vorstufe zum „Anschluß" verstanden und sofort mit Erbitterung durch Finanzmaßnahmen zu Fall gebracht wurde. Noch schwerwiegender als die „Anschlußpolitik" waren Stresemanns Minderheitenpolitik und seine Ostpolitik, die Nichtanerkennung der Grenzen von Versailles im Osten, die Verweigerung eines ‚Ostlocarno' an Polen bzw. die Tschechoslowakei, wodurch die Korridorfrage und die Frage der Sudetendeutschen Gebiete Probleme offenließen, die den Zweiten Weltkrieg mit ausgelöst haben.

Obwohl spätere Historiker zur gleichen kritischen Anschauung kamen, wurde Anneliese Thimme als eine Bilderstürmerin gesehen, weil sie aus Stresemann angeblich einen Machiavellisten gemacht hatte; die neuere Literatur über die Geschichte der Weimarer Republik erwähnt ihre Stresemann-Arbeiten gar nicht mehr. 1978, anläßlich des 100. Geburtstages von Stresemann, wurde das alte Stresemannbild ‚vom Nationalisten zum Europäer' neu aufgelegt durch die Bundeszentrale für Politische Bildung (nachdem sie vorher die Restbestände des von ihr mitfinanzierten Buches von Thimme eingestampft hatte). Die Bundeszentrale übertrug Felix Hirsch, dem unentwegten Verteidiger der Stresemann-Legende, den Festartikel in einem von ihr veröffentlichten Büchlein, in dem das alte Klischee erneuert und 20 Jahre Forschung völlig ignoriert wurden. Anneliese Thimme verfaßte noch einen Essay über die Stresemann-Kontroverse in einem Handbuch für Geschichtslehrer; doch neue Herausgeber nahmen ihn wieder aus dem Band heraus, als er bereits im Umbruch gesetzt war.

Die seit den 50er Jahren einsetzende Forschung zur inneren Geschichte der Weimarer Republik konzentrierte sich zunächst auf deren Endphase, weil von der Öffentlichkeit in Deutschland eine Antwort der Historiker „auf die Frage nach den entscheidenden Voraussetzungen und Ermöglichungsfaktoren der nationalsozialistischen Machtergreifung" (Eberhard Kolb), insbesondere für die Jahre nach 1929/30, erwartet wurde. Genau diesem Thema galt die erste große wissenschaftliche Monographie zur Geschichte der Weimarer Republik. Es war das grundlegende Werk von Karl Dietrich Bracher über „Die Auflösung der Weimarer Republik", erstmals erschienen 1955.[9] Das Werk wurde von der deutschen Presse und von der wissenschaftlichen Kritik des Auslandes mit größter Anerkennung aufgenommen, erfuhr aber ein gleiches nicht von seiten der deutschen Historikerzunft (mit der Ausnahme von Max Braubach), sondern wurde Opfer eines Verrisses von Werner Conze in der ‚Historischen Zeitschrift'.[10] Zunächst tadelte Conze Brachers Methode als eine Vermischung historischer und politologischer Begriffe, weil dieser – damals für die Historiker noch neu und ungewohnt – eine strukturalistische Analyse zum Wesen einer Demokratie, ihrer Macht- und Willensbildung bzw. ihrer bestimmenden Kräfte und Interessen, der Detailuntersuchung der Phasen der „Auflösung" der Republik von 1930 an vorausschickte.

Bracher lehnte die zu diesem Zeitpunkt noch weitverbreitete Auffassung von „schicksalhaften Geschehnissen", die zum Ende der Republik geführt hätten, entschieden ab und sah vielmehr die nationalsozialistische „Machtergreifung" von 1933 „als letztes Glied einer Entwicklung, die von greifbaren Machtgruppierungen und Machttendenzen gesteuert [und] durch schwerwiegende Fehlhandlungen und Unterlassungen begünstigt wurde".

Die Hauptstreitpunkte wurden die Frage des Übergangs zum Präsidialsystem im März 1930 und die Bewertung von Persönlichkeit und Politik des Reichskanzlers Heinrich Brüning. Conze hatte schon vor Erscheinen von Brachers Werk die Auffassung vertreten, Parteienstaat und parlamentarische Demokratie seien 1929/30 bereits am Ende gewesen und mit der Einsetzung eines Präsidialkabinetts habe der Reichspräsident den einzigen damals noch gangbaren Ausweg beschritten. Diese These baute

Conze gegenüber Brachers Kritik an Brüning und dessen Kurs weiter aus und interpretierte das Kabinett Brüning als den letzten Versuch einer „Rettung der Demokratie" in Deutschland.[11]

Gegenüber Conze betonte Bracher, daß die präsidiale Lösung auf nicht-parlamentarischen Entscheidungen beruhte; auf einer Ausklammerung des parteiendemokratischen Weges, der seit 1930 gar nicht mehr begangen wurde, obwohl noch parlamentarische Mehrheiten verfügbar waren – weil eben die präsidiale Minderheitenregierung als vermeintlich effektivere, bequemere Lösung bereitstand. In dieser Entscheidung ist nach Brachers Urteil nicht ein definitives Versagen des „Parteienstaates" zu sehen, sondern eher eine Folge des Verfassungsdualismus der Weimarer Republik – hier der Reichspräsident mit den Möglichkeiten des Artikels 48 der Verfassung, der längst nicht mehr nur als äußerstes Notstandsmittel gehandhabt wurde, dort der Reichskanzler, der sich auf Parlament und Parteienmehrheit stützen sollte – und eines Drängens zur antiparteienstaatlichen Präsidiallösung, die von einflußreichen Kräften gegen die Parlamentsdemokratie betrieben wurde. Dieser Sachverhalt geht nicht nur aus der blitzschnellen Regierungsbildung Brünings ohne Beteiligung der Parteien, sondern auch aus der internen Vorgeschichte um den „Ersatzkaiser" Hindenburg und seine Ratgeber hervor. „Sozis raus!", eine Regierung ohne Sozialdemokraten und ein „Kabinett der Frontsoldaten", das war die Absicht Hindenburgs, die er mit dem Kanzlermacher Schleicher wie mit der Industrie und den Agrariern teilte. Diese Männer waren an einer parlamentarischen Lösung in der Tat nicht interessiert.

Als Herausgeber der ‚Historischen Zeitschrift' hat Ludwig Dehio 1955, wohl auch unter dem Druck der Zunft, Brachers Bitte abgelehnt, eine Stellungnahme zu Conzes Besprechung veröffentlichen zu dürfen. In einer Besprechung der zweiten Auflage von Brachers Werk hat Conze 1957 im Ton zwar etwas zurückgesteckt, doch au fond an seiner Kritik festgehalten; er hat darin bekannt, daß er sich mit den beiden Hauptteilen des Buches gar nicht beschäftigt, sondern nur Basisfragen erörtert habe. Bracher erhielt 1959 einen politikwissenschaftlichen Lehrstuhl. Doch auch nach Erscheinen seines zweiten Hauptwerks 1960 über die nationalsozialistische Machtergreifung hat er niemals in Deutschland einen Ruf auf einen historischen Lehrstuhl erhalten, wohl aber 1966/67 das Angebot eines historischen Lehrstuhls für ‚europäische Geschichte' an der Harvard-Universität. Bracher blieb jedoch in Deutschland.

Abschließend müssen wir feststellen, daß in der Mitte der 50er Jahre ein bedeutender Versuch zu einer methodisch neuen und thematisch zentralen Analyse der jüngeren deutschen Geschichte keinen unmittelbaren Wandel des Geschichtsbildes herbeizuführen vermochte, weil das Ergebnis dieser Forschung nicht in die stark von obrigkeitsstaatlichen Traditionen geprägte Vorstellungswelt der historischen Zunft hineinpaßte.

Das Ende der apologetischen Periode der deutschen Geschichtswissenschaft

Damit komme ich zu einem weiteren Einbruch in das traditionelle Geschichtsbild, der sich als ein „Durchbruch" (Fritz T. Epstein) erweisen sollte. Er hat sich gegen alle Anfeindungen und Kritik behauptet und die deutsche Geschichtsauffassung nachhaltig verändert. Die Rede ist von meinen eigenen Arbeiten seit 1959.

Dehios Gedanken hatten mich aufs tiefste erregt, und ich beschloß, das, was er in einer großen gedanklichen Konstruktion entwickelt hatte, an den archivalischen Quellen (die in Deutschland ab 1953 zugänglich wurden) für die Innen- und Außenpolitik, vor allem aber auch im Bereich der für das Zeitalter des Imperialismus hochwichtigen ökonomischen und finanziellen Probleme zu überprüfen. Ich war für Dehios Kritik teils aufgeschlossen, weil ich von der Kirchengeschichte herkam, teils weil ich in einem breit angelegten Studium der Geschichte – anders als ein großer Teil meiner akademischen Lehrer und auch meiner eigenen Generation – kein „Bismarckianer" geworden war. Meine Arbeiten für den Erwerb des Lic. theol.

habil. und den Dr. phil. hatten, noch ganz in einer geistesgeschichtlichen Tradition stehend, zwei Persönlichkeiten des vorbismarckischen Deutschland behandelt: Die erstere, betreut von dem Philosophen und Pädagogen Eduard Spranger, der ihr auch den Preis der Schleiermacher-Stiftung zusprechen ließ, über Ludwig Nicolovius, den Freund des Schweizer Schulreformers Pestalozzi und Mitarbeiter Wilhelm von Humboldts und Altensteins;[12] die zweite über Moritz August von Bethmann Hollweg, den Großvater des Reichskanzlers, einen bedeutenden Rechtshistoriker und liberalen Konservativen, der die bis heute bestehenden Evangelischen Kirchentage begründete und Kultusminister im Kabinett der „Neuen Ära" (1858–62) war.[13]

Seit Anfang der 50er Jahre war ich mehrfach in England, dann 1952/53 acht Monate und wieder 1955 sechs Monate in den USA und sah Deutschland zum ersten Mal von außen, wobei ich begriff, daß 1914/18 als „The Great War" („La Grande Guerre") den westlichen Völkern als ein tiefer Einschnitt in ihrer Geschichte in Erinnerung war. In den USA lernte ich damals alle mit deutscher Geschichte befaßten amerikanischen Historiker kennen, u.a. William Langer, Raymond Sontag, Hajo Holborn, Hans Gatzke, Fritz Stern, Leonard Krieger, John Snell, Carl Schorske, Fritz und Klaus Epstein (die Hälfte von ihnen deutsche Emigranten), die alle eine weit kritischere Sichtweise der inneren Entwicklung und der äußeren Politik des Deutschen Kaiserreichs, besonders im Juli 1914 und während des Ersten Weltkriegs, aber auch der inneren und äußeren Politik der Weimarer Republik, vertraten, als es in der deutschen historiographischen Tradition bis 1961 vorherrschend war. Sehr beeindruckte mich auch, daß in den USA, wenn auch verschieden nach Auffassung und Intensität, Fragen der Sozial- und Wirtschaftsgeschichte, der Finanzen, der Banken, von Handel, Industrie und Landwirtschaft, Technik und Verkehr in die allgemeine Geschichte integriert wurden. Während man dort ihrem Einfluß auf die innere und äußere Politik nachging, wurden sie in der deutschen Tradition zumeist als eine Art Appendix abgehandelt.

In Amerika erfuhr ich auch, daß nunmehr die Akten des Deutschen Reichs seit 1871, die 1945 als Kriegsbeute beschlagnahmt worden waren, von den Alliierten zurückgegeben würden: von Moskau die Akten der Reichsämter (so wurden bis 1918 die späteren Reichsministerien genannt) an das frühere Deutsche Reichsarchiv in Potsdam und die Akten der preußischen Ministerien an das frühere Preußische Geheime Staatsarchiv in Merseburg; von London und Washington die Akten des Deutschen Auswärtigen Amtes nach Bonn in das Auswärtige Amt der neuen Bundesrepublik und einzelne Stücke an das Bundesarchiv in Koblenz. Als einer der ersten arbeitete ich nun von 1953 an bis 1961 und wieder von 1962 bis 1968 diese gewaltigen Aktenmassen durch, woraus nach einem Vorläufer-Aufsatz 1959 in der ‚Historischen Zeitschrift'[14] das 1961 erschienene Buch „Griff nach der Weltmacht. Die Kriegszielpolitik des kaiserlichen Deutschland 1914/18" entstand. „Weltmacht" meinte dabei im übrigen, wie aus dem Klappentext und natürlich dem Inhalt klar ersichtlich war, nicht „Weltherrschaft", sondern eine Stellung „gleichberechtigt" neben den „Weltmächten": dem Britischen Weltreich, den USA und dem Russischen Reich.

Aus dem Aufsatz von 1959 entstand eine Kontroverse mit Hans Herzfeld, der in der deutschen Kriegszielpolitik 1914/18 eine „permanente Krise" sehen wollte, eine Auffassung, der ich eine „Kontinuität des Irrtums" (nämlich über die deutschen Möglichkeiten) entgegenhielt. Doch erst das Buch erregte außerordentliches Aufsehen in der deutschen Öffentlichkeit. Es gab eingehende und anerkennende Besprechungen durch angesehene Journalisten, doch einen Aufschrei einhelliger Ablehnung in der Historikerzunft. Nur zwei Universitätslehrer benachbarter Disziplinen, der Politologe Bracher, der selbst, wie gezeigt, eine große Kontroverse mit Vertretern einer konservativen historischen Geschichtsanschauung durchzufechten gehabt hatte, und der Soziologe Ralf Dahrendorf äußerten sich positiv; der letztere sah in dem Buch das Ende der apologetischen Periode der deutschen Geschichtswissenschaft nach dem Zweiten Weltkrieg. Es gab aber auch Äußerungen wie das „schändliche" Buch, man sprach von „Nestbeschmutzung" und sogar von „Landesverrat“; hier wurde der Weltkrieg von 1914/18 noch in den Jahren nach 1961 weitergekämpft.

Es ist hier nicht der Ort, um die sog. „Fischer-Kontroverse“ erneut darzustellen; darüber ist schon eine kleine Bibliothek geschrieben worden. Nur darf man nicht übersehen, daß diese Kontroverse keineswegs allein mit wissenschaftlichen Argumenten ausgetragen wurde, sondern – wie der vorausgehende Abschnitt erkennen läßt – daß hier innerhalb der Bundesrepublik politische und ökonomische Motive im Spiel waren, wie es der amerikanische (in Deutschland geborene) Historiker George W. F. Hallgarten mit Entschiedenheit ausgesprochen hat: „Schließlich sind es [...] große gesellschaftliche und Klasseninteressen, die sich ihm [mir, F. F.] und den von ihm zutage geförderten Erkenntnissen entgegenstemmen“.[15] Es war vor allem die Wissenschaft des Auslands, die diese politisch motivierte Gegnerschaft überwinden half. Die Würdigung des Buches durch ausländische Fachkollegen aus Amerika, England, Frankreich, Italien, Österreich, Polen, Japan trug zumindest zur Versachlichung der Auseinandersetzung bei; das gilt auch für die dem „bürgerlichen“ Historiker gegenüber zwar dogmatisch einschränkenden, aber in der Sache würdigenden Besprechungen durch Historiker der damaligen DDR (auch der Sowjetunion), u.a. von dem gerade für diese Geschichtsperiode ungemein produktiven Willibald Gutsche, dem Verfasser einer bedeutenden Biographie Bethmann Hollwegs.

Der amerikanische Historiker Fritz T. Epstein prägte in seiner eingehenden Besprechung des Buches den Begriff des „Durchbruchs“, der mit dieser Arbeit gegenüber der Tradition gelungen sei, und tadelte an der ersten in Deutschland in einer wissenschaftlichen Zeitschrift erschienenen Besprechung des Buches, der von Gerhard Ritter in der ‚Historischen Zeitschrift‘, daß sie sich ausschließlich mit dem ersten und zweiten Kapitel des Buches (von 23 Kapiteln), und das noch unter dem irreführenden Titel „Eine neue Kriegsschuldthese?“, beschäftigte.[16] Epstein, selbst einer der hervorragendsten Osteuropahistoriker, würdigte das Buch vor allem wegen der aus breiten archivalischen Quellen erarbeiteten neuen Sicht der deutschen

Ostpolitik im Ersten Weltkrieg. Während viele Leser und wohl auch einige Rezensenten des Buches nur bis zum dritten Kapitel kamen, wo sie Bethmann Hollwegs sog. Septemberprogramm von 1914 fanden, das ganz isoliert gesehen wurde, und daneben die Darstellung der Revolutionierung im Britischen Weltreich und in Rußland, der Politik um Erze, Kohlen, Getreide, des Ringens mit den Verbündeten um Vorherrschaft in Polen, in Rumänien, im Baltikum, in Finnland unbeachtet ließen, hat Epstein gerade die Herausarbeitung der zentralen Bedeutung der deutschen Ostpolitik als bahnbrechende und fundierte Forschungsleistung gewürdigt.

Meine „Thesen" in Kürze dargestellt

Wenn man die Ergebnisse meiner Arbeit so nennen will, wie es geschehen ist, so sind sie mehrschichtig:

1. Zur Frage der historischen Methode: Das Ziel meiner Arbeit war nicht eine isolierte Geschichte der Diplomatie oder eine Darstellung des Kriegsgeschehens, wie sie in der deutschen Historiographie vorherrschten, sondern ein Aufdecken der ökonomischen Interessen, die hinter den Kriegszielen der Regierung und der auf sie einwirkenden sozialen Gruppen standen, sowie der macht- und sicherheitspolitischen Ziele der Militärs; ein Aufzeigen der in Schule, Kirche und Publizistik tradierten Mentalität der deutschen Bevölkerung, besonders in ihren führenden Schichten, in denen trotz eines steilen wirtschaftlichen Aufschwungs seit 1896 sich Unzufriedenheit und Aggressivität sammelten, die sich summieren lassen unter dem Schlagwort des erstrebten Aufstiegs Deutschlands zu einer Weltmachtstellung über die bisher erreichte europäische Großmachtstellung hinaus.
2. Zum Problem der „Kontinuität": Während im „Griff nach der Weltmacht" die Kontinuität des eben genannten Strebens – mit ihren durch die jeweilige Kriegslage bedingten Modifikationen – durch den Krieg hindurch verfolgt wurde, hat mein zweites Buch zum Ersten Weltkrieg „Krieg der Illusio-

nen. Die deutsche Politik von 1911 bis 1914" (1969) Elemente dieser Kontinuität zurückverfolgt in die Vorkriegspolitik des Kaiserreichs, nunmehr unter noch viel entschiedenerem Herausarbeiten der sozialökonomischen Faktoren. Ein drittes Buch „Bündnis der Eliten. Zur Kontinuität der Machtstrukturen in Deutschland 1871–1945" (1979)[17] zeigte auf, wie jene im Vorkrieg und während des Ersten Weltkriegs entstandenen machtpolitischen Zielsetzungen und Mentalitäten noch lange über das Ende des Krieges hinaus fortlebten. Das war sichtbar besonders in den konservativen und nationalliberalen Parteien und den völkischen Gruppen (mit einem starken Einschlag von Antisemitismus schon vom Vorkrieg her) und wirkte sich aus im Kampf gegen den Versailler Friedensvertrag und die sog. Kriegsschuldlüge und trug schließlich dazu bei, Hitler an die Macht zu bringen. Die Kontinuitätslinien zeigen aber auch, daß 1897, 1914, 1933, 1939 jeweils die expansiven, aggressiven und zugleich innenpolitisch autoritären Elemente in der deutschen Geschichte stärker waren als die liberal-demokratischen und sozialdemokratischen Kräfte und Tendenzen.

3. Zur Frage des deutschen „Sonderwegs": Gewiß muß die Außenpolitik des Deutschen Kaiserreichs mitsamt der Kolonialpolitik und der Interessenssphärenpolitik in China und im Osmanischen Reich als Teil der Politik der Großmächte, der sechs europäischen wie der USA und Japans, im Zeitalter des „Imperialismus" gesehen werden; die Politik der Mächte ist auf vielen Ebenen vergleichbar und bildet ein Netz von Interaktionen. Dennoch – das ist eine weitere These von mir – steht das Deutsche Reich unter Kaiser Wilhelm II. da als die am meisten Unruhe stiftende, unzufriedene und ungeduldige Macht, die in erster Linie mit dem Mittel der See- und Landrüstung und mit Pressionen in vielen Krisen arbeitete, eine durch Enttäuschungen nur noch gereizter und fordernder auftretende Macht, die sich als „eingekreist" empfand und bestrebt war, diese selbstverschuldete „Einkreisung" zu sprengen.

Die Debatte seit 1964

Auf dem Deutschen Historikertag 1964 in Berlin gab es eine lange vorbereitete Debatte über den „Griff nach der Weltmacht" (auf dem Historikertag in Duisburg 1962 hatte man das Buch noch völlig ignoriert). Die von mir dort vorgetragenen Thesen habe ich ein Jahr später in dem kleinen Buch „Weltmacht oder Niedergang" veröffentlicht.[18] Mir wurde sekundiert von zwei jüngeren Mitarbeitern, Imanuel Geiss und Helmut Böhme; mein Kontrahent und zugleich Hauptkritiker Gerhard Ritter wurde assistiert von zwei etwa gleichaltrigen Kollegen, Erwin Hölzle und Egmont Zechlin. Heute wissen wir, daß Ritter nur sehr ungern zu dieser Diskussion gekommen war; und er war am Ende tief enttäuscht über ihren Ausgang. Er war ärgerlich nicht nur über die Studenten, die mehr mir als ihm zustimmten, sondern auch, wie er rückschauend schrieb, verdrossen über „die Äußerungen des Herrn Droz, bzw. Renouvin und noch mehr das Geschwätz des Herrn Stern [...]. Auch Zechlin war enttäuschend. Ich selbst habe mich nachträglich geärgert, daß ich nicht viel massiver gesprochen habe und bin etwas deprimiert abgereist". Im gleichen Schreiben nennt er in seiner Leidenschaftlichkeit mein Buch „einen neuen, sehr gefährlichen Typ von Tendenzhistorie" – „gefährlich, weil sie sich hinter einem Riesenaufgebot von Zitaten aus ungedruckten, daher für die meisten Benutzer nicht nachprüfbaren Quellen tarnt". Doch schließt er resignierend: „Aber was nutzt solche nachträgliche Weisheit? Der entscheidende Moment ist unrettbar versäumt und der Gesamteffekt verfehlt".[19]

Da das Interesse am „Griff nach der Weltmacht" sich, wie schon erwähnt, unerwartet auf das Jahr 1914 und die Vorgeschichte des Krieges konzentrierte, sah ich mich nach neuen Archivstudien veranlaßt, 1969 mein Buch „Krieg der Illusionen" zu veröffentlichen. Es behandelte ausführlich die deutsche Politik von 1911 bis 1914 vor dem Hintergrund der ökonomisch-sozialen Bedingungen des Kaiserreichs. Während ich nach den mir damals zugänglichen Quellen in der Erstausgabe von „Griff nach der Weltmacht“ zum Juli 1914 gesagt hatte, daß „die deutsche Reichsführung einen erheblichen Teil an der historischen Verantwortung für den Ausbruch des allgemeinen Krieges trägt“, habe ich nach der Auffindung neuer Archivalien in der Sonderausgabe von 1967 und den nachfolgenden Ausgaben mein Urteil dahingehend verschärft, daß „die deutsche Reichsleitung den entscheidenden Teil der historischen Verantwortung“ trägt.

Was hat mich zu dieser Verschärfung meines Urteils über den deutschen Anteil an der Verantwortung für die Auslösung des Krieges geführt?

1. Ich hatte von einem deutschen Diplomaten[20] Genaueres über den Inhalt der ursprünglichen, nicht überarbeiteten Eintragungen im Tagebuch von Kurt Riezler, dem Sekretär Bethmann Hollwegs, zum Juli/August 1914 erfahren, wonach der Reichskanzler im Juli 1914 „kriegswillig“, ja „kriegslustig“ gewesen war, sogar den Krieg mit Rußland „herbeigesehnt“ hatte.
2. Diese Eintragung Riezlers wurde bestätigt, als 1984 das Briefkorpus von Gerhard Ritter veröffentlicht wurde. Darin findet sich ein Brief Ritters an Hans Rothfels, der 1945 Riezler wegen dieser Stellen von der Publikation seiner Tagebücher abgeraten hatte, vom 26. März 1962: „Sehr erschreckt und bestürzt hat mich Ihr Brief vom 21. 3. [1962]. Wenn Bethmann, wie Sie schreiben, im Juli 1914 den „Wunsch“ hatte, den Krieg mit Rußland herbeizuführen, dann hat er entweder mit dem Schicksal des deutschen Volkes gewissenlos gespielt oder sich in geradezu unglaublichen Illusionen über unsere militärische Leistungsfähigkeit bewegt. Auf alle Fälle hätte dann Fischer völlig recht, wenn er bestreitet, daß Bethmann Hollweg den Krieg ernsthaft zu vermeiden wünschte ...“.[21]
3. Auf dem Internationalen Historikertag in Wien im September 1965 wurde durch Imanuel Geiss das Gespräch Moltke-Jagow[22] von Anfang Juni 1914 bekannt, in dem der ranghöchste deutsche Militär vom Chef des Auswärtigen Amtes

die Herbeiführung einer Situation verlangte, die die Auslösung eines „Präventivkrieges“ möglich machte.

4. Als Fellow im Institute for Advanced Study in Princeton, New Jersey, erfuhr ich im Frühjahr 1966 von den Briefen des Kruppdirektors Muehlon,[23] der 1914 seinen Posten aufgab und später in die Schweiz ging. Aus dessen – in den Briefen überlieferten – Gesprächen mit dem Direktor der Deutschen Bank Karl Helfferich und mit seinem Chef Krupp von Bohlen und Halbach war zu entnehmen, daß Deutschland eine russische Generalmobilmachung sofort mit Krieg beantworten würde. Diese Gespräche hatten Mitte Juli 1914 stattgefunden.
5. All dies wurde bestätigt durch die Unterredung Bethmann Hollwegs mit dem französischen Botschafter Cambon im Januar 1914, in der jener für Deutschland den „Platz an der Sonne“ forderte, den es als „wachsendes Wesen“ (Darwin!) beanspruchen könne; weiterhin auch durch die Gespräche Moltkes und des Kaisers mit dem belgischen König Albert im November 1913. Der „Krieg ist unvermeidlich und nahe“, hieß es dort, „viel näher als Sie denken!“[24]
6. In diese Beweiskette gehören auch die Eintragungen in den Tagebüchern von Theodor Wolff,[25] dem Chefredakteur des ‚Berliner Tageblatts‘ und engen Vertrauten des Auswärtigen Amtes, über seine Gespräche mit Jagow und Stumm, dem Direktor der Politischen Abteilung im Auswärtigen Amt, u.a. am 26. Juli 1914.
7. Schließlich sind in diesem Zusammenhang zu nennen die Mitteilungen in den Tagebüchern von Harry Graf Kessler über den Neffen des Reichskanzlers, Dietrich von Bethmann Hollweg, Sekretär in der Deutschen Botschaft in Wien, und dessen Tätigkeit dort während der Julikrise. Diese Mitteilungen über die Reue und Selbstanklage des Kanzlerneffen sind zu Unrecht bagatellisiert worden, denn sie werden voll bestätigt durch die Papiere des Grafen Alexander Hoyos,[26] engster Berater des österreichisch-ungarischen Außenministers Graf Berchtold. Hoyos war mit Dietrich von Bethmann Hollweg befreundet und arbeitete eng mit ihm zusammen. Er war von

1906 bis 1909 in Berlin tätig gewesen, von dort und schon von China her mit Unterstaatssekretär Zimmermann persönlich befreundet, dazu mit den Bismarcks verwandt. Unter den jüngeren Diplomaten in Wien drängte er am stärksten auf den Krieg und erreichte, daß er mit der Mission in Berlin am 5. und 6. Juli betraut wurde, deren Ergebnis für die Eskalation der Krise von so gravierender Bedeutung sein sollte.[27] Auf der anderen Seite hat der deutsche Botschafter von Tschirschky an der Vorbesprechung für den Gemeinsamen Ministerrat am 8. Juli in Wien teilgenommen, auf der der Krieg gegen Serbien im Prinzip beschlossen wurde. Wie sehr Berlin auf Aktion drängte, zeigt der Bericht des Legationsrates an der k.u.k.-Botschaft in Berlin von Haymerle. Er schreibt am 8. Juli an Hoyos: „Mit Sehnsucht erwarten wir, Botschafter und ganze k.u.k., Dein erlösendes Wort. Hier im AA werden wir allerseits zu einer Aktion gedrängt. Die Stimmung ist großartig *für* uns, wenn wir *losgehen*. Sonst dürfte man uns wohl als hoffnungslos, fast hätte ich gesagt, aufgeben ...". Wenige Tage später erhielt Hoyos den Besuch von Dietrich von Bethmann Hollweg, der eben aus Berlin zurückkam und berichtete, er „habe dort mit dem Reichskanzler eingehend gesprochen, und sei zu der Überzeugung gelangt, wenn wir nichts unternehmen sollten, so werde man in Berlin an uns verzweifeln und sich neue Bundesgenossen suchen müssen". In einem rückschauenden Bericht von 1919 sieht Hoyos darin „den Wunsch [Deutschlands, F.F.], eine imperialistische Eroberungspolitik über den Umweg über uns und Serbien einzuleiten und sich auf die Westmächte zu stürzen". In diesem Verdacht wurde er bestätigt, als Berlin bereits Mitte Juli – während Wien ausschließlich an den Krieg mit Serbien dachte – Vorbereitungen für den Krieg mit Frankreich traf; d.h. für den Weltkrieg, den Österreich-Ungarn mit deutscher Hilfe vermeiden zu können gehofft hatte.

Seither habe ich mich immer wieder mit den hier berührten Fragen und ihrer Bedeutung für die Kontinuität der deutschen Geschichte beschäftigt.[28] Auch die in diesem Band versammelten Beiträge umkreisen Entwicklungen, Ereignisse und Personen, die für Deutschlands Weg vom Kaiserreich bis zur Gegenwart von besonderer Bedeutung gewesen sind. Meine zentrale These ist damals wie heute klar. „Wenn man um die Weltherrschaft *kämpfen* will", sagte General Groener im Großen Hauptquartier 1919 zu seinen Offizieren, „muß man dies von langer Hand her vorausschauend mit rücksichtsloser Konsequenz vorbereiten". Dieses Wort habe ich 1969 meinem Buch „Krieg der Illusionen" als Motto vorangestellt, um auf eine verhängnisvolle Kontinuitätslinie der deutschen Geschichte hinzuweisen. Hitler, nicht er als Person, aber was durch ihn im Namen Deutschlands geschah, war kein Betriebsunfall.

Rückblickend auf meine wissenschaftliche Arbeit denke ich in großer Dankbarkeit an meine akademischen Lehrer; vor allem aber an meine Mitarbeiter und meine Schüler, die mir jeder auf seine Weise Anregung und Unterstützung gegeben haben. Viele von ihnen haben sich durch große wissenschaftliche Leistungen einen Namen gemacht.

Herrn Günther Specovius, der eine umfassende Geschichte der Beziehungen zwischen Rußland und Deutschland vorbereitet, danke ich für fruchtbare Gespräche.

Die Außenpolitik des kaiserlichen Deutschland und der Ausbruch des Ersten Weltkriegs

I. Die Außenpolitik des kaiserlichen Deutschland

Machtpolitisch-strategische, ökonomische und ideologische Antriebe in vielfacher Mischung haben, z.T. unter Einwirkung von öffentlicher Meinung, „Pressure Groups“ und Parteien, die Regierungen der sechs europäischen Großmächte, Japans und der USA im Zeitalter des Imperialismus in den 80er Jahren des 19. Jahrhunderts zu expansiver Politik geführt. Dies geschah durch Vergrößerung ihres älteren Kolonialbesitzes, wobei Frankreich und England im Übergang vom ‚informal‘ zum ‚formal empire‘ besonders erfolgreich waren, oder durch den Neugewinn von Kolonien wie durch das 1871 gegründete Deutsche Reich in den Jahren 1884/85. Diese Politik konnte aber auch in der Schaffung von Einflußsphären in wirtschaftlich abhängigen Gebieten wie Südamerika oder in schwach gewordenen Großreichen wie China und dem Osmanischen Reich ihren Niederschlag finden. Die ‚partition of Africa‘, die Aufteilung der Inselgebiete im Pazifik sowie Chinas und eine Reihe von Kriegen – der japanisch-chinesische 1894/95, der amerikanisch-spanische 1898 (mit dem Erwerb von Kuba, Puerto Rico und der Philippinen, später der Panamakanalzone durch die USA), der (zweite) Burenkrieg 1899–1902, der russisch-japanische Krieg 1904–1905 – führten zu einem Aufschwung des ‚Navalismus‘. Unter dem Eindruck dieser Entwicklungen und beeinflußt von den Lehren des amerikanischen Admirals Mahan über den Einfluß der Seemacht auf die Weltmachtstellung, begannen ältere Seemächte ihre Flotten zu vergrößeren und neu aufsteigende Staaten wie Japan, die USA und das Deutsche Reich neue Flotten aufzubauen.

Während nun aber von den neuen Flotten die ersten beiden für Großbritannien zwar eine unwillkommene Konkurrenz, doch durch den englisch-amerikanischen Ausgleich seit etwa 1900 und durch das englisch-japanische Bündnis von 1902 keine Gefahr für das Britische Reich bedeuteten, war der deutsche Flottenbau durch die geographische Nähe – der Operationsradius der deutschen Flotte war nicht größer als die innere Nordsee – und in der Form einer Schlachtschiff-Flotte eine unmittelbare Bedrohung des englischen Mutterlandes. Zu nennen sind hier das erste Flottengesetz 1898, das zweite Flottengesetz 1900 und die Flotten-Novellen 1906, 1908 und 1912. England antwortete seit 1901 mit der Verstärkung seiner Flotte durch Neubauten, wobei es 1905 den Übergang zum Bau des überschweren Linienschiffs, des Dreadnought-Typs, vollzog und damit ein Wettrüsten zur See einleitete, das finanziell nur England durchhalten konnte; indem es Geschwader aus Ostasien, Westindien und dem Mittelmeer zurückholte („Heimholen der Legionen"); und – besonders folgenreich – „Ententen" mit Frankreich 1904 und mit Rußland 1907 abschloß, d.h. den Ausgleich mit seinen Weltmachtgegnern aus dem 18. und 19. Jahrhundert zunächst in kolonialen Fragen, wie Marokko und Ägypten bzw. Persien, Afghanistan und Tibet suchte. Schließlich begann England mit dem Aufbau einer kleinen, aber schlagkräftigen Berufsarmee, die bestimmt war, im Falle eines Krieges als „British Expeditionary Force" in Frankreich eingesetzt zu werden. Deutschland wiederum fühlte sich durch diese Entwicklung „eingekreist", und die deutsche Öffentlichkeit empfand einen tiefen Machtverlust des Deutschen Reichs im Vergleich zu der Stellung, die es unter Bismarck in der Staatengesellschaft eingenommen hatte.

Wie war das gekommen? Das Deutsche Reich war nach Bismarcks Entlassung 1890 durch die russisch-französische Militärallianz von 1894 im Falle eines Konfliktes durch einen Zweifrontenkrieg mit zwei Nachbargroßmächten bedroht. Dennoch ging Wilhelm II., seit 1888 (29jährig) Kaiser und seit

1897 beraten von dem neuen Staatssekretär der Marine, von Tirpitz, und dem neuen Staatssekretär des Auswärtigen und späteren Reichskanzler, von Bülow, zum Flottenbau und zur „Weltpolitik“ über und forderte damit Großbritannien, eine dritte Großmacht und damals die stärkste Seemacht der Epoche heraus. Tirpitz[1] mag auch durch „Sozialimperialismus“ motiviert gewesen sein, durch das Kalkül nämlich, mit dem neuen nationalen Symbol der Flotte die Nation gegen die Sozialdemokratie einigen zu können und, mehr noch, die Position des Reichstags im deutschen Regierungssystem durch das sog. „Aeternat“ des Marinebudgets dauerhaft zu schwächen. Tatsächlich stimmten nach ernsten Bedenken und anfänglichem Widerstand am Ende fast alle bürgerlichen Parteien im Reichstag für den Flottenbau. Die konservativen Agrarier wurden durch hohe Schutzzölle dafür geradezu gekauft. Diese Unterstützung war zum Teil durch die direkten ökonomischen Interessen der Schwerindustrie verursacht, insbesondere durch langfristige Aufträge für Panzerplatten und Schiffsgeschütze. Ihr Erfolg war aber in erster Linie der durchorganisierten Propaganda des Reichsmarineamtes zu danken, das behauptete, nur durch eine Flotte könne auf lange Sicht die Zukunft Deutschlands als Industrie- und Handelsmacht gesichert werden und nur durch dieses Machtmittel würde es möglich sein, den Widerstand Englands gegen weitere Kolonialforderungen des Reichs zu überwinden.

In einem jüngst erschienenen Buch über die Rüstungspolitik des Wilhelminischen Deutschland[2] heißt es lapidar: „Wir haben hier die einseitige und verhüllte Rüstung der Seestreitkräfte des Deutschen Reichs seit 1897, die nicht durch irgendeine akute Bedrohung begründet war.“ Die deutsche Schlachtflotte, die nach ihrer Vollendung um etwa 1920 aus 60 Dreadnoughts bestehen sollte, war konzipiert als ein machtpolitischer, wenn notwendig, als ein militärischer Hebel, der in der Lage sein würde, Großbritannien, die erste Seemacht jener Zeit, aus ihrer maritimen und kolonialen Vormachtstellung zu verdrängen.

Aber welche kolonialen und Handelsinteressen bzw. -besorgnisse auch immer bestanden haben mögen, die instinktive

Triebkraft für eine antibritische Politik kam von Kaiser Wilhelm II. persönlich, von seiner Haß-Liebe-Beziehung gegenüber Großbritannien, die sich von Kindheitseindrücken während seiner Besuche dort sowie durch seinen kindlichen Wunsch nährte, eine Flotte zu besitzen, die stärker sein sollte als die machtvolle Royal Navy. Schon sehr früh, 1895, informierte seine Mutter[3] ihre eigene Mutter, die Queen Victoria, wie entsetzt sie über Wilhelms antibritische Pläne war. Und im nächsten Jahr, im Februar 1896 einen Monat nach dem Krüger-Telegramm des Kaisers, machte der damalige Korvettenkapitän Müller, der spätere Admiral und Chef des Kaiserlichen Marinekabinetts, die folgende Feststellung in einem Memorandum: „Der Krieg, der aus diesem Kampfzustand entstehen kann, und, wie viele behaupten, entstehen muß, hat nach einer bei uns landläufigen Ansicht das Ziel des Brechens der englischen Weltherrschaft und damit das Freilegen des notwendigen Kolonialbesitzes für die ausdehnungsbedürftigen mitteleuropäischen Staaten."[4] Und 1903, nachdem das erste Flottengesetz von 1898 und das zweite von 1900 angenommen worden waren, stellte Theobald von Bethmann Hollweg,[5] der spätere Reichskanzler, ein enger Freund, aber kein blinder Bewunderer des Kaisers, fest: „Danach täten die dem Kaiser Unrecht, die seine Politik eine schwankende nannten. Seine erste und Grundidee sei, Englands Weltstellung zugunsten von Deutschland zu brechen. [Man beachte das ominöse Wort ‚brechen', das hier wieder erscheint! F.F.]. Dazu bedarf es einer Flotte; um sie zu haben, vielen Geldes, und da nur ein reiches Land dies geben kann, soll Deutschland reich werden. Daher die Bevorzugung der Industrie, und die Wut auf die Landwirte, die, um nicht zu Grunde zu gehen, sich gegen diese Politik wehren."

Der Kaiser hielt an seiner antibritischen Politik mit drei Flottennovellen (1906, 1908, 1912) fest, die zu den zwei Flottengesetzen hinzukamen, und vernachlässigte die Armee.[6] Vor allem wurde die Armee fast 20 Jahre lang, von 1893 bis 1913, nicht wesentlich vergrößert, obwohl doch die Planung des Generalstabs, der sog. Schlieffenplan, seit 1905 eine numerische Überlegenheit der deutschen Armee für den ersten entscheidenden

Schlag gegen Frankreich erforderte. Diese Politik der relativen Kleinhaltung der Armee[7] war aber nicht allein durch die finanziellen Anforderungen des Flottenbaus veranlaßt, sondern es waren innenpolitische Gründe, wie der Einspruch des preußischen Kriegsministers, der von einer Vergrößerung der Armee einen relativen Rückgang des Adels im Offizierskorps befürchtete, ja eine Demokratisierung der Armee (auch im Unteroffizierskorps und bei den Mannschaften), so daß die Armee ihre Funktion als „Corps royal"[8] zur Erhaltung des preußisch-deutschen Systems im Innern verlieren könnte. Diese langjährige Vernachlässigung der Armee führte dann in der außenpolitischen Krise des Winters 1912/13, veranlaßt durch den ersten Balkankrieg, zu einer überstürzten außerordentlichen Vermehrung des Heeres 1913,[9] was wiederum Europa, und insbesondere die Nachbarn Frankreich und Rußland, irritierte, welche mit der Vergrößerung ihrer Armeen antworteten. Das wiederum führte neben dem See- nun auch zu einem Landwettrüsten. Im Juli 1914 erklärte der Großadmiral Tirpitz gegenüber dem Prinzen Heinrich, dem Bruder des Kaisers: „Die Flotte sei noch nicht so weit, ihr Auf- und Ausbau noch nicht abgeschlossen." Für einen Krieg, der für einen nahe bevorstehenden Zeitpunkt erwartet wurde, war die (kostspielige) Flotte nur von einem sehr begrenzten Wert.

2. Das Wiederaufleben der „Erbfeindschaft" zu Frankreich

Inzwischen war ein zweiter Gegensatz, der deutsch-französische, der seit 1871 infolge der Annexion von Elsaß-Lothringen durch das Deutsche Reich bestand, durch die deutsche Marokkopolitik neu belebt worden. Deutschland machte 1905 unter Ausnutzung der durch den russisch-japanischen Krieg und die Revolution bedingten Schwäche Rußlands den Versuch, durch Drohung gegen Frankreich (Tanger-Landung) die Entente Cordiale zu sprengen. Der Kaiser folgte nur sehr widerwillig dem Rat Bülows zu dieser dramatischen Aktion, da dies vorzeitig zu einem Krieg mit Frankreich und mit England führen konnte, das seinen Ententepartner in dieser Krise unterstützte. Noch war die deutsche Flotte ja nicht fertig. In dieser Krise von 1905 begannen die ersten militärischen Absprachen[11] zwischen den beiden Partnern der Entente Cordiale. Die deutschen Bemühungen um Marokko wiederholten sich 1911 mit dem „Panthersprung“ nach Agadir.

Beide Male ging das Deutsche Reich bis an den Rand des Krieges, mit dem einzigen Resultat, daß sich die englisch-französische Entente konsolidierte und durch erneute militärische Besprechungen[12] sowie einen Notenaustausch verstärkt wurde. Wie bei der Flottenpolitik waren reale oder angebliche ökonomische Interessen – man hoffte, Eisenerz in Marokko zu finden –, Prestige- und Machtpolitik, aber auch territoriale Tauschobjekte im Spiel: Deutschland wollte ein deutsches ‚Mittelafrika‘ aus Teilen von Französisch- und Belgisch-Kongo erwerben gegen Verzicht auf umstrittene Rechte oder Ansprüche in Marokko. 1911 verfolgte die deutsche öffentliche Meinung,[13] vor allem die Alldeutschen und die Rechtspresse, die der deutsche Außenminister von Kiderlen-Wächter in seinen Dienst nahm, die Verhandlungen erregt und mit großen Erwartungen. Eben diese Gruppen äußerten dann aber größte Enttäuschung, ja Bitterkeit über die dürftigen Ergebnisse dieser Politik, nämlich den Erwerb der sog. ‚Entenschnäbel‘ von Kamerun zum Kongofluß, großenteils Sumpfgebiete. Man sah nun in Frankreich wieder den „Erbfeind“, der dem aufstrebenden Deutschland überall in den Weg trat.

Die Animosität gegen Frankreich verstärkte sich noch, als die Türkei[14] den Platz von Marokko als Feld deutscher ökonomischer und politischer Interessen einnahm. Hier konkurrierten diese mit den Interessen Frankreichs, einer finanziell stärkeren Macht als Deutschland, sowie mit denjenigen Großbritanniens und Rußlands. Die Rüstungspolitik ging allmählich in ihren Prioritäten von der Flotte zur Armee über.[15] England sah sich nun außer durch die deutsche Flotte auch durch den „Schlieffenplan“ bedroht, dessen Ziel im Kriegsfall die rasche Vernichtung der französischen Feldarmee und die politische Ausschaltung Frankreichs als Machtfaktor war.

3. Der neue Gegensatz zu Rußland, der slawischen Großmacht

Inzwischen war ein dritter Gegensatz sichtbar geworden, der den Osten und Südosten Europas betraf und Österreich-Ungarn einschloß, den einzigen noch sicheren Bundesgenossen des Deutschen Reichs, nachdem Italien unter Einwirkung des deutsch-englischen und des deutsch-französischen Gegensatzes sich der Entente genähert hatte: das war der deutsch-russische Antagonismus, der unmittelbar zum Weltkrieg führte. Der Gegensatz zwischen dem Zarenreich und der Donaumonarchie über den vorherrschenden Einfluß auf die Balkanvölker ging ins 18. und 19. Jahrhundert zurück. Der Zar konnte, auch als Beschützer der griechisch-orthodoxen Kirche, die Nationalitätenbewegung, die im 19. Jahrhundert die Balkanvölker erfaßte, für seine Politik ausnutzen. Die Annexion der bis 1878 türkischen Provinzen Bosnien und Herzegowina, die seit dem Berliner Kongreß von 1878 und in dessen Auftrag von Wien verwaltet worden waren, durch Österreich-Ungarn im Jahre 1908 erbitterte das stammverwandte Serbien, wo seit 1903, nach einem Fürstenmord, eine Österreich feindliche Dynastie herrschte. Serbien diente nun als Basis für eine bosnische irredentistische Bewegung. Da Rußland erst durch eine Kriegsdrohung Berlins am 22. März 1909, durch den Einsatz der „Schimmernden Wehr", zur Anerkennung der Annexion gebracht wurde, richtete sich die russische öffentliche Meinung verstärkt feindselig gegen Deutschland, mit dem es schon seit der Spät-Bismarckzeit, und besonders seit dem im Juli 1904 Rußland aufgezwungenen deutsch-russischen Handelsvertrag, ökonomische Friktionen gab: Deutsche Großagrarier agitierten gegen die Einfuhr russischen Getreides nach Deutschland, während sie selbst forderten, Getreide in die russischen Westgebiete einführen zu können. Mehr noch, Rußland war, wie auch England und Frankreich, irritiert durch die deutsche Türkeipolitik, den Bau der Bagdadbahn und die Aufrüstung der türkischen Armee, da diese Politik ein vitales Interesse Rußlands an der freien Ausfuhr von Getreide durch die Dardanellen (Konstantinopel!) bedrohte und die russischen Fernziele an den Meerengen blockieren konnte.

Die unerwartete und rasche Niederlage der türkischen Armee im Ersten Balkankrieg im Oktober 1912, in dem die Türkei durch Serbien, Montenegro, Griechenland und Bulgarien aus ihren europäischen Besitzungen vertrieben wurde, löste die letzte große Kriegskrise vor dem Ersten Weltkrieg aus. Denn Österreich-Ungarn betrachtete eine Festsetzung Serbiens an der Adria (zwischen den österreichisch-ungarischen Kriegshäfen Pola und Cattaro, heute Pula und Kotor) als eine Verletzung seiner vitalen Interessen und wollte militärisch eingreifen, selbst auf die Gefahr eines Kriegs mit Rußland hin. Der Krieg wurde durch das Zusammenspiel Englands und Deutschlands auf der Londoner Botschafterkonferenz vermieden, die im Dezember 1912 u.a. durch die Gründung des Staates Albanien zugunsten Wiens entschied, eine Entscheidung, die von Serbien wie von seinem Protektor Rußland angenommen wurde.

Doch der Schock über den (wenigstens zeitweisen) Ausfall der als Bundesgenossen betrachteten Türkei und über die Vergrößerung Serbiens, das in Zukunft im Falle eines großen Krieges österreichisch-ungarische Truppen binden würde, die dann gegen Rußland fehlten, war groß. Nicht weniger groß war der Schock über die Warnung Englands,[16] daß es im Falle eines deutschen Angriffs auf das mit Rußland verbündete Frankreich auf dessen Seite treten werde, um nicht am Ende dem Deutschen Reich als der den Kontinent allein beherrschenden Macht gegenüberzustehen. Diese Schocks führten zu der massiven deutschen Heeresvermehrung von 1913, die wiederum französische (Einführung der dreijährigen Dienstzeit) und russische Heeresvermehrungen nach sich zog. Die letztere, deren Ausmaß erst 1913/14 voll erkennbar wurde, ließ eine zahlenmäßige Unterlegenheit der beiden kontinentalen Nachbarstaaten Deutschland und Österreich-Ungarn für die Zeit um 1916/17 erwarten.

Während der Diskussionen über das Ausmaß der deutschen Heeresvermehrung wurde der Gegensatz der „Slawen und Germanen" das zentrale Propagandaschlagwort. Wilhelm II. und Moltke sprachen vom „Entscheidungskampf" oder vom „Endkampf" zwischen den „Slawen und den Teutonen".[17] In den

Jahren 1913/14 vollzog sich mithin ein tiefgreifender Wandel in den Vorstellungen des deutschen Volkes und in seinen Gefühlen gegenüber Rußland, das noch unter der Kanzlerschaft Bülows bis 1909 (trotz des bestehenden russisch-französischen Bündnisses) als eine befreundete Macht betrachtet worden war. Jetzt aber entstand erneut das Bild des russischen Kolosses, der Deutschland bedrohe, und des Moskauer Geistes, der beherrscht sei vom Haß gegen alles Deutsche, angetrieben von einem expansionistischen Pan- und Neo-Slawismus. Demgegenüber bedeuteten die dynastischen Verbindungen mit deutschen Fürstenhäusern nicht mehr viel, eine Überzeugung, der Wilhelm II. selbst betont Ausdruck verlieh: Der russische Geist sei beherrscht durch einen neuen Nationalismus, vor allem der neuen industriellen russischen Bourgeoisie. Dieser Wandel des Rußlandbildes war von epochemachender Bedeutung und ebnete den Weg zu Hitler.

Es waren vor allen Dingen die Baltendeutschen, die in den 80er und 90er Jahren aus Protest gegen die damals einsetzende Russifizierung der baltischen Provinzen nach Deutschland kamen. Sie waren erfüllt von einem tiefen Haß gegen Rußland, aber auch von Furcht gegenüber der wachsenden Macht des Slawentums. Unter ihnen waren so einflußreiche Männer wie der Professor für Osteuropäische Geschichte an der Universität Berlin, Theodor Schiemann, der auch an der Kriegsakademie unterrichtete und durch seine Ideen von dem multinationalen Charakter des Zarenreiches und damit dessen Verwundbarkeit im Kriegsfalle das preußisch-deutsche Offizierkorps stark beeinflußte. Schiemann hatte an der Berliner Universität einen Gegenspieler, auch Professor für Osteuropäische Geschichte, Otto Hoetzsch, der die Idee von der in Jahrhunderten gewordenen staatlichen Einheit des Zarenreiches vertrat, sich aber gegen jenen nicht durchsetzen konnte.

Da die Bevölkerung Rußlands von 150 Millionen Menschen gegenüber 65 Millionen Deutschen um jährlich 3 Millionen zunahm, die deutsche hingegen nur um ca. 750000, und zugleich seine Industrialisierung und seine Eisenbahnbauten mit französischer Finanzhilfe sichtbar fortschritten, erneuerte sich, angeheizt durch große Teile der Presse, die Vorstellung der „russischen Gefahr“,[18] die schon im 19. Jahrhundert lebendig war, in der deutschen Öffentlichkeit, bei den auf einen „Präventivkrieg“ drängenden Militärs und in der Regierung. Gleichzeitig sah sich Österreich-Ungarn nicht nur von außen, durch den Panslawismus oder Neoslawismus, sondern auch im Innern von der „slawischen Gefahr“ bedroht. Unter anderem tobte 1908–1914 ein Sprachen- und Machtkampf zwischen Deutschen und Tschechen in Böhmen und im Wiener Reichsrat, dem Parlament der österreichischen Reichshälfte.

4. Die Hochspannung im letzten Jahr vor dem Kriege

Während der Balkankriege (November/Dezember 1912 und im Februar und Juli 1913) hielt Berlin die Wiener Regierung nachdrücklich von einem militärischen Vorgehen gegen Serbien zurück, weil dies unvermeidlich die Intervention Rußlands nach sich gezogen und so den Weltkrieg verursacht haben würde. Der deutsche Kanzler Bethmann Hollweg[19] hat deshalb im Februar 1913 den österreichisch-ungarischen Außenminister Berchtold dahin gedrängt, sorgfältig die Konsequenzen eines österreichischen Krieges gegen Serbien und Montenegro zu überdenken: Die Vertreter einer friedfertigen Politik in Rußland, d.h. der Ministerpräsident und Finanzminister Kokowzow und der Außenminister Sasonow, würden „vom Sturm der öffentlichen Meinung einfach fortgeweht werden, falls sie versuchen sollten, sich ihm entgegenzustellen“. Und der Kanzler fuhr fort: Eine „objektive Prüfung“ der Situation müsse zu dem Ergebnis kommen, „daß es für Rußland bei seinen traditionellen Beziehungen zu den Balkanstaaten beinahe unmöglich ist, ohne einen ungeheueren Verlust an Prestige einem militärischen Vorgehen Österreich-Ungarns gegen Serbien tatenlos zuzusehen“. Konnte Bethmann Hollweg dies im Juli 1914 vergessen haben? Nein, er hatte es nicht vergessen, sondern zu dieser Zeit wollte er, wie wir sehen werden, den Krieg mit Rußland.

Seit September 1913, als die Vergrößerung der deutschen Armee wirksam zu werden begann, fand eine Wende[20] im Denken der deutschen politischen und militärischen Führung statt. Die Bundesgenossenschaft des enttäuschten Österreich-Ungarn wurde jetzt wieder gesichert: Wien war enttäuscht über den Bukarester Frieden, der die Balkankriege im August 1913 abschloß, weil das mit ihm befreundete Bulgarien der Verlierer war, und es drängte auf Revision, gerade weil es unmittelbar kriegerisch nicht eingreifen konnte und durfte. In dieser Situation war der Kaiser – im Einvernehmen mit dem Auswärtigen Amt – im Oktober 1913 besonders aktiv, indem er nach Konopischt und Wien reiste, um mit Erzherzog Franz Ferdinand und Außenminister Berchtold zu sprechen, wobei er beiden Gesprächspartnern weitgehende Hilfszusagen für künftige Krisen machte.[21]

Im November 1913 versuchten Kaiser Wilhelm und Moltke den König der Belgier, Albert, zu überreden, daß er im Falle eines Krieges den deutschen Truppen freien Durchmarsch durch sein Land gestatten würde.[22] Denn der „Krieg mit Frankreich ist unvermeidlich und nahe bevorstehend", sagte der Kaiser. Und Moltke wiederholte: „Der Krieg mit Frankreich ist unvermeidlich", und, mehr noch, fügte er hinzu, „viel näher als Sie glauben". Die Belgier erkannten die Motive[23] für die kriegerische Haltung der deutschen Generale. Wie so viele ihrer Landsleute, so resümieren sie, seien die Militärs „müde zu sehen, daß Frankreich Deutschland gegenüber sich in den schwierigsten politischen Fragen behauptet, ihm beständig entgegentritt, es in Mißerfolge verwickelt, sich seiner Vorherrschaft widersetzt, sich seinen kolonialen Wünschen widersetzt [...] seine Armee ständig verzweifelt vermehrt, um das Gleichgewicht der Kräfte aufrechtzuerhalten, das seit langem, wie sie glauben, in Wirklichkeit nicht mehr existiert".

Das war auch die Meinung des Kanzlers Bethmann Hollweg.[24] Am Geburtstag des Kaisers, am 27. Januar 1914, nannte er gegenüber dem französischen Botschafter Jules Cambon die gleichen Gründe für die Erbitterung Deutschlands. Deutschland brauche ein Betätigungsfeld für seine unaufhörlich wachsende Wirtschaft: „Deutschland sieht [...] seine Bevölkerung jeden Tag wachsen ohne Maßen; seine Marine, seine Industrie, sein Handel nehmen eine Entwicklung ohne Parallele [...] es ist verdammt dazu, sich in irgendeiner Weise nach außen auszudehnen." Während Frankreich sich in den letzten 40 Jahren ein immenses koloniales Imperium in der Welt gesichert habe, habe Deutschland noch nicht den „Platz an der Sonne" gefunden, der ihm gebühre. Bethmann Hollweg benutzte also das Schlagwort, mit dem Bülow die deutsche „Weltpolitik" eingeleitet hatte. „Si vous lui refusez ce qui est la part légitime de tout être qui grandit, vous n'arreterez pas sa croissance, mais ce n'est pas seulement en Asie Mineure que vous pourriez vous heurter à sa concurrence, vous vous exposez à le retrouver partout. Croyez-moi, rendons-nous compte des faits et écartons ce qui nous divise. Sinon, ce serait dangereux". Das war die Drohung eines Mannes, der, wie Friedrich Naumann und Theodor Wolff[25] gleicherweise bezeugen, den Krieg mit Frankreich und Rußland seit dem Dezember 1913 oder spätestens seit dem Februar 1914, also nach der Entlassung des prodeutsch gestimmten russischen Premierministers Kokowzow, als unvermeidlich betrachtet hatte, und der von da an die günstigste Gelegenheit suchte, bei der alle Voraussetzungen für einen siegreichen großen Krieg erfüllt sein würden: Österreich-Ungarn unmittelbar betroffen, Rußland der Angreifer und England neutral.

Im Dezember 1913 verursachte die neue deutsche Militärmission in der Türkei unter dem General Liman von Sanders,[26] der der Kommandeur des Ersten Türkischen Armeekorps in Konstantinopel werden sollte, einen direkten Zusammenstoß mit Rußland, weil diese deutsche politische Aktion eine Verletzung vitaler russischer Interessen bedeutete. Denn der für das Zarenreich lebensnotwendige Export von Getreide ging durch die Meerengen und durfte nicht durch eine andere Großmacht gefährdet werden. Obwohl die Krise sich durch deutsches Nachgeben löste, erregte sie doch in der Gesellschaft und in den Regierungskreisen Rußlands ein Gefühl von tiefem Mißtrauen und von Feindschaft gegenüber Deutschland. Dieser antideutsche Trend wurde noch intensiviert durch eine deutsche Pressekampagne und einen antirussischen Artikel vom 2. März 1914 in der *Kölnischen Zeitung*, dem Sprachrohr des Auswärtigen

Amtes. Der Artikel behauptete, daß Rußland sich auf einen Krieg mit Deutschland vorbereite, der so geplant sei, daß er in kurzer Frist stattfinden könne. Dieser Artikel bewirkte in der gesamten deutschen Presse eine Sensation und wurde noch durch einen anonymen Artikel vom 9. März 1914 im liberalen *Berliner Tageblatt* überboten.[27] In diesem wurde öffentlich ein Präventivkrieg gegen Rußland gefordert. Die Klimax solcher Erörterungen wurde in einem Gespräch zwischen Moltke und Jagow während einer gemeinsamen Rückfahrt von Potsdam Ende Mai oder Anfang Juni 1914 erreicht, in dem der erstere, der höchstrangige Offizier der Armee, der Chef des Generalstabs, den letzteren, den Staatssekretär des Äußern, Chef des Auswärtigen Amtes, aufforderte, die deutsche Politik so zu führen, daß sie die Auslösung eines „Präventivkriegs" möglich mache.[28]

Hier wird ein Exkurs notwendig über die deutsche Politik, England für den Fall eines kontinentalen Krieges neutral zu halten. In einer Studie[29] ‚The Miscalculation of English Neutrality. An Aspect of German Foreign Policy on the Eve of World War I' habe ich gezeigt, wie der Nachfolger Bülows, der Reichskanzler Bethmann Hollweg, trotz des fortgehenden Flottenwettrüstens für den Fall eines kontinentalen Krieges die Neutralisierung Großbritanniens zum zentralen Punkt seiner Politik gegenüber London machte und hartnäckig an dieser seiner Politik bis zum Ausbruch des Weltkriegs festhielt. In der Balkankrise des Dezember 1912 bestätigte der Kaiser[30] wörtlich, daß es die Aufgabe der beiden Botschafter Marschall und Lichnowsky, die er nacheinander nach London geschickt hatte, war, „die englische Neutralität zu sichern im Falle eines offenen Konflikts mit Rußland und Frankreich". Und fast zur gleichen Zeit hat der damalige Staatssekretär des Auswärtigen, Kiderlen-Wächter,[31] zu Helfferich, dem Direktor der Deutschen Bank, folgendes gesagt: „Er fürchte sich nicht vor dem Krieg [mit Rußland und Frankreich, F. F.]; aber gerade für diesen Fall sei es ein enormer Vorteil, England draußen zu halten." Je mehr sich der Konflikt mit Rußland in den Jahren 1913 und 1914 entwickelte, desto beharrlicher verfolgte Bethmann Hollweg sein Ziel. Das tat er vor allem durch monatelange geduldige Verhandlungen mit der britischen Regierung über koloniale und Nahost-Fragen, in denen er auch Nachteile für Deutschland in Kauf nahm, wie die deutsche Wirtschaft kritisierte. Damit wollte er eine Annäherung zwischen Berlin und London zustande bringen und auf diese Weise eine Trennung Großbritanniens von der Triple-Entente erreichen.

Selbst die geheimen Nachrichten über englisch-russische Marineverhandlungen[32] im Mai und Juni 1914 haben Bethmann Hollweg nicht entmutigt, nicht abgeschreckt. Er benutzte sie, um Druck auf London auszuüben, damit England eine Politik der Neutralität annehme. Am 16. Juni 1914 gab er Lichnowsky den Auftrag, dem englischen Außenminister Grey zu erklären, daß in der gegenwärtigen Spannung Deutschland möglicherweise gezwungen sein könnte, seine Armee und seine Flotte (!) zu vermehren. Nur wenn Großbritannien und Deutschland ihre Politik wie im Dezember 1912 koordinieren würden, könnten sie die Gefahr eines europäischen Konfliktes abwehren, der durch eine neue Balkankrise verursacht werden könne. Denn es gab zahlreiche aktuelle Konflikte auf dem Balkan.

Nach dem Attentat von Sarajewo am 28. Juni 1914 instruierte Bethmann Hollweg am 29. Juni Lichnowsky,[33] der zur Kieler Woche mit Blick auf das dort anwesende englische Geschwader einberufen worden war, Grey zu sagen, daß die österreichisch-ungarische Regierung nicht getadelt werden sollte, wenn sie die Provokation des Mordes von Sarajewo mit scharfen Maßnahmen beantworten würde, zumal nachgewiesenermaßen, wie er behauptete, diese Mordtat von Belgrad unterstützt worden sei. Zwar hat der Reichskanzler in der Woche nach dem Attentat den Kaiser in Potsdam viermal besucht und bei dieser Gelegenheit das Problem auch mit den Generalen diskutiert. Auch machte in dieser Zeit, am 3. Juli, der Kaiser seine berühmte Randbemerkung[34] auf einen Bericht des deutschen Botschafters in Wien, von Tschirschy, „Jetzt oder nie!", „Mit den Serben muß aufgeräumt werden, und zwar bald!", was von den deutschen Beamten als ein Befehl verstanden wurde. Dennoch war die Entscheidung, Sarajewo als Anlaß zu benutzen, um einen größeren militärischen Konflikt auszulösen, in keiner Weise primär durch den Wunsch motiviert, Österreich-Ungarn gegen Serbien zu unterstützen. Denn die serbische Frage, die für Österreich-Ungarn die alles überragende war, war für Berlin nur von zweitrangiger Bedeutung und nur das Mittel, um Rußland in den Konflikt zwischen Wien und Belgrad hineinzuziehen und damit den großen Krieg mit Rußland und Frankreich auszulösen. Eben das hoffte Wien aber mit Hilfe Berlins zu vermeiden. Bethmann Hollweg war dabei sicher, die Neutralität von Großbritannien erreichen zu können, wenn er Rußland als den „Angreifer" und Deutschland als die „angegriffene Partei" hinstellen würde, so wie es vor dem Krieg oftmals in den führenden deutschen Zirkeln als Vorbedingung für die Auslösung des allgemeinen Krieges diskutiert worden war.[35] Das war ein erneuter Versuch, die Triple-Entente zu spalten und die zwei kontinentalen Nachbarn Deutschlands für alle Zukunft zu schwächen.

Bei alledem dürfen wir die in Deutschland in den Jahren 1912/1914 vorherrschende Stimmung nicht vergessen: In einer halboffiziellen Publikation des Vertreters des Wolffschen Telegraphenbüros in London vom Mai 1913 mit dem Titel ‚„Deutsche Weltpolitik" und kein Krieg' die bestimmt war, die europäische öffentliche Meinung zu beruhigen, stellte der Autor Hans Plehn fest: „In den Jahren nach der letzten Marokkokrise ist die Stimmung nahezu *Allgemeingut der deutschen Nation* geworden, daß wir uns nur durch einen großen europäischen Krieg die Freiheit zu unserer weltpolitischen Betätigung erkämpfen könnten."[36]

II. Die deutsche Politik in der Julikrise 1914

Nach Sarajewo war die Regierung in Wien in zwei Gruppen gespalten, die Militärs und die Zivilisten. Deshalb war sie zögernd und schwankend, was zu tun sei. Die Entscheidung zu handeln kam von deutscher Seite. Unmittelbar in der Woche nach Sarajewo begann deutscher Druck mit drohenden Untertönen in Wien dahingehend zu wirken, daß man den günstigen Moment für eine „Aktion" gegen Serbien nutzen solle. Dies geschah z. B. durch Victor Naumann,[37] einen persönlichen Freund von Wilhelm von Stumm, den Direktor der Politischen Abteilung des Auswärtigen Amtes in Berlin, und durch Hugo Ganz,[38] den Korrespondenten der *Frankfurter Zeitung* in Wien, und natürlich am Ende dieser Woche durch die Mission des Grafen Hoyos in Potsdam und Berlin bzw. dessen Berichterstattung nach seiner Rückkehr in Wien. Auf der entscheidenden Sitzung des Gemeinsamen Ministerrats beider Reichsteile am 7. Juli in Wien warnte der österreichische Ministerpräsident Graf Stürgkh seine Kollegen, daß, wenn Österreich-Ungarn fortfahre zu zögern und sich nicht entscheide zu handeln, die Gefahr bestehen könnte, daß Deutschland das Bündnis Berlin-Wien aufkündige, die Deutschen zu einem Abkommen mit Rußland kommen könnten und Österreich-Ungarn dann allein gelassen sein würde.[39]

Daß am 5. und 6. Juli 1914 Kaiser Wilhelm und der deutsche Reichskanzler Wien den sog. „Blanco-Scheck" gaben, Serbien militärisch anzugreifen, ja sogar Wien jetzt und in den folgenden Wochen trotz der Gefahr einer russischen militärischen Intervention und damit eines großen Krieges zu einer solchen Aktion drängten, mag als ein „kalkuliertes Risiko" (Andreas Hillgruber) interpretiert werden. Auf jeden Fall hat der damals als Außenminister amtierende Unterstaatssekretär Zimmermann (der Staatssekretär des Auswärtigen Jagow war auf Hochzeitsurlaub) in einer Unterredung mit dem österreichischen Sondergesandten Graf Hoyos am 5. Juli in Berlin auf dessen Frage nach dem Risiko geantwortet, das „Risiko", wenn man das noch so nennen kann, bedeute zu 90% Krieg mit Rußland,[40] was doch nicht anders verstanden werden kann, als daß sicher mit einem großen Krieg gerechnet wurde. Im übrigen: Graf Hoyos[41] war einer der jungen „Falken" am „Ballhausplatz" und ein großer Bewunderer der deutschen Armee.

Am 6. Juli abends in Kiel hat der Kaiser,[42] bevor er seine Norwegenreise antrat, dem ihm befreundeten Industriellen Krupp von Bohlen und Halbach versichert: „Er werde sofort den Krieg erklären, wenn Rußland mobilmache. Diesmal würde man sehen, daß er nicht umfalle" – so wie er 1905, 1909, 1911 „umgefallen", d.h. vor dem Krieg zurückgeschreckt war. Mitte Juli berichtete Dr. Helfferich, Direktor der Deutschen Bank, nach Informationen aus dem Auswärtigen Amt, dem Krupp-Direktor Muehlon, daß der Kaiser „keinem anderen Staat eine Einmischung [in den Konflikt Wien – Belgrad] erlauben werde. Wenn Rußland mobil mache, dann mache auch er mobil. Bei ihm aber bedeute Mobilmachung den sofortigen Krieg. Diesmal gäbe es kein Schwanken".

Am 12. Juli schrieb Szögyény,[43] Wiens langjähriger Botschafter in Berlin, daß das „absolute" Drängen des Kaisers und des Reichskanzlers auf den Krieg gegen Serbien sich auf zwei Überzeugungen gründe: erstens, daß Rußland und Frankreich „noch nicht fertig" seien, und zweitens, daß Großbritannien „zu diesem Zeitpunkt nicht in einem Krieg intervenieren werde, der über einen Balkan-Staat ausbricht, *selbst wenn dies zu einem Konflikt mit Rußland, möglicherweise auch mit Frankreich führen würde* [...]" [Hervorhebung von mir, F. F.]. Und er faßte zusammen: „Im allgemeinen also erscheint es von all diesem, daß die politische Konstellation so vorteilhaft für uns ist, wie sie nur sein könnte", und deshalb würde dieser Moment von Deutschland jetzt benutzt werden.

Was ist mit diesem Satz, den Moment jetzt zu „nutzen", gemeint, einem Satz, der doch beweist, daß die Mittelmächte in keiner Weise in den Krieg „hineingeschlittert" sind? Josef Baernreither[44], früherer Handelsminister in Österreich, machte im Dezember 1914 die folgende Eintragung über die Julikrise in sein Tagebuch: „In Deutschland bestand die Befürchtung, daß *wir* [Hervorhebung von mir, F. F.] nicht mitgehen würden, wenn uns der Anlaß des Krieges ferner liegen würde. In Algeciras waren wir noch Sekundanten, später nicht mehr, sondern in der Marokkokrise [1911] nicht standhaft zu Deutschland. Krieg mußte aber, wie die Dinge sich durch die Schuld der deutschen und österreichisch-ungarischen Diplomatie entwickelt hatten, kommen. Deshalb ergriff Deutschland nach dem Mord von Sarajewo die Gelegenheit beim Schopfe und benutzte den Anlaß, der sich auf der österreichischen Seite ergeben hatte. Das ist die Geschichte des Krieges." Die Eintragung in Baernreithers Tagebuch geht weiter: „Der Kaiser fuhr dann nach Norwegen, genau wissend, daß der Krieg ausbrechen würde. Das alles war von Deutschland sehr geschickt arrangiert, und der Moment mit sicherem Blick benutzt, mit dem sicher mitgehenden Österreich einen Krieg zu führen, der sich in den letzten Jahren als unausweichlich herausgestellt hatte."

Es kann keine Rede sein von einem „Fatalismus" des deutschen Reichskanzlers. Bethmann Hollweg unterbrach seinen „Urlaub" auf seinem Gut in Hohenfinow, den er am Nachmittag des 4. Juli begonnen hatte, nicht nur am 5. und 6. Juli für den österreichischen Sondergesandten Graf Hoyos, sondern noch an drei weiteren Tagen,[45] nämlich am 10., 15. und 18. Juli, für Besuche in Berlin. Dort konferierte er mit den Chefs der Reichsämter, der preußischen Ministerien und der Militärbehörden, auch der Reichsbank, um im einzelnen – denn Krieg wurde nun als sicher betrachtet – die Fragen der Mobilmachung, der Versorgung und der zukünftigen Zusammenarbeit zwischen den zivilen und den militärischen Behörden zu erörtern. Alles dieses ist aktenkundlich aufgezeichnet. Der Kanzler war in Wahrheit ein Bündel von Energie und Aktivität.

Nach dem von vornherein als unannehmbar konzipierten Ultimatum an Serbien vom 23. Juli änderte sich die Atmosphäre in Europa, die bis dahin für Österreich günstig war, drastisch. Grey versuchte zu vermitteln und machte vier verschiedene Vorschläge, um die Krise zu mildern, die aber alle von Berlin sabotiert wurden, das nur vorgab, mit dem britischen Foreign Office zu kooperieren. Am 25. Juli, dem Tag, an dem das Ultimatum ablief und Wien die Beziehungen zu Serbien abbrach und mobilisierte, wurde Theodor Wolff,[46] der Chefredakteur des *Berliner Tageblatts*, ins Auswärtige Amt gerufen. Er sprach dort Jagow, den Staatssekretär des Auswärtigen, und fragte ihn: „Ob wir aber nicht in einen Weltkrieg verwickelt werden könnten? Wenn Rußland nun nicht zurückweiche .. ?" Darauf antwortete Jagow: „Er glaube das nicht, die diplomatische Situation sei sehr günstig. *Weder Rußland, noch Frankreich, noch*

England wollen den Krieg [Hervorhebung von mir, F. F.]. Und wenn es sein müsse [lächelnd] – einmal werde der Krieg ja doch kommen, wenn wir die Dinge gehen ließen, und in zwei Jahren sei Rußland stärker als jetzt.“ Dieser Jagow war der Mann, an den Albert Ballin,[47] der Direktor der HAPAG, aus intimer Kenntnis von dem, was im Juli 1914 in Berlin getan worden war, 1915 schrieb: „Ich habe Nachsicht für einen Mann, der, wie Euere Exzellenz, so schwer belastet ist, und die entsetzliche Verantwortung zu tragen hat für die Inscenierung dieses Krieges, der Deutschland Generationen prächtiger Menschen kostet und es für 100 Jahre zurückwirft.“ In der Frage, ob Deutschland wirklich den Krieg *wollte*, haben wir Jagows unzweideutige Antwort: Ja, wir „wollten“ ihn.[48] Deshalb konnte er nicht mehr schlafen, wie er im November 1918 der Gräfin Treuberg sagte.

Der Unterstaatssekretär Wilhelm von Stumm,[49] Chef der Politischen Abteilung des Auswärtigen Amtes, sagte am gleichen Tag wie Jagow, also am 25. Juli 1914, zu Theodor Wolff: „daß in zwei Jahren der Krieg unvermeidlich sei, wenn wir uns jetzt nicht aus dieser Situation befreiten“ (!). Dieser „Herr v. Stumm im Auswärtigen Amt“ wurde Ende August 1914 von Arthur von Gwinner,[50] Direktor der Deutschen Bank, namentlich als „die zum Konflikt treibende Kraft“ genannt, oder vielleicht, so fügt Gwinner hinzu, war es eine ganze Gruppe im Auswärtigen Amt. In einer späteren Diskussion mit Theodor Wolff, am 17. Februar 1915, antwortete Stumm,[51] als er gefragt wurde, ob Deutschland im Juli 1914 „geblufft“ habe: „Wieso? Wir haben nicht geblufft. Wir waren darauf gefaßt, daß wir den Krieg mit Rußland haben würden.“ Übrigens behauptete Stumm: „Wenn der Krieg nicht jetzt gekommen wäre, hätten wir ihn unter weit schlechteren Bedingungen in zwei Jahren gehabt.“[52] Diese Behauptung hat Theodor Wolff aber nicht akzeptiert.[53]

Es ist die historische Wahrheit: *Zwei oder drei Leute entschieden das Schicksal Europas: Bethamnn Hollweg, Jagow, Stumm.*[54] Eine Bestätigung findet mein Ergebnis durch Bülow, der in einem Gespräch mit Theodor Wolff am 12. Juni 1915 über die deutsche Politik im Juli/August 1914 Folgendes sagte:

„Es ist ja etwas eigentümlich, [...] wenn man sich sagen muß, daß da ein Gremium von vier Männern die Entscheidung über das Schicksal Deutschlands und Europas in der Hand gehabt hat. Von vier Männern: *Bethmann*, der doch keine Ahnung von auswärtiger Politik hat, gar nicht das savoir faire hat [...] – *Jagow*, nicht ganz dumm, aber doch ein Diplomat dritten Ranges – *Stumm*, entschieden begabt, aber etwas merkwürdig, man kann wohl sagen pathologisch – dann *Zimmermann*, noch der Beste, forsch, optimistisch, ein vorzüglicher Arbeiter, aber doch [...] ohne die nötige Kenntnis der Höfe, der Personen."[55] Statt „zwei oder drei Leute" könnte es also zutreffender heißen „drei bis vier".

Nach seiner Rückkehr nach Berlin, am Sonntag, dem 26. Juli 1914 (am gleichen Tag kehrten auch Moltke und die anderen Militärs dorthin zurück), erläuterte der Kanzler dem Kaiser seine Politik wie folgt: Die Aufrechterhaltung des Friedens in Europa hänge nun von Rußland ab. Deutschland müsse sich, „ruhig" verhalten; Deutschland könne die englische Neutralität und die Unterstützung des eigenen Volkes sich nur sichern, wenn es als das Opfer eines Angriffs *erscheine*(!). Der deutsche Kaiser kam am nächsten Tag, Montag, dem 27. Juli, von Norwegen nach Potsdam zurück. Admiral von Müller, der Chef des Kaiserlichen Marinekabinetts, notierte bei dieser Gelegenheit in seinem Tagebuch: „Unsere Politik muß sein, ruhig zu bleiben, Rußland ins Unrecht setzen, und dann nicht sich vor dem Krieg scheuen."[56] Am Sonntag, dem 26. Juli, und am Montag, dem 27. Juli, hätte der Friede in Europa noch bewahrt werden können – wenn Deutschland es gewollt hätte. Aber der deutsche Reichskanzler wollte es nicht.

Wir wissen aus den Eintragungen in den originalen Tagebüchern Kurt Riezlers, des persönlichen Sekretärs Bethmann Hollwegs 1909–1917, für die Monate Juli und August 1914, daß der Kanzler in diesen entscheidenden Tagen „kriegswillig", „kriegslustig" war, ja, daß er den Krieg mit Rußland „herbeigesehnt" hat. Riezler las in der Emigration in den USA um 1940 Freunden aus seinem Tagebuch vor, unter denen auch der Historiker Hans Rothfels war, ein großer Bismarckkenner und

-verehrer, der bis 1939 in Königsberg in Ostpreußen, dann in Chicago, nach dem Krieg in Tübingen lehrte. Um eben jener Eintragung zum Juli 1914 willen riet Rothfels 1945 Kurt Riezler von der von ihm geplanten Veröffentlichung seiner Tagebücher ab, wie er später sagte „aus politischen Gründen". Inzwischen hatte ja 1939 bis 1945 ein zweiter Krieg stattgefunden, dessen Verursacher ohne Zweifel Deutschland unter seinem „Führer" Adolf Hitler war. Nun sollte keinesfalls eine Schuld, oder auch nur Mitschuld am Ersten Weltkrieg auf die damalige deutsche Regierung fallen.

Doch 22 Jahre nach der genannten Lesung aus dem Tagebuch wird sein originaler Inhalt noch einmal eben durch Hans Rothfels bestätigt, der am 23. März 1962, fünf Monate nach Erscheinen meines Buches ‚Griff nach der Weltmacht', einen Brief an seinen Freiburger Kollegen Gerhard Ritter schrieb, der diesen aufs tiefste erregte. Ritter arbeitete gerade an einem Artikel für die ‚*Historische Zeitschrift*', der sich unter dem Titel ‚Eine neue Kriegsschuldthese?' mit dem zweiten Kapitel meines Buches befaßte, *einem* Kapitel von 23. Ritter[57] schrieb an Rothfels: „Sehr erschreckt und bestürzt hat mich Ihr Brief vom 21. 3. Wenn Bethmann, wie Sie schreiben, im Juli 1914 den ‚Wunsch' hatte, den Krieg mit Rußland herbeizuführen, dann hat er [so fährt Ritter in seiner moralisierenden Sprache fort, F. F.] entweder mit dem Schicksal des deutschen Volkes gewissenlos gespielt oder sich in geradezu unglaublichen Illusionen über unsere militärische Leistungsfähigkeit bewegt. Auf alle Fälle hätte dann Fischer völlig recht, wenn er bestreitet, daß Bethmann Hollweg ernsthaft den Krieg zu vermeiden wünschte, als er die englischen Vermittlungsvorschläge [...] mit größerem Nachdruck als vorher nach Wien weitergab." Der nun seinerseits erschrockene Rothfels hat dann übrigens im folgenden seine Aussage etwas abgemildert, und Ritter konnte seinen Artikel, ebenfalls gemildert, veröffentlichen.[58] Es ist absurd, einem Manne wie Bethmann Hollweg leichtsinniges Handeln zuzutrauen. Es war vielmehr ein wohlüberlegtes diplomatisch-politisches und militärisches Kalkül, das freilich nicht aufging. Damit zurück zur Julikrise, zu Montag, dem 27. Juli.

An diesem Tage adressierte Grey seinen fünften dringenden Vermittlungsvorschlag an Berlin, der darauf drängte, an Wien zu appellieren, daß es die serbische Antwort auf das Ultimatum annehme, da Grey andernfalls nicht in der Lage wäre, Petersburg zu überzeugen, daß es seine Position mäßigen müsse. Da Bethmann Hollweg am gleichen Tag einen englischen Plan – es war Greys vierter – abgelehnt hatte, der die Einberufung einer Konferenz der vier nicht direkt in den Konflikt verwickelten Großmächte vorschlug, erkannte er, wie er dem Kaiser erklärte: Wenn Deutschland jede Rolle als ein Vermittler a limine ablehnen würde, dann „würden wir", so sagt er, „vor England und der ganzen Welt als verantwortlich für die Konflagration und als eigentliche Kriegstreiber dastehen".[59] Dies würde es aber einerseits unmöglich machen, fährt der Kanzler fort, „die jetzige gute Stimmung (der deutschen Bevölkerung, die so begeistert war über die österreichische Mobilmachung, als ob es unsere eigene gewesen wäre) aufrecht zu erhalten, andererseits aber auch England von seiner Neutralität abbringen". In seiner Instruktion an Tschirschky, den deutschen Botschafter in Wien, vom gleichen Tage betonte der Kanzler mit Nachdruck: „Deutschland müsse den Eindruck erwecken, als sei es in den Krieg gezwungen worden."[60] Am 1. August, dem Tag, an dem Berlin Krieg an Rußland erklärte, schrieb Admiral von Müller in sein Tagebuch:[61] „Stimmung glänzend. Die Regierung hat eine glückliche Hand gehabt, uns als die Angegriffenen hinzustellen." Dies überzeugte die deutsche Sozialdemokratie, nicht aber Großbritannien.

Bethmann Hollwegs Politik war nicht darauf gerichtet, einen Kontinentalkrieg zu verhüten, sondern darauf, eine möglichst günstige Ausgangsposition für Deutschland zu gewinnen für den großen Krieg, von dem angenommen wurde, daß er unmittelbar bevorstehe. Nachdem er Österreich vom 25. Juli an immer weiter gedrängt hatte, war ihm sehr wohl bewußt, daß Wien am Dienstag, dem 28. Juli, Serbien den Krieg erklären würde, obwohl die österreichische Mobilmachung nicht vor dem 4. August beendet sein konnte, so daß also genug Zeit für Verhandlungen geblieben wäre, die nun abgeschnitten wurden, und daß Wien am folgenden Tag, Mittwoch, dem 29. Juli, Belgrad bombardieren würde. Bethmann Hollweg erkannte ganz genau, welche Wirkung diese beiden Aktionen auf die russische öffentliche Meinung und die russische Regierung haben mußten.

An diesem Dienstag, dem 28. Juli, „fiel" der Kaiser wieder „um", als er aussprach, daß die serbische Antwort, die man ihm erst an diesem Morgen vorgelegt hatte, auf das österreichische Ultimatum ausreichend sei, und seinen „Halt-in-Belgrad"-Vorschlag machte. Doch schon am nächsten Tag, dem 29. Juli, wurde er, auch mit Hilfe der Kaiserin und des Kronprinzen, wieder auf die pro-Kriegs-Linie gebracht. An diesem Tage wurde in den Besprechungen in Potsdam zwischen Kaiser, Kanzler und den Militärs die Entscheidung für die unmittelbare Auslösung des Krieges getroffen. Der Kanzler hatte nun seinen wichtigsten Beitrag zu dem bevorstehenden kontinentalen Krieg zu leisten, nämlich die britische Neutralität durch einen förmlichen Vertrag zu sichern. Er besprach dies spät am Abend des gleichen Tages mit Goschen, dem britischen Botschafter in Berlin. Die britische Regierung erfuhr durch dieses Gespräch, daß die deutsche Regierung sich für den Krieg entschieden hatte und entschlossen war, ihn entsprechend dem „Schlieffenplan" mit dem Angriff auf Belgien zu beginnen und damit die belgische Neutralität zu verletzen. London wies den Vorschlag Berlins für einen Neutralitätsvertrag am 30. Juli zurück.

Es ist bekannt, daß unmittelbar nachdem Goschen am 29. Juli nachts den Kanzler verlassen hatte, ein Telegramm von Lichnowsky eintraf, das nochmals die britischen Vermittlungsvorschläge wiederholte, aber auch die Warnung enthielt, Großbritannien könnte kein Zuschauer bleiben, falls Deutschland Frankreich angreifen sollte. Der Kanzler wurde einen Moment unsicher und sandte dann die zwei sog. „Weltbrand"-Telegramme an Wien, aber nur halbherzig, denn was ihn wirklich beschäftigte, das war das Abwarten der russischen Generalmobilmachung; und er hatte die Nerven und die Energie, auf diesem Abwarten trotz stärksten Drängens der deutschen Militärs auf die sofortige eigene Mobilmachung zu bestehen. Als dann am

Mittag des 31. Juli die Nachricht von der russischen Generalmobilmachung offiziell bestätigt wurde, proklamierte man sofort den „Zustand drohender Kriegsgefahr“ in Berlin, auf den binnen 24 Stunden die Mobilmachung folgen mußte. An diesem Mittag übersiedelte der Kaiser mit seiner gesamten Familie, vom Volk jubelnd begrüßt, von Potsdam nach Berlin und hielt dort seine erste Rede an das Volk. An diesem Nachmittag wurden je ein Ultimatum an Rußland (auf 12 Stunden befristet) und an Frankreich (auf 18 Stunden befristet) abgesandt. Diese Ultimaten, von denen das erste die sofortige Rücknahme der russischen Generalmobilmachung forderte, machten den großen Krieg unvermeidlich.

Wir erhalten eine tiefere Einsicht in die deutschen Motive und Aktionen durch das Telegramm Bethmann Hollwegs an Berchtold, das Telegramm Moltkes an Conrad („Will Österreich-Ungarn uns im Stiche lassen?!“) und das Telegramm Wilhelms II.[62] an Kaiser Franz Joseph. Alle drei Telegramme wurden am 31. Juli, nachmittags, abgesandt. Wilhelm telegraphierte: „Ich bin bereit, die Verpflichtungen unseres Bündnisses zu erfüllen und unmittelbar zum Krieg gegen Rußland und Frankreich zu schreiten. In diesem schwierigen Kampf ist es von äußerster Bedeutung, daß Österreich seine Hauptstreitkräfte gegen Rußland wirft und sie nicht verbraucht in einer Offensive gegen Serbien. [...] *Serbien spielt nur eine untergeordnete Rolle in diesem gewaltigen Kampf* [Hervorhebung von mir, F. F.] und erfordert deshalb nur jene Defensivmaßnahmen, die absolut notwendig sind.“

Österreich indessen war primär daran interessiert, mit Serbien „abzurechnen“ und großserbische Aspirationen durch eine militärische Strafaktion abzuwehren. Wien hatte die Möglichkeit einer Ausdehnung des Konflikts in einen großen Krieg nicht in Betracht gezogen. Die österreichischen Hoffnungen auf eine nur begrenzt militärische Aktion waren noch genährt worden durch die prinzipielle Bereitschaft Englands, das Recht Wiens auf eine von Serbien zu leistende Satisfaktion anzuerkennen. Als aber ein Bericht des österreichischen Botschafters in London, Graf Mensdorff,[63] Wien erreichte (abgesandt am

29. Juli, 16.32 Uhr, angekommen am 30. Juli, 9.00 Uhr), daß England intervenieren würde, wenn aus der österreichischen Aktion ein großer Krieg entstünde, da beschloß Wien, seine Aktion gegen Serbien nur so weit auszuführen, daß Rußland nicht intervenieren würde. Österreich wurde dazu noch durch den russischen Außenminister Sergei Sasonow und durch Nikolai N. Schebeko, den russischen Botschafter in Wien, ermutigt, die mündlich sein Recht anerkannten, Serbien eine „Lektion“ zu erteilen. Die Besprechungen zwischen Wien, St. Petersburg und Paris über eine angemessene „Lektion“ für Serbien hatten am 30. Juli begonnen, wurden aber am 31. Juli durch die blitzartigen Entscheidungen Berlins abgebrochen.

Charakteristisch für diese Situation ist das Faktum, daß Wien erst am 6. August Krieg an Rußland erklärte (Deutschlands Kriegserklärung an Rußland war am 1. August erfolgt), und das erst nach dringenden deutschen Mahnungen. Diese Verzögerung hat Berlin außerordentlich beunruhigt, wie auch Tirpitz[64] bezeugt. Wenn Österreich Deutschland im Stiche gelassen hätte oder ganz aus dem Kriege ausgeschieden wäre, so wäre Deutschland nicht in der Lage gewesen, den Krieg zu führen. Denn der Angriff auf Frankreich würde unmöglich gewesen sein, wenn die österreichisch-ungarische Armee nicht fünf von sieben russischen Armeen auf sich gezogen hätte, um sie sechs Wochen lang zu binden, bis die deutsche Armee von Frankreich nach Rußland geworfen werden konnte. Auf jeden Fall ist vom 6. August an das souveräne Österreich-Ungarn eine Hilfsmacht Deutschlands geworden in einem großen Krieg, den es zu vermeiden gehofft hatte und der seine Möglichkeiten überstieg ...

Wir brauchen nicht in nähere Einzelheiten zu gehen über die angeblichen Fakten, in Wahrheit die vollkommen erfundenen Fakten von französischen Bomben auf Eisenbahnlinien in der Nähe von Karlsruhe und Nürnberg, die man erfand, um die deutsche Kriegserklärung an Frankreich am 3. August zu rechtfertigen. Wir wollen auch nicht näher den letzten Versuch des Reichskanzlers Bethmann Hollweg in seiner Rede vor dem Deutschen Reichstag am Mittag des 4. August 1914 behandeln, die britische Neutralität doch noch durch Konzessionen zu gewinnen, die er für die Kriegführung zur See in dem Krieg Deutschlands gegen Frankreich anbot, der jetzt bereits begonnen hatte. Gleichzeitig bezichtigte er Rußland, für den Krieg verantwortlich zu sein: „Rußland hat den Feuerbrand in unser Haus geworfen. Ein Krieg mit Rußland und Frankreich ist uns aufgezwungen worden!“[65] Aber die britische Regierung akzeptierte diesen erneuten Vorschlag für einen Neutralitätsvertrag nicht. Sie ließ durch ihren Botschafter Goschen erklären, daß sie sich als im Kriegszustand mit Deutschland befindlich betrachte, wenn Deutschland seine Truppen nicht aus Belgien – sie waren dort am Morgen des 4. August einmarschiert – vor Mitternacht des 4. August zurückziehen würde. Das tat Deutschland nicht.

Glaubte Bethmann Hollweg wirklich, daß er, selbst nach Verletzung der belgischen Neutralität, Englands Neutralität durch das Angebot einer gewissen Zurückhaltung im Seekrieg gegen Frankreich, verbunden mit schweren verbalen Angriffen gegen Rußland als dem alleinigen Angreifer, erzwingen könnte? Wenn das so war, so gab er sich hier der größten Illusion hin, und es war die größte Fehlkalkulation seiner ganzen Karriere. Manche nennen es seine ‚idée fixe‘. Denn dabei hat er vollkommen die Logik mißverstanden, die hinter der britischen Außenpolitik stand und darauf zielte, die Unabhängigkeit Frankreichs ebenso aufrechtzuerhalten wie auch die Entente mit Rußland, letztere vielleicht auch im Blick auf die Verteidigung der indischen Nordwestgrenze. Überdies unterschätzte er den moralischen Effekt der deutschen Verletzung der belgischen Neutralität. Darauf wartete Grey. Diese Neutralitätsverletzung befähigte ihn, Kabinett, Parlament und öffentliche Meinung gegen Preußen-Deutschland zu einen und die Sympathie der internationalen öffentlichen Meinung für die Triple-Entente zu gewinnen. Bethmann Hollwegs Politik war nach seinen eigenen Worten zusammengebrochen „wie ein Kartenhaus“.[66]

Aus einem kontinentalen Krieg gegen Frankreich und Rußland, so wie er im Juli/August 1914 vorgestellt worden war, hatte sich ein Weltkrieg entwickelt. An Stelle des „kurzen Krieges“[67] wie er allgemein, auch auf seiten der Gegner, erwartet worden war, entwickelte sich ein Krieg der Aushilfen, der Erschöpfung, ein ökonomischer Krieg, ein Krieg der Ressourcen, der Materialschlachten, der an Stelle von vier Monaten vom November 1914 an noch vier Jahre dauerte, ein Krieg, auf den Deutschland nicht vorbereitet war. Deutschland hatte alles auf eine Karte gesetzt, und auch die Zivilisten hatten sich dem militärischen Konzept unterworfen. Aber schon bald, Anfang September, hatte man die Entscheidungsschlacht gegen Frankreich an der Marne und, Anfang November 1914, nach langen unentschiedenen Kämpfen auch die Schlacht gegen die Engländer bei Ypern und Langemarck mit entsetzlichen Menschenverlusten verloren, so daß Falkenhayn, der Nachfolger Moltkes, die deutsche Armee ein „zerbrochenes Werkzeug“ nannte.[68] Das Preußisch-Deutsche Reich hatte den Zenit seiner Macht überschritten.

War dies nun ein „Präventivkrieg“, wie Egmont Zechlin und Karl Dietrich Erdmann[69] noch vor einiger Zeit behaupteten? War dies ein „Präventivkrieg“, wie Andreas Hillgruber ihn interpretierte, der aus der deutschen militärischen Doktrin des 19. Jahrhunderts erwuchs und sich von der klassischen Theorie des Präventivkrieges unterschied? Die deutsche Doktrin betrachtete es als das Recht oder sogar als die Pflicht eines Staatsmannes, die eventuelle Formierung einer überlegenen feindlichen Koalition, die in zwei bis drei Jahren drohte, durch präventives militärisches Handeln zu verhindern, um die „Handlungsfreiheit“ des eigenen Staates im voraus zu sichern, und dies ohne Rücksicht auf eventuelle politische oder diplomatische Entwicklungen, die während dieser Zeit eintreten bzw. erreicht werden könnten. Bestand denn aber eine solche Bedrohung in der Vergrößerung der russischen Armee und Flotte sowie im Bau von Eisenbahnen und Befestigungen zu einer außerordentlichen Friedensstärke im Jahr 1917? Bestand denn eine wirkliche Gefahr, daß Rußland und Frankreich zusammen Deutschland im Jahre 1917 angreifen würden?[70] Und würde denn Großbritannien, der stärkste Partner in der Triple-Entente, seine Zustimmung zu und seine Unterstützung bei einem solchen Angriffskrieg Rußlands und Frankreichs gegen Deutschland gegeben haben? Oder war es nicht vielmehr die Sorge, daß Deutschland vom Jahre 1917 an einen Angriffskrieg für eigene Zwecke nicht mehr mit Erfolg würde führen können, den viele, wie wir sahen, für notwendig hielten?

War es dann ein „Verteidigungskrieg“? Aber wer bedrohte oder griff denn Deutschland im Sommer 1914 an? Die Verantwortlichen des deutschen Auswärtigen Amtes bestätigten ja selbst, daß damals weder Frankreich noch England noch Rußland einen solchen Krieg wollten.

Auf jeden Fall war es für die deutsche Regierung unter Bethmann Hollweg klar, daß *Frankreich* (wodurch auch immer) als eine Großmacht für eine voraussehbare Zukunft ausgeschaltet werden müsse und nur noch als Verbündeter, wenn nicht als ein Vasallenstaat Deutschlands fortbestehen dürfe. Die Gründe dafür waren Frankreichs Bündnis mit Rußland und seine andauernden Konflikte mit Deutschland in der Türkei und auf dem Balkan, die es vor allem mit Hilfe seiner „arme financière“ führte. Französisches, aber auch belgisches Territorium sollte möglichst nicht annektiert werden,[71] mit Ausnahme des Erzbeckens von Longwy-Briey, das die deutsche Industrie forderte, und einiger militärisch bedeutsamer Punkte wie Belfort und der Westhänge der Vogesen, ferner der belgischen Festung Lüttich (August 1914!), des belgischen Hafens Antwerpen und, wenn die Marine es forderte, der französischen Häfen Dünkirchen, Calais, Boulogne, die an den Vasallenstaat Belgien gegeben werden sollten. Aber Frankreichs Heer sollte verkleinert, seine Festungen geschleift werden, es sollte eine hohe „Kriegsentschädigung“ zahlen und in „Mitteleuropa“, einen ökonomischen Block, eingeschlossen werden, der bei äußerer Gleichstellung der Mitglieder von Deutschland dominiert sein würde. Frankreich hätte alle seine Kapitalreserven zur Verfügung Deutschlands, das an Kapitalmangel litt, stellen müssen, und ganz Frankreich würde Markt für deutsche Güter geworden sein, nicht behindert durch französische Einfuhrzölle.

Was nun *Rußland* betrifft, so hatte der Reichskanzler bereits zwei Tage nach seiner Rede im Reichstag vom 4. August ein klares Ziel für den Krieg an der Ostfront[72] formuliert, das *nach* der Niederwerfung Frankreichs zu realisieren war. Er beschrieb sein Ziel als „die Befreiung und Sicherung der von Rußland unterworfenen Völker", als „die Zurückwerfung der russischen Grenze auf Moskau" und als die Errichtung einer Kette von Pufferstaaten zwischen Deutschland bzw. Österreich-Ungarn und Rußland. Ausdrücklich nannte er Finnland, Polen, die Ukraine, Georgien. Die baltischen Provinzen mit etwa 7% baltendeutschem Bevölkerungsanteil, also die späteren Länder Estland, Lettland, Litauen, wurden im August 1914 noch nicht genannt, sie spielten aber während des ganzen Krieges, insbesondere seit 1917, als Kriegsziel eine große Rolle. Sie sollten mit Preußen-Deutschland eng verbunden werden. Die Zielsetzungen vom 6. bzw. 11. August 1914 wurden einen Monat vor dem vieldiskutierten sog. Septemberprogramm[73] Bethmann Hollwegs formuliert, welches eingangs feststellt, daß „Rußland von der deutschen Grenze nach Möglichkeit abgedrängt und seine Herrschaft über die nichtrussischen Vasallenvölker gebrochen werden" müsse.

Von *Großbritannien* wurde erwartet, daß es diese Veränderungen auf dem Kontinent hinnehmen und überdies die Erwerbung von portugiesischen, belgischen und französischen Kolonien erlauben würde. Diese sollten dem Aufbau eines verteidigungsfähigen deutschen „Mittelafrikas" dienen und dies zu einer Zeit, als die Idee von Kolonien aus ökonomischen wie moralischen Motiven bereits fraglich geworden war.

Aber wie immer man die Ausdehnung der deutschen Einflußsphäre beurteilen mag (Belgien und Polen galten als der Kern je eines „Glacis" nach Westen und nach Osten)[74] und verhüllt wie sie war durch den Plan eines „Mitteleuropäischen Wirtschaftsverbandes",[75] der im Westen Frankreich und Belgien, die Niederlande und Dänemark, eventuell auch Norwegen und Italien und im Osten Österreich-Ungarn und Polen einschließen und sich über Rumänien und Bulgarien bis zur Türkei und der Hamburg-Bagdad-Linie ausdehnen sollte – sicher ist, daß dieses Ziel nicht erst im Ersten Weltkrieg entstand und daß seine Realisierung, ob nun der Intention nach oder nicht, zu einer deutschen Hegemonie über den Kontinent geführt hätte.

Wie kurzatmig oder kurzfristig die deutschen Militärs dachten, zeigt sich darin, daß sie zwar schlimmstenfalls mit England als Gegner und damit mit sechs zusätzlichen Divisionen auf der Seite des Feindes, nicht aber mit dem britischen Empire rechneten, dessen vier weiße Dominions und Indien jedoch vom ersten Kriegstag an mit ihren Armeen an die Seite des Mutterlandes traten und zu seiner Verteidigung große Opfer brachten. Diese Kurzsichtigkeit offenbart sich auch darin, daß sie, nachdem Italien und Rumänien an die Seite der Ententeländer getreten waren, das beinahe unerschöpfliche Potential der Vereinigten Staaten von Amerika an Menschen und materiellen Ressourcen unterschätzten und eine U-Boot-Kriegsführung zuließen, ja förderten und forderten, die diese Großmacht in den Krieg gegen Deutschland führte. Dadurch aber wurde das Ausscheiden Rußlands voll aufgewogen und der Krieg endgültig gegen die Mittelmächte entschieden; gar nicht zu reden von England als größter Seemacht mit der Fähigkeit zur Blockade, von seiner Verfügung über die Nachrichtenmittel der Erde, und nicht zu reden von dem moralischen Gewicht der angelsächsischen Welt in dieser Epoche.

In diesem Zusammenhang ist wohl ein Exkurs über die Frage angemessen, welche Rolle der „ökonomische Faktor“ für die Entscheidung der Regierungen zum Krieg gespielt hat. Nach dem umfänglichen Werk von Georges-Henri Soutou,[76] das vor allem die Politik Frankreichs neu und kritisch behandelt, kann kein Zweifel mehr daran bestehen, daß ökonomische Faktoren eine große Rolle gespielt haben, vor 1914 ebenso wie in den Jahren 1914–18 und im ganzen Zeitalter des Imperialismus. Auch James Joll[77] bespricht in seinem Buch über ‚The Origins of the First World War‘ diese Faktoren, setzt sie aber an Bedeutung gegenüber den machtpolitischen und gegenüber dem Faktor der Mentalität der Nationen erheblich zurück, vielleicht (in Abwehr marxistischer Dogmatik) zu weit.

Betrachten wir nun nacheinander die drei späteren Gegner des Deutschen Reichs. Paul M. Kennedy hat in seinem Werk ‚The Rise of the Anglo-German Antagonism 1860–1914' sehr sorgfältig alle jene Regionen und Wirtschaftszweige in *England*, die seit etwa 1895 unter der deutschen Konkurrenz litten und die deshalb in steigendem Maße antideutsch eingestellt waren, gegen jene Industrien abgewogen, die vom deutschen Markt und vom Handel mit Deutschland profitierten und deshalb prodeutsch eingestellt waren und die erstgenannten aufwogen. Dazu zählten z. B. das Bank- und Versicherungswesen, das Maklergeschäft oder die Textilindustrie. Erst auf dem Umweg über geschichtsphilosophische Theorien[78] über alte und junge Völker, über den Auf- und Abstieg großer Mächte usw. nahm der ökonomische Faktor einen den Antagonismus fördernden Charakter an.

In den Beziehungen zu *Frankreich* hat es neben dem traditionellen Handelsaustausch, besonders durch den Import französischer Weine, seit der Jahrhundertwende auch gemeinsame, z. T. sehr risikoreiche, sogar dubiose Unternehmen zur Finanzierung von Eisenbahnen und Plantagen in Afrika gegeben, in denen Namen wie Tardieu und Caillaux auftauchen, Beziehungen, die aber durch die zweite Marokkokrise und den daraus erwachsenden neuen Nationalismus in Frankreich abrupt abbrachen und zu Kampagnen gegen jene Männer führten. Die Franzosen erinnerten sich jetzt wieder an Elsaß-Lothringen auch als wirtschaftlichen Faktor, dachten auch sehr bald an das Saarland mit seiner Kohle, woran es in Frankreich mangelte. Dagegen wollten die Deutschen, wie ihre Pläne zur Behandlung Frankreichs im August[79] und im September 1914 zeigen, die Ausschaltung Frankreichs als Großmacht vor allem wirtschaftlich zementieren: das französische Kapital zur Verfügung Deutschlands, ganz Frankreich als zollfreier Markt für deutsche Produkte, Zölle auf französische Importe usw. Das alles war auch eine Antwort auf die Konkurrenz des französischen Kapitals in der Türkei und auf dem Balkan und zielte nicht zuletzt auf die Zerstörung des russisch-französischen Bündnisses, das so viel französisches Kapital für Rüstung, Eisenbahnen, Festungsbau, Industrialisierung nach Rußland fließen ließ.

Im Verhältnis zu *Rußland* ist der ökonomische Faktor mit Händen greifbar. Deutschland hatte Rußland, das sich in einer Notlage befand, 1904 einen Handelsvertrag aufgezwungen, der im Interesse der deutschen Agrarier und der deutschen Industrie konzipiert war (möglichst geringe russische Agrarimporte, ganz Rußland als Markt für deutsche Industriegüter). Diesen Vertrag empfand Rußland als eine Vergewaltigung und forderte im Frühjahr 1914 für den Termin des Ablaufs dieses Vertrags (1914/16) lautstark seine Abänderung zugunsten russischer Interessen. Offiziöse Aufrufe forderten,[80] diesen „unmöglichen, ungerechten, für die Ehre beleidigenden und materiell schädlichen" Handelsvertrag zu revidieren. Man sprach von der „Befreiung von fremden Fesseln" und klagte: „Wir können nicht dulden, daß die russische Industrie von der deutschen vollständig erdrückt wird."

In Deutschland hatte Ende Januar 1914 der für Wirtschaft zuständige Staatssekretär des Innern, Delbrück, in Abstimmung mit den preußischen Ressorts für Handel, Landwirtschaft und Finanzen, das Festhalten an den bisherigen Zollsätzen verkündet, und zwar gerade im Blick auf Rußland und entgegen dem ausdrücklichen Wunsch etwa des Hansabundes. Die russische Reichsduma antwortete im April und Juni noch schärfer mit der Erhöhung ihrer Einfuhrzölle. Um so erregter und besorgter wurden die betroffenen deutschen Wirtschaftskreise: Die Agrarier, vor allem in Ostpreußen, hatten seit 1904 nicht nur die russischen Getreideimporte zu beschränken vermocht, sondern durch ein raffiniertes Zollsystem[81] – das sog. „Einfuhrscheinsystem", das als Exportprämie wirkte – ihren Export in die russischen Westprovinzen, u.a. Finnland und Polen, sehr zum Ärger der russischen Agrarier, erheblich steigern können. Als Gegenmaßnahme verlagerte u.a. das russische Marineministerium Bauaufträge weg von deutschen Werften auf die anderer Nationen, zum Ärger der deutschen Industrie. Besonders alarmierend war die drohende Beschränkung des Zuzugs russischer, besonders russisch-polnischer Saisonarbeiter für die Güter der deutschen „Ostelbier", da es nicht mehr genug deutsche Landarbeiter in dieser Region gab. Das war hochpolitisch, denn die agrarischen Interessen bestimmten die Haltung der konservativen Parteien, der Altkonservativen und der Freikonservativen, in hohem Maße. Diese waren unter Bismarck und noch unter Bülow, trotz der ökonomischen Friktionen, durchaus prorussisch gesinnt und blieben selbst unter Bethmann Hollweg noch bis 1913 gemäßigt. Aber jetzt, 1914, schwenkten sie angesichts des Zollkriegs auf eine schroff antirussische Linie und verstärkten damit, wie gezeigt, die seit 1909 steigende antirussische Haltung der deutschen Öffentlichkeit und der Regierung. In der Duma aber sprach man, im Blick auf Landwirtschaft und Industrie, „von dem bevorstehenden großen wirtschaftlichen Zweikampf zwischen Rußland und Deutschland".

Im Krieg stand hinter dem Interesse der deutschen Agrarier an Kurland/Livland und am sog. Polnischen Grenzstreifen, der in einem mit Rußland ausgehandelten Friedensvertrag zu deutschen Gunsten festgelegt werden sollte, auch der Wunsch, den Landhunger deutscher Kleinbauern und Siedler und später der zurückkehrenden Soldaten von den eigenen Gütern weg auf jene grenznahen Landstriche abzulenken. Dabei darf nicht das Interesse der deutschen Industrie am Manganerz von Tschiaturi in Georgien und in der Ukraine vergessen werden, das dringend für die Stahlerzeugung gebraucht wurde. Dieses Interesse schlug sich ja ab August 1914 in zahlreichen Eingaben an die Reichsregierung nieder. In summa: der „ökonomische Faktor" spielte gegenüber Rußland eine bedeutende Rolle.

Dennoch: War es nicht die größte Illusion, daß Deutschland glaubte, diesen Krieg führen zu müssen, daß dies notwendig sei für seine eigene Sicherheit? Bethmann Hollweg,[82] der Russophobe, behauptete noch nach dem Krieg in seinen Memoiren, daß der Krieg gegen Rußland notwendig gewesen sei zur Erhaltung der Unabhängigkeit des Deutschen Reiches und Österreich-Ungarns. Er hatte ja in den ersten Augusttagen 1914 gegenüber Bülow davon gesprochen,[83] er hoffe, daß es nach dem „heftigen, aber kurzen Gewitter" dieses Kriegs – er rechne mit einer Kriegsdauer von drei, höchstens vier Monaten – zur Bildung eines „westeuropäischen Kulturblocks von Deutschland-England-Frankreich“ kommen werde, gegen das moskowitische Rußland. Hier klingt die Erinnerung an den Krimkrieg an, als sein Großvater Moritz August von Bethmann Hollweg, der Führer der „Wochenblattpartei“, Preußen an der Seite von Frankreich, England und Piemont-Sardinien in den Krieg gegen Rußland unter der despotischen Herrschaft Nikolaus I. hatte führen wollen.

Aber dies war doch das Rußland von 1914, das trotz mancher Fortschritte noch weit zurücklag in seiner Entwicklung und das bedroht war durch eine innere Revolution, für die im Kriegsfall Truppen zurückgehalten werden mußten. Deutschland aber war das reiche, blühende und industriell fortgeschrittenste Land in Europa.[84] Es hatte bereits Frankreich und in manchen Sektoren sogar England überholt. Dieses Deutschland mit seinen 67 Millionen Einwohnern war führend in der Wissenschaft, insbesondere in den Naturwissenschaften; es war führend in seinen Technischen Hochschulen und Universitäten und in der angewandten Forschung. Deutschland hatte einen erheblichen Anteil am Welthandel, eine bedeutende Schiffahrt und ein hochentwickeltes Bankensystem, das wiederum eng verzahnt war mit der Industrie, d.h. den alten Branchen Kohle, Eisen, Stahl und den neuen Industrien Maschinenbau, Elektronik, Chemie; und zu dieser Zeit waren Forschung und Industrie bereits von entscheidender Bedeutung für die Geltung eines Landes in der Welt.

So hoch wir aber auch die tatsächliche ökonomisch-kulturelle Potenz Deutschlands vor 1914 einschätzen mögen, es war gerade die Diskrepanz, so jedenfalls erschien es großen Teilen der führenden Schichten des Reichs, zwischen dieser Fähigkeit und Leistung einerseits und der unbefriedigenden Stellung des Deutschen Reichs im damaligen Staatensystem andererseits, die eine der stärksten Ursachen dafür bildete, daß in dem wohlhabenden Land ein Gefühl des Unbefriedigtseins herrschte, welches auch eine gewaltsame Änderung dieses Zustandes für wünschenswert, ja notwendig erscheinen ließ. Das Kraftgefühl, das die Nation erfüllte,[85] forderte – nunmehr mit dem Mittel des Krieges – die Sprengung des „Ringes der Einkreisung“ und die Sicherung des Deutschen Reiches und seiner „Handlungsfreiheit“ auf „erdenkliche Zeit“. Dieses Kraftgefühl führte aber zu einer Verkennung der Realitäten, zu einer Fehleinschätzung der übrigen Welt. Zeuge dafür ist der deutsche Reichskanzler selbst, der diese im Oktober 1916 vor dem Hauptausschuß des deutschen Reichstags aussprach: „Seit Anfang des Krieges sind wir dem Fehler nicht entgangen, die Kraft unserer Feinde zu unterschätzen. Wir haben diesen Fehler aus der Friedenszeit übernommen. Bei der staunenswerten Entwicklung unseres Volkes in den letzten 20 Jahren erlagen weite Schichten der Versuchung, unsere gewiß gewaltigen Kräfte im Verhältnis zu den Kräften der übrigen Welt zu überschätzen.“[86]

Um nun abschließend nochmals auf die Gegnerschaft Deutschlands zu seinen drei Nachbar-Großmächten, von denen unsere Untersuchung ausging, zurückzukommen, sei abschließend zitiert, was der persönliche Sekretär Bethmann Hollwegs, Kurt Riezler, im gleichen Jahr 1916 als den „Sinn dieses Krieges“ bezeichnete:

1. „Verteidigungskrieg gegen das gegenwärtige Frankreich“ (das 28 Millionen Einwohner weniger hatte als Deutschland, doch eine ihm gleichstarke Armee unterhielt und sich seiner Vorherrschaft widersetzte);
2. „Präventivkrieg gegen das zukünftige Rußland – als solcher zu spät“ (die wegen ihres demographischen, militärischen und selbst wirtschaftlichen Wachstums als bedrohlich empfundene oder in der Propaganda als Bedrohung aufgebaute Macht);
3. „Kampf mit England um die Weltherrschaft“ (der bis zuletzt bedeutendste Handelspartner Deutschlands, zu dem enge kulturelle, auch kirchliche Beziehungen, dynastische Verbindungen und Familienbindungen zu den Hansestädten bestanden; ein für Deutschland vorteilhafter kolonialer Ausgleich würde sicher möglich gewesen sein, hätte das Reich auf seine seit 1897 betriebene und noch forcierte See- und Weltmachtpolitik verzichtet oder sie wenigstens gemäßigt).[87]

IV. Die „Kriegsschuldfrage"

Es ist nicht legitim, die Frage der Ursprünge des Ersten Weltkriegs und der Julikrise 1914 mit den Begriffen der „Kriegsschuld"-These von 1919 und der damit verbundenen Frage der Reparationen anzugehen. Wie der verstorbene Schweizer Historiker Adolf Gasser[88] beobachtet und formuliert hat, war der Krieg, gesehen vom Standpunkt des *Völkerrechts,* 1914 noch ein anerkanntes Mittel der Politik und so wurde er noch von allen großen Mächten der Zeit betrachtet. Auch die englischen Historiker Zara Steiner und James Joll teilen dieses Urteil.[89] Betrachtet vom Standpunkt der *Moral* ist unbestreitbar, daß alle großen Mächte expansionistische und Machtpolitik betrieben haben, selbst wenn einige es mehr mit der Absicht taten, ihre Besitzungen, also den Status quo, zu erhalten als ihn zu verändern. Betrachtet vom Standpunkt der *Politik* indessen entsteht die Frage, ob es im Falle von Preußen – Deutschland klug, weise und praktikabel war, in einer so kurzen Zeit, mit solcher Ungeduld und Vehemenz und mit dem Mittel hochgesteigerter See- und Landrüstungspolitik eine Änderung im internationalen System bewirken zu wollen, kurz, eine Politik zu verfolgen, die mehr oder weniger unvermeidlich zum Krieg führen mußte, weil sie eine gegnerische Koalition hervorrief und bestehende Spannungen nicht milderte, sondern erhöhte. In der Durchführung einer solchen Politik kann man sehr wohl ein schuldhaftes Verhalten sehen.

Nach 1914 und nach 1919 haben die Deutschen dann – selbst in ihren gebildeten Schichten – nicht erkannt und nicht anerkannt, daß die deutsche Regierung 1914 den entscheidenden Anteil an der Verantwortung für die Auslösung des Ersten Weltkriegs trug, und haben statt dessen eine 20jährige Apologie gegen die „Kriegsschuldlüge", d.h. gegen die „Lüge", daß Deutschland am Krieg schuld gewesen sei, durchgefochten. Darüber hinaus haben die Deutschen auch die Niederlage, die 1918 durch den Widerstand der französischen und englischen Armeen und durch das Eingreifen der frischen amerikanischen

Truppen herbeigeführt worden war, nicht erkannt und nicht anerkannt und haben statt dessen Zuflucht zur sog. „Dolchstoßlegende", d. h. zu der Lehre genommen, daß dem deutschen Heer durch Juden, Defätisten, Pazifisten, Sozialisten und Kommunisten ein Dolchstoß in den Rücken versetzt worden sei. Diese zweifache Weigerung der deutschen Nation, die Wahrheit zu sehen und anzuerkennen, hat es möglich gemacht, daß dieses Volk in eine neue Wiederaufrüstung, in eine neue expansionistische Politik und schließlich in einen zweiten Weltkrieg geführt werden konnte.

Kaiser Wilhelm II. und die Gestaltung der deutschen Politik vor 1914

Nachdem schon viel über den Charakter und die verfassungsrechtliche Stellung Wilhelms II. gesagt worden ist, wird sich mein Beitrag zunächst ganz auf die eindeutig feststellbaren Fakten einer Einwirkung des Monarchen auf die Gestaltung der deutschen Politik vor 1914 beschränken und erst am Ende einige Schlüsse aus dem festgestellten Sachverhalt auf die Rolle des Kaisers in der deutschen Politik ziehen.

Die Isolierung Deutschlands 1907/08/09

Während der zweiten Haager Friedenskonferenz[1] im Jahre 1907 war das Deutsche Reich diplomatisch, publizistisch und moralisch so isoliert in der Welt, wie erst wieder Anfang August 1914 durch den Bruch der belgischen Neutralität. Auf Befehl des Kaisers – „Nur wenn Abrüstungsfrage *total ausgeschaltet wird*, werde ich die Conferenz beschicken, *sonst nicht*" – hatten Berlin und Wien als einzige von allen beteiligten Regierungen es erzwungen, daß die Haager Konferenz die Frage einer Rüstungsbegrenzung nicht behandeln durfte. Damit hatte Deutschland sich in Gegensatz gesetzt zu den Erwartungen breiter Kreise der Öffentlichkeit, besonders in den USA und England. Auf der Konferenz selbst hat Deutschland die Idee einer obligatorischen Schiedsgerichtsbarkeit schroff abgelehnt, obwohl davon „Lebensfragen" einer Nation, Fragen der Ehre und der Unabhängigkeit ausdrücklich ausgenommen waren, und sich damit in der internationalen Öffentlichkeit weiter unbeliebt gemacht.

In die gleiche Richtung ging des Kaisers unnachgiebiges Verhalten im Jahre 1908 in der zur Siedehitze gestiegenen Spannung zwischen England und Deutschland um das Wettrüsten im Flottenbau. Auf Befehl des Kaisers hat der Reichskanzler Bülow am 25. Juni in einem Rundschreiben an die deutschen Botschafter diesbezüglich angeordnet:

„Vereinbarungen, die auf eine Einschränkung unserer Wehrmacht hinauslaufen, sind für uns unter keinen Umständen diskutierbar! Eine Macht, die uns zu einer solchen Vereinbarung auffordert, möge sich darüber klar sein, daß eine solche Aufforderung den Krieg bedeutet."[2]

Als die englische Regierung auf den verschiedensten Wegen und in höflichster Form Berlin wissen ließ, daß die deutsche Flottenrüstung in England als eine Bedrohung angesehen werde, und dementsprechend Unterstaatssekretär Hardinge, der Begleiter Eduards VII., in Schloß Kronberg im August 1908 gegenüber Wilhelm II. zu äußern wagte, daß nur durch eine Verlangsamung im Tempo der deutschen Schiffsbauten das gegenseitige Verhältnis gebessert werden könne, da erwiderte der Kaiser schroff: „Then we shall fight, for it is a question of national honour and dignity."[3]

In dieses Jahr 1908 fiel nun ein Ereignis, das Wilhelm II. zeitweilig zum Mittelpunkt des Weltinteresses machte: Die Daily-Telegraph-Affäre.[4] Bei einem Aufenthalt in England im Herbst 1907 – während in Berlin durch Bülow und Tirpitz eine neue deutsche Flottennovelle angekündigt wurde – hatte der Kaiser ein Interview gegeben in der Absicht, die deutsch-englischen Beziehungen zu verbessern. Dieses Interview wurde am 28. Oktober 1908 im „Daily-Telegraph" veröffentlicht, nach vorheriger Kenntnisnahme durch sieben Beamte des Auswärtigen Amtes und mit der Erlaubnis des Kanzlers Bülow. Die Äußerungen des Kaisers enthielten aber so viele Taktlosigkeiten und schiefe Behauptungen, daß der englische Nationalstolz beleidigt, die Regierungen in Paris und Petersburg irritiert, die deutsche Bevölkerung enttäuscht und erbittert waren. Die Engländer wurden obendrein durch die Behauptung, er, der Kaiser, gehöre zu der Minorität in Deutschland, die proenglisch gestimmt sei, in ihren Vorurteilen und Besorgnissen gegenüber Deutschland noch bestärkt. In der deutschen Öffentlichkeit wie im Reichstag reichte die Kritik am Kaiser von den Sozialdemokraten bis zu den Konservativen. Wilhelm II., der sich vom 3. bis zum 17. November durch einen Jagd- und Vergnügungsaufenthalt dem Sturm entzogen hatte, fühlte sich vom Kanzler in den Reichstagsdebatten am 10. und 11. November nicht ausreichend gedeckt und sogar gedemütigt, als dieser ihm nach seiner Rückkehr, unter dem Druck der allgemeinen Erregung, zu einer vagen Erklärung zwang, sich künftig mehr konstitutionell zu verhalten. Dies war freilich auch das einzige Ergebnis des Entrüstungssturms; die mit dem „System" verbundenen Interessen waren stärker und verhinderten jede Verfassungsänderung.

Wenn schon diese Form kaiserlicher Einflußnahme auf die Außenpolitik, entgegen ihrer Absicht, die Spannungen zwischen den Völkern und Regierungen steigerte statt minderte, so wurde dieses selbstherrliche Auftreten schlechthin grotesk und gefährlich, als in der internationalen Presse bekannt wurde, daß Wilhelm II. im Juli 1908 ein zweites Interview[5] gegeben hatte, dieses Mal einem Journalisten. Die für den 1. Dezember 1908 geplante Veröffentlichung dieses Interviews in den USA konnte nur im letzten Moment von der deutschen Regierung, die es in einer überarbeiteten Form gebilligt hatte, verhindert werden. Darin nämlich sprach der Kaiser genau das Gegenteil dessen aus, was er im Daily-Telegraph-Interview behauptet hatte: Die Engländer sind Verräter an der weißen Rasse (wegen ihres Bündnisses mit Japan), ihr Weltreich befindet sich im Niedergang (durch den kommenden Aufstand der Inder und der Kolonialvölker); er, der Kaiser, ist ein Bewunderer und Freund Amerikas und seines Präsidenten Theodore Roosevelt, dem er gemeinsamen Kampf gegen Japan zur Rettung und Aufteilung Chinas vorschlägt; sie beide sind Vorkämpfer der teutonischen Rasse und des Protestantismus. (Der Kaiser tadelt den katholischen Glauben, besonders den Marienkult, obschon doch ein Drittel seiner Untertanen Katholiken waren.) Den Höfen und Staatskanzleien in Tokio, London, Washington, Paris usw. war der Wortlaut des ursprünglichen Interviews bekannt. Sie behandelten es mit Delikatesse, um den deutschen Kaiser nicht bloßzustellen. In der verkürzten und überarbeiteten Form des Interviews hatte das deutsche Auswärtige Amt den Nachdruck darauf gelegt, Amerika und der Welt mitzuteilen, daß Deutschland keine Ambitionen (mehr!) auf Westindien, Mexiko, Brasilien usw. habe (wie 1898 vor Manila, 1902/03 vor Venezuela), schon weil es in Europa „eingekreist" sei (seit 1907) und keinen Mann für Übersee entbehren könne.

Als die Nachricht von diesem zweiten Interview und sein Inhalt am 20. November 1908 in der Berliner Presse auftauchte und dem Kaiser vor Augen kam, erlitt er einen Nervenzusammenbruch und erwog die Abdankung. – War dieser Schock so tiefgehend, daß der Kaiser nun ein anderes Verhalten in politicis annahm? Wohl kaum. Nach der Enttäuschung an dem „Zivilisten" Bülow lehnte er sich jetzt wieder stärker an die Militärs an und griff erneut in die Außenpolitik ein, als er bei seiner üblichen Neujahrsansprache an die Kommandierenden Generäle einen von ihm mitverfaßten, jedenfalls aber von ihm gebilligten Artikel des anwesenden früheren Generalstabschefs Graf Schlieffen vorlas. In diesem Artikel wird das Deutsche Reich als von den feindlich gesinnten Mächten der Triple-Entente „eingekreist" vorgestellt, und der Schluß war zwingend, es sei die zukünftige Aufgabe Deutschlands, diesen „Ring" zu sprengen. Mehr noch, der Kaiser sorgte dafür, daß der Vorgang in die Öffentlichkeit kam, die sich erneut über diese dem Ausland gegenüber gefährliche Äußerung des Monarchen erregte.

Wenige Wochen später machten Bülow und das Auswärtige Amt den Versuch, die Triple-Entente zu sprengen, sei es diplomatisch, sei es eventuell mit Gewalt. Es geschah das durch das vom Kaiser gebilligte, von Kiderlen-Wächter, der für einige Wochen den Staatssekretär des Auswärtigen v. Schoen vertrat, verfaßte Quasi-Ultimatum an Rußland vom 22. März 1909, in dem Berlin von Petersburg die Hinnahme der Annexion von Bosnien und der Herzegowina durch Österreich-Ungarn forderte und damit auch die Hinnahme der Annexion seitens Serbiens, die Wien am 19. März ultimativ von diesem gefordert hatte. – Vier Tage nach der ultimativen Anfrage Berlins in Petersburg unterhielt sich der Hofmarschall Graf Robert von Zedlitz-Trützschler mit dem Chef des Kaiserlichen Militärkabinetts General von Lyncker über die „außenpolitischen Kriegsmöglichkeiten“, denen der General „für uns günstige Chancen sowohl Frankreich wie Rußland gegenüber beimaß, so daß er sogar die Herbeiführung des Krieges im jetzigen Moment für wünschenswert hielt, um aus den inneren und äußeren Schwierigkeiten herauszukommen“. Auf den Hinweis „daß die Nerven des Kaisers schlecht seien und man doch sehr mit seiner schwierigen Persönlichkeit zu rechnen habe“, antwortete Lyncker: „Ich stimme Ihnen bei. Moltke fürchtete nicht die Franzosen und die Russen, wohl aber den Kaiser.“[6] – Dieses Mißtrauen gegenüber der Persönlichkeit des Monarchen von seiten der Militärs, denen er sich doch eben wieder so ostentativ zugewandt hatte, wird uns von nun an wie ein roter Faden begleiten in der neuen Ära, die von der ‚Weltpolitik‘ weg in den Machtkampf auf dem Kontinent gegenüber Rußland und Frankreich führte.

Der Kanzlerwechsel

Vier Monate später, am 14. Juli 1909, wurde der im November 1908 in Ungnade gefallene Kanzler Bülow entlassen. Der Kaiser berief als Nachfolger nicht einen Kandidaten seiner Wahl, sondern, auf Bülows dringenden Vorschlag hin – im Blick auf die Unruhe in der Arbeiterschaft als Folge des Scheiterns der Reichsfinanzreform – einen in der inneren Politik erfahrenen Mann, Theobald von Bethmann Hollweg, den der Kaiser von Jugend an persönlich kannte, ebenso schätzte wie als schulmeisterlich und langweilig fürchtete. Wilhelm II. mag dabei die Führung der Außenpolitik sich selbst zugetraut haben; es spielte aber mit, daß dieser ‚liberale‘ Konservative in der Presse und Öffentlichkeit – konträr zu Bülow und Tirpitz – als anglophil galt, also geeignet schien, die gegenwärtige Spannung zu der Flottenmacht Großbritannien zu mildern. – Für unsere Frage nach Wilhelm II. und der Gestaltung der deutschen Politik vor

1914 ist entscheidend, daß der nun 50jährige Monarch diesen Mann, der nur 2½ Jahre älter war als er selbst, zu seinem ersten Berater wählte und ihn gegen alle Anfeindungen von links – und weit heftiger von rechts – acht Jahre lang festhielt. Das geschah, weil der Kaiser zum mindesten den Anschein einer Reformwilligkeit im Innern und einer Annäherung an England nach außen hin zeigen wollte.

Die Zweite Marokkokrise 1911 und ihr Nachspiel

Als der bullige Kiderlen-Wächter – seit Juli 1910 Staatssekretär des Auswärtigen –, der in Rechtskreisen und bei der Industrie als neuer Bismarck galt, in der Zweiten Marokkokrise Druck auf Frankreich ausüben wollte, um „Kompensationen" von Paris zu erzwingen, erlaubten Wilhelm II. und Tirpitz nur ungern die Entsendung des Kanonenbootes „Panther" am 1. Juli 1911 nach Agadir, eine Drohgeste gegenüber Frankreich, die weltweit Aufsehen machte. Als in der daraus entstehenden Kriegskrise die Verbündeten des Reichs, Italien und vor allem Österreich-Ungarn, sich von Berlin distanzierten und England in der Mansion-House-Rede von Lloyd George offen hinter Frankreich trat, da schrak Wilhelm II. vor dem Krieg zurück und mit ihm der Reichskanzler. Für die Weltöffentlichkeit war der sonst so herausfordernde Kaiser nunmehr ‚Guillaume le Timide'. Für die Alldeutschen, die Kiderlen als Claqueure benutzt und dann so enttäuscht hatte, und für die Konservativen wurde der Kronprinz zur Hoffnung der Nation, weil er in der Reichtstagsdebatte im November dem Führer der konservativen Partei, von Heydebrand und der Lasa, Beifall spendete, als dieser erklärte: „wir wissen jetzt, wo der Feind steht", nämlich in England.

Aber auch für den Kaiser war jetzt England erneut der Hauptfeind, und er drängte im Winter 1911/12 auf weitere Flottenrüstung. Während der Kanzler an seiner langfristigen Politik festhielt und mit Hilfe von Ballin und Cassel – die Geschäftswelt beiderseits des Kanals war aufgeschreckt durch die Kriegsgefahr im Sommer 1911 – die Haldane-Mission einleitete, von der er sich einen Neutralitätsvertrag mit England (so verstand er die Formel friedlicher Zusammenarbeit, die Haldane mitbrachte) für den Fall eines kriegerischen Konflikts auf dem Kontinent erhoffte (einen Vertrag, für den er immer neue Formeln anbot), beharrte der Kaiser im Bunde mit Tirpitz auf einer neuen Flottennovelle, die er taktvollerweise am Vorabend des Besuches von Haldane in Berlin ankündigen ließ. Durch seine Intransigenz torpedierte der Kaiser die Englandpolitik seines Kanzlers – der ‚Zivil'-Kanzler wurde von der Verhandlung Kaiser – Tirpitz mit Haldane ausgeschlossen! Wilhelm II. setzte sich in diesem Moment noch einmal durch, obschon sich die innen- wie außenpolitischen und selbst die strategischen Erwartungen des Flottenbaus als verfehlt abzeichneten. Der Reichskanzler gab seine Politik nicht auf; er schaltete jetzt von Verhandlungen über Neutralität um auf geduldig und zäh bis zum Juli 1914 fortgeführte Gespräche mit England über die Begrenzung der Bagdadbahn, über Teilung der portugiesischen Kolonien oder des belgischen Kongo, um so zu einer Annäherung an London zu kommen.

Der Kaiser aber saß auf hohem Roß gegenüber England; als die englische Admiralität außer an den neuen Schiffen auch an der Erhöhung des Mannschaftsbestandes der deutschen Flotte Anstoß nahm, rief er im März 1912 aus: „Meine und des deutschen Volkes Geduld ist am Ende!“[7] Im Sommer 1912 sah sich Wilhelm II. schon an der Spitze der (noch zu schaffenden) „Vereinigten Staaten von [Kontinental-]Europa“.[8] Wenn diese seine Vorstellungen auch exaltiert waren, so berührten sie sich doch mit den ‚Mitteleuropa'-Ideen, die Bethmann Hollweg sich von Walther Rathenau, Chef der AEG, Vertreter der Banken und der exportorientierten modernen Industrien, in diesem Jahr und weiterhin nahebringen ließ. Rathenau durfte sich auch als ein Freund des Kaisers betrachten.

Inzwischen hatte der Kaiser den unnachgiebigen Warner vor einem Konflikt mit England wegen der Flottenrüstung, den Botschafter Grafen Wolff-Metternich, von seinem Londoner Posten abberufen und durch Marschall von Bieberstein (bisher in Konstantinopel) ersetzt, der allerdings bereits im August in

London starb. Von ihm wie von dem wiederum vom Kaiser persönlich ausgewählten Nachfolger auf dem Londoner Posten, Fürst Lichnowsky, erwartete Wilhelm II. eine entschiedene Haltung in der Flottenfrage, zugleich aber auch – damit im Widerspruch stehend – ein Heranziehen Englands an Deutschland für den Fall eines großen Krieges. So wie er es im Dezember 1912, dann enttäuscht über die Haltung Englands in der neuen Kriegskrise, mit Nachdruck aussprach:

„Damit ist Marschalls Arbeit und Lichnowsky's Mission à limine bereits erledigt. Denn beider Auftrag war, die Neutralität Englands uns jedenfalls für den Konfliktsfall mit Rußland-Frankreich zu sichern."[9]

Der sog. „Kriegsrat" vom 8. Dezember 1912[10]

Am 16. Oktober 1912 brach – unerwartet für Europa – der Erste Balkankrieg aus. Er führte in wenigen Tagen (22. bis 24. Oktober) zum militärischen Zusammenbruch des Osmanischen Reichs und zum Verlust seiner europäischen Besitzungen. Diesem Krieg gegenüber nahm der Kaiser anfangs eine neutrale Haltung ein, anders als der Reichskanzler und die Wilhelmstraße. Er sah die Kriegserklärung der vier Balkanstaaten an die Türkei als „eine historische Notwendigkeit" an. Am 5. November plädierte der Kaiser für „Nicht-Intervention um jeden Preis". Am 7. November telegraphierte er an Kiderlen-Wächter:

„Ich sehe absolut gar keine Gefahr für Österreich's Existenz oder gar Prestige in einem serbischen Hafen an der Adria."

Es wäre bedenklich, wenn Wien sich dem serbischen Wunsche entgegenstemmen würde, denn „Rußland würde sofort Serbien unterstützen". Deutschland dürfte sich nicht wegen Durazzo oder Albanien „der Gefahr einer kriegerischen Verwicklung aussetzen"; das könne er, sagt der Kaiser, „weder vor meinem Volk noch vor meinen Gewissen verantworten". Und noch am 9. November telegraphierte Wilhelm an Kiderlen-Wächter:

„Habe mit Reichskanzler eingehend im Sinne meiner Instruktionen an Sie gesprochen und bestimmt erklärt, daß wegen Albanien und Durazzo ich unter *keinen Umständen gegen Paris und Moscau marschieren* werde."

Am Abend des gleichen Tages aber, dem 9. November 1912, gelang es dem Reichskanzler, den Kaiser umzustimmen und ihn zu überzeugen, daß Deutschland seine Bündnispflicht gegenüber Österreich erfüllen müsse, „auch wenn Österreich durch seine Forderung [Serbien dürfe Albanien nicht annektieren und keinen Hafen an der Adria bekommen] einen Krieg heraufbeschwöre". Anders als bisher der Kaiser war der Kanzler also durchaus bereit, einen europäischen Krieg wegen des österreichisch-serbischen Konflikts zu riskieren, weil es sich um vitale Interessen des Bundesgenossen handle. Das war eine Entscheidung von fundamentaler Bedeutung, der der Kaiser sich unterwarf, wenn auch nur zögernd und mit großem Ernst im Blick auf die Konsequenzen, wie sein eigenhändiges Resümee seiner Gespräche mit Kiderlen erkennen läßt. – Zwei Wochen später, am 22. November, versprachen Wilhelm II. und Moltke dem nach Berlin gekommenen Franz Ferdinand und seinem Generalstabschef „unter allen Umständen" volle Unterstützung, auch wenn es über den Konflikt mit Serbien zu einem Weltkrieg „mit den drei Entente-Mächten käme".

Bethmann Hollweg und Kiderlen arbeiteten währenddessen mit England und Frankreich zusammen, um einen Weltkrieg jetzt zu verhindern. Sie erreichten, daß die Botschafterkonferenz der Großmächte, die am 18. Dezember in London zusammentrat, die beiden genannten Forderungen Österreichs erfüllte, d.h. daß Rußland Serbien fallenließ. – Um aber Österreich, bis das diplomatische Spiel gewonnen war, zuversichtlich zu halten, gab der Reichskanzler im Deutschen Reichstag am 2. Dezember eine vorsichtig formulierte Bündniszusicherung ab:

„Wenn sie [die Österreicher] aber bei Geltendmachung ihrer Interessen, wider alles Erwarten, von dritter Seite angegriffen werden und damit in ihrer Existenz bedroht sein sollten, dann würden wir, unserer Bündnispflicht getreu, fest entschlossen, an ihre Seite zu treten haben, und dann würden wir zur Wahrung unserer eigenen Stellung in Europa, zur Verteidigung unserer eigenen Zukunft und Sicherheit fechten."[Das gleiche Wort „fechten" gebrauchte Kiderlen am 28. November vor dem Bundesrat.]

Dieses Wort „fechten" schreckte die englische Regierung auf, und sie warnte tags darauf Berlin durch ein Gespräch Haldanes mit Lichnowsky, daß England, wenn Deutschland Frankreich angriffe, unbedingt Frankreich beispringen würde, denn England könne nicht dulden, daß die balance of power in Europa gestört würde; es könne nicht zulassen, daß England sich nachher einer einheitlichen kontinentalen Gruppe unter Führung einer einzigen Macht gegenübersähe.

Der Bericht Lichnowskys erreichte den Kaiser am Sonntag, den 8. Dezember, und er erregte ihn ungeheuer. Noch am 3. Dezember hatte er, beeindruckt von den Berichten aus London über die überaus wohlwollende Aufnahme von Lichnowsky in England, von einer „überraschenden englischen Annäherung" gesprochen. Damit schien die Politik Bethmann Hollwegs und Kiderlen-Wächters einen ersten Erfolg errungen zu haben. Der Bericht Lichnowskys zerstörte nun seinen Optimismus mit einem Schlage:

„Weil England zu feige ist, [so schrieb er an den Rand des Berichts] Frankreich und Rußland offen in diesem Falle sitzen zu lassen, und zu sehr neidisch auf uns ist und uns haßt, deswegen sollen andere Mächte [Österreich-Ungarn und Deutschland] ihre Interessen nicht mit dem Schwerte verteidigen dürfen, da es dann trotz aller Versicherungen, trotz Marschall und Lichnowsky doch gegen uns gehen will. Das richtige Krämervolk! Das nennt es Friedenspolitik! Balance of Power! Der Endkampf der Slawen und Germanen findet die Angelsachsen auf Seiten der Slawen und Gallier."

Am gleichen Tag nachmittags telegraphierte der Kaiser das Gleiche an Kiderlen und fordert ihn auf, „Militärabkommen mit der Türkei, Bulgarien und Rumänien, möglichst auch mit Japan zu schließen".

Der Kaiser berief an diesem 8. Dezember 11 Uhr seine militärischen Berater aus Armee und Marine (mit Ausnahme des

Preußischen Kriegsministers Josias von Heeringen) ins Berliner Schloß zu einer „militärpolitischen Lagebesprechung", wie Admiral v. Müller es korrekt nannte. Die „Zivilisten", der Reichskanzler und der Staatssekretär des Auswärtigen, waren nicht dazu gebeten: Bethmann Hollweg sprach später von einem „Kriegsrat" hinter seinem Rücken. Der Kaiser plädierte für den sofortigen Krieg gegen Frankreich und Rußland; dazu müsse Österreich den „auswärtigen Slawen [den Serben] gegenüber kraftvoll auftreten". Wenn dann Rußland die Serben stützte, und etwa in Galizien einrücken würde, „wäre der Krieg für uns unvermeidlich". Für diesen großen Krieg könne Deutschland hoffen, Bulgarien, Rumänien, auch Albanien und vielleicht sogar die Türkei als Bündnispartner zu gewinnen. Träten diese Mächte auf Österreichs Seite, „dann seien wir soweit frei, daß wir den Krieg mit ganzer Wucht gegen Frankreich führen könnten". Die Flotte müßte sich natürlich auf den Krieg gegen England einrichten. Dafür erhielt Tirpitz den Auftrag: schleunige Mehrbauten von U-Booten, im Kriegsfall sogleich Unterseebootskrieg gegen englische Truppentransporte, Minenkrieg in der Themse. (Diese Vorschläge hatte der Chef des Admiralstabs dem Kaiser am 4. Dezember für den Fall gemacht, daß England als Gegner aufträte.)

Moltkes Antwort auf die Forderung des Kaisers nach Krieg war: „Ich halte einen Krieg für unvermeidbar", und „Je eher, desto besser!" Tirpitz aber erhob Einspruch und wünschte die Verschiebung des eventuellen Krieges um 1½ Jahre, bis der Nord-Ostsee-Kanal für die Benutzung durch Linienschiffe vertieft und der U-Boot-Hafen auf Helgoland fertig sei. Moltke replizierte bitter, die Marine sei auch dann noch nicht fertig; während Tirpitz später noch hinzufügte, die Armee könne ja die gewonnene Zeit nutzen, ihre eigenen Mängel abzustellen, vor allem das Menschenreservoir besser auszuschöpfen. Sehr ungern unterwarfen sich der Kaiser und Moltke dem Einspruch von Tirpitz für eine Verschiebung des großen Kriegs.

Schon am nächsten Tag, den 9. Dezember, befahl der Kaiser dem noch immer widerstrebenden Preußischen Kriegsminister, sofort eine Vorlage für eine große Heeresvermehrung auszuarbeiten, wobei er allerdings gleichzeitig an Tirpitz den Auftrag gab, auch eine Vorlage für eine neue Flottennovelle vorzubereiten. – Entsprechend der Initiative des Kaisers besprach sich der Kanzler bereits am 14. Dezember mit Josias von Heeringen und Tirpitz über die diesbezüglichen Vorlagen, wobei er fest entschlossen war, eine neue Flottenvorlage abzuwehren, was ihm gegenüber dem Kaiser endgültig am 9. Januar 1913 gelang. Damit war der Stern von Tirpitz im Sinken. Der Kanzler verband sich mit Moltke, der, angetrieben von jüngeren Mitarbeitern wie Ludendorff, am 22. Dezember eine enorme Vermehrung des deutschen Heeres um etwa ein Drittel verlangte, neben der ein erneuter zusätzlicher Ausbau der Flotte schon finanziell nicht tragbar gewesen wäre. Moltkes Forderung wurde freilich wegen des Einspruchs des Preußischen Kriegsministers, dem der Kaiser recht gab, nicht in vollem Umfange erfüllt.

Es war an dem 14. Dezember, an dem wir den Reichskanzler aktiv sahen, daß der Kaiser dem Admiral v. Müller sagte, es sei interessant, „daß der Reichskanzler sich jetzt doch an den Gedanken eines Krieges gewöhnt habe, er, der noch vor einem Jahr ausgesprochen habe, er werde nie imstande sein, zu einem Krieg zu raten".

Von dem „Kriegsrat" am 8. Dezember geht außer dem letzten Anstoß zur großen Heeresvermehrung auch der Anstoß zur psychologischen Vorbereitung der Nation auf den großen Krieg aus: es sei notwendig, „durch die Presse das Volk darüber aufzuklären, welche großen nationalen Interessen auch für Deutschland bei einem durch den österreichisch-serbischen Konflikt entstehenden Krieg auf dem Spiele ständen".

Dieser Auftrag des Kaisers vom 8. Dezember ging bruchlos in die breitgefächerte Presse- und Vortragspropaganda für die Heeresvermehrung über, die unter dem Schlagwort des Kaisers vom Kampf der Slawen gegen die Germanen geführt wurde, ein Schlagwort, das sogar der Kanzler am 4. April im Reichstag in seiner Rede zur Begründung der großen Heeresvermehrung gebrauchte.

Im Blick auf die Stellung und Einwirkung Wilhelms II. ist es wichtig zu sehen, daß der Kaiser in der Machtprobe zwischen

Heer und Marine, zwischen Moltke und Tirpitz, selbst einen Wandel mitvollzieht im Umschwung[11] von der Priorität der Marinerüstung zur Priorität der Armeerüstung, von der Priorität der ‚Weltpolitik' zur Priorität der kontinentalen Sicherungs- und Expansionspolitik, doch so, daß die ‚Weltpolitik' nie ganz aufgegeben wird. – Für den Kaiser verband sich die Idee einer Abwehr der Slawen mit dem Haß gegen das neidische Albion, das – wie er in einer Reihe von Briefen im Dezember 1912 immer wiederholte – die Einigung des Kontinents unter deutscher Führung nicht zulassen will. So schreibt er am 12. Dezember seinem Bruder Heinrich: die Erklärung Haldanes, daß England es „nicht dulden könne, daß wir auf dem Continent die stärkste Macht würden, und derselbe sich unter unserer Führung einige!" käme einer moralischen Kriegserklärung gleich. Solche Gedanken von Stellung und Aufgabe Deutschlands in Europa teilte der Kaiser mit breiten Gruppen der Eliten des Deutschen Reichs.

Das Jahr 1913

Das Jahr 1913 war für den Kaiser noch einmal ein Jahr militärischen Gepränges mit immer neuen Paraden und Feiern. Es war vom März bis Oktober das Jahrhundertgedenken an das Befreiungsjahr 1813, und es war im Juni die Feier des 25jährigen Regierungsjubiläums des Kaisers, wo er sich als Friedensfürst feiern ließ.

Der Jubel dieser Feiern verdeckte die großen politischen Entscheidungen dieser Monate. Zweimal noch, im Februar und im Juli 1913, hatte die Berliner Führung, im Zusammenspiel von Reichskanzler und Generalstabschef und mit Unterstützung durch das verbündete Italien, Wien von jedem militärischen Vorgehen gegen Serbien zurückgehalten, weil dies unweigerlich die Intervention Rußlands und damit den Weltkrieg heraufführen würde – und dies in einem Moment, in dem die deutsche Heeresvermehrung noch nicht durchgeführt war und die zarte

Pflanze der deutsch-englischen Annäherung noch nicht weit genug gediehen war, um die Neutralität Englands im Kontinentalkrieg sicherzustellen.

Der Bukarester Frieden vom 10. August 1913, der den Zweiten Balkankrieg beendete, schien äußerlich den Frieden auf dem Balkan wiederhergestellt zu haben. Wilhelm II. beglückwünschte König Carol von Rumänien in einem offenen Telegramm als Friedensstifter. In Wahrheit war Bulgarien, der Verlierer, unversöhnlich, und Österreich-Ungarn war über die Verdoppelung des serbischen Territoriums erbittert. Beide drängten auf eine Revision des Friedensvertrages, und jedenfalls blieb der Balkan voller Spannungen.

In dieser Situation war es höchst folgenreich, daß Wilhelm II, während der letzten Kaisermanöver[12] vor dem Kriege Ende August/Anfang September 1913 erneut unter den massiven Einfluß der Militärs kam, die – unter dem Eindruck der Einführung der dreijährigen Dienstzeit in Frankreich und der Nachrichten über die geplante große russische Heeresvermehrung – nun offen auf den Präventivkrieg drängten, darunter die dort anwesenden drei Generalstabschefs des Dreibundes, Moltke, Conrad und Pollio. In diesen Wochen vollzog sich ein Umschwung in der deutschen Haltung zu Österreich-Ungarn. Er ist an vier zeitlich eng zusammenhängenden Vorgängen erkennbar, in deren Mittelpunkt jeweils die Persönlichkeit Kaiser Wilhelms steht, der sich hier als führend erweist, auch wenn sein Handeln in engster Absprache mit dem Reichskanzler und dem Auswärtigen Amt geschieht, bzw. mit deren Unterstützung.

1. Sicherung der Südostfront

Berlin fand bald Gelegenheit, die neue deutsche Entschlossenheit zu zeigen, für Österreich-Ungarns Stellung auf dem Balkan mit aller Energie einzutreten, als Berchtold sich Rückendekkung in Berlin einholte, bevor er am 18. Oktober 1913 ein Ultimatum an Serbien richtete, die von ihm noch besetzten Gebiete Nordalbaniens zu räumen. Serbien mußte nachgeben, da neben England und Frankreich auch Rußland ihm nicht beistand. Am gleichen Tag[13] bot die Feier der Einweihung des Kolossaldenkmals zur Erinnerung an die Völkerschlacht bei Leipzig Gelegenheit für die Zurschaustellung preußisch-deutscher und österreichisch-ungarischer Solidarität, auch wenn die dort gehaltenen Reden in Anwesenheit der Vertreter des Zaren im Ton gemäßigt sein mußten. Bei dieser Gelegenheit versicherte der Kaiser Conrad in entschiedenster Weise, daß Österreich-Ungarn auf das Deutsche Reich rechnen dürfe, was immer aus dem Konflikt mit Serbien entstehen möge, d.h. auch im Falle eines Krieges mit Rußland (und Frankreich).

Am 23. Oktober traf Wilhelm II. Franz Ferdinand auf dessen Jagdschloß Konopischt[14] wo ohne Zweifel auch über die serbische Frage gesprochen wurde. Dort traf der Kaiser mit zahlreichen Vertretern des böhmischen und ungarischen Hochadels zusammen, die sich alle einig waren „in der Klage über die zunehmende Präpotenz der slawischen Völkerschaften in der Monarchie". Der Kaiser war mit ihnen der Meinung, daß die steigende Macht des Slawentums, hinter der er Rußland stehen sah, gebrochen werden müsse. – Drei Tage später, am 26. Oktober, sprach Wilhelm II. 1½ Stunden lang in der deutschen Botschaft mit Berchtold über die Balkanpolitik und das Verhältnis der Verbündeten zu Rußland. Der Kaiser ist überzeugt, daß „das mächtige Vordringen der Slawenmacht" „einen weltgeschichtlichen Prozeß" darstellt, „in die Kategorie der Völkerwanderung einzureihen", und folgert: „Der Krieg zwischen Ost und West sei auf die Dauer unvermeidlich, und wenn da Österreich-Ungarn in seiner Flanke der Invasion einer respektablen Militärmacht [des neuen Serbien!] ausgesetzt sei, so könne dies für den Ausgang des Völkerringens verhängnisvoll werden". Deshalb ist sein dringender Rat, Serbien sofort an die Monarchie heranzuziehen, durch Geld, durch das Angebot militärischer Ausbildung, oder durch Handelsbegünstigungen. Dem Einwand Berchtolds, daß die „unüberwindliche Animosität der serbischen Rasse gegen die Monarchie dem Abschluß einer Militärkonvention im Wege stehe", begegnet der Kaiser mit dem Hinweis auf eventuelle Gewaltanwendung, die er decken würde, vor allem aber mit der Versicherung seiner Einwirkung auf Rumänien wie auf die Türkei.

Der Kern seiner Darlegungen aber war seine scharfe Ablehnung der politischen Ideen des österreichischen Thronfolgers, seines „Freundes“ Franz Ferdinand, dessen, was dieser sein „politisches Glaubensbekenntnis“ genannt hat, nämlich einer „Erneuerung des Dreikaiserbündnisses unter möglichem Anschluß Englands“. Demgegenüber hielt der Kaiser „eine Rückkehr zu den Überlieferungen der Hl. Allianz und dem Dreikaiserbündnis“ für ausgeschlossen. Zwar sei er in diesen Traditionen aufgezogen worden, er habe aber erkennen müssen, daß Rußland heute eine „uns feindselige, auf unseren Untergang ausgehende Macht sei, in welcher ganz andere Elemente regieren“ als der Zar. Dieses ‚Feindbild‘ vom neuen antideutschen, antigermanischen, panslawistischen und zugleich industriell expansiven Rußland teilte der Kaiser mit Moltke, zugleich aber auch mit Bethmann Hollweg und Jagow (dem Nachfolger Kiderlens seit Januar 1913). Wohl um Berchtold Mut zu machen, behauptet Wilhelm II. unter Bezug auf eine Äußerung des Zaren im März 1913, daß Rußland erst in 6 Jahren kriegsbereit sei, d.h. entweder greift es jetzt nicht ein, oder wenn doch, dann ist es möglich, es noch zu besiegen. Auch gebe es in Rußland „das Gespenst der Revolution“, dem Deutschland nachhelfen müsse. Die Revolutionierungstätigkeit Berlins und Wiens während des Kriegs ist hier vorausgedacht. Für Berchtold war das Entscheidende in der 1½ stündigen Unterredung die immer wiederholte Versicherung des Kaisers, „daß wir voll und ganz auf ihn zählen könnten“.

Daß es sich hier keineswegs um eine gleichsam private Reise des Kaisers, sondern um „Große Politik“ handelte, zeigen die Berichte zweier deutscher Diplomaten, des Vertreters des Auswärtigen Amtes beim Kaiser, v. Treutler, und des deutschen Botschafters in Wien, v. Tschirschky, an den Reichskanzler vom 26. bzw. 28. Oktober, wobei der letztere den Kernpunkt besonders deutlich wiedergibt:

„Die Monarchie müßte sich Serbien *unter allen Umständen* auf irgendeine Weise, besonders auf militärischem Gebiet, angliedern und sich dadurch zum mindesten die Garantie verschaffen, daß sie *im Falle eines Konflikts mit Rußland* die serbische Armee nicht gegen sich, sondern auf ihrer Seite haben würde.«[15]

Erstaunlicherweise, aber gewiß kein Zufall, wurde Frankreich als Gegner nicht erwähnt. Doch daß Berlin durchaus an den großen Krieg dachte, der gegen Rußland *und* Frankreich gerichtet sein würde, das zeigt die nächste hochpolitische Aktion Wilhelms II. und Moltkes: die Begegnung mit dem König der Belgier, Albert.

2. Sicherung der Nordwestfront

Bei einem Galadiner im Neuen Palais in Potsdam am 6. November 1913, an dem auch der Reichskanzler und Unterstaatssekretär Zimmermann vom Auswärtigen Amt teilnahmen, zu Ehren des Königs der Belgier, Albert,[16] ergab sich die Gelegenheit für den Kaiser und Moltke, mit dem König über den bevorstehenden großen Krieg zu sprechen. Schon vor Tisch sagte der Kaiser wörtlich zu Albert: „Der Krieg mit Frankreich ist unvermeidlich und nahe bevorstehend. Man muß ein Ende machen." Der Kaiser behauptete, Frankreich wolle den Krieg und rüste „in dieser Absicht" so überstürzt auf. Die Einführung der dreijährigen Dienstzeit müsse er als „Provokation" empfinden. Moltke bestätigte nach Tisch im Gespräch mit dem König die Meinung Wilhelms über die „Unvermeidbarkeit" des Krieges und fügte hinzu, daß ein deutscher Sieg absolut sicher sei, „weil das deutsche Volk bei dem Ruf ‚Es geht gegen Frankreich!' geradezu kolossal losbrechen und der Furor Teutonicus alles niederrennen werde". – Bei Tisch schon hatte Moltke dem belgischen Militärattaché Melotte gegenüber, der von einer „langen Friedensperiode" nach Abschluß der Balkankriege sprach, schneidend erklärt: „Machen sie sich keine Illusionen. Der Krieg mit Frankreich ist unvermeidlich und viel näher als Sie glauben [...] Wir haben diesen fortgesetzten Lärm satt, der unserer Entwicklung schadet." Auf die Frage Melottes über die Haltung der anderen Ententemächte, behauptete Moltke: „Die

Interessen Rußlands und die unsrigen sind nicht gegensätzlich, im Gegenteil"(!); und England sei friedliebend, weil es eine Seeschlacht vermeiden werde, in der zwar die deutsche Flotte vernichtet, seine eigene aber so geschwächt werde, daß es die Herrschaft zur See und seine Handelsvormacht an die USA verlieren werde.

Das zentrale Anliegen im Rahmen dieser Gespräche aber war die Frage nach der Haltung Belgiens im Kriegsfalle. Die Antwort Melottes, daß Belgien sich mit allen Kräften gegen jeden, wer auch immer seine Neutralität verletze, zur Wehr setzen wird, konnte Moltke nicht befriedigen. (Er hat sie aber offenbar nicht so ernst genommen, wie sie es verdient hätte.) Für den anwesenden belgischen Gesandten Baron Beyens war das Bedrohlichste, die, wie er es sah, veränderte Haltung Wilhelms II. Er berichtete nach Brüssel, daß S.M. durch Moltke und die Generäle „von seiner friedliebenden Einstellung bekehrt und von der Notwendigkeit dieses Krieges, wie der Überzeugung, daß Frankreich ihn provozieren will, durchdrungen werden" soll. – Um diese Zeit war das bereits erreicht, wie die gleichzeitigen Äußerungen des Kaisers zeigen. Das Interessanteste aber im Bericht von Baron Beyens ist seine Interpretation der Andeutungen des Kaisers und Moltkes über ihre Motive für das „Man muß ein Ende machen!", wenn er als „die wahren Gründe für diese kriegerische Haltung" Moltkes folgende nennt, die dieser zwar nicht ausgesprochen habe, „die wir aber genau kennen":

„Die Generale sind es, wie viele ihrer Landsleute, müde, zu sehen, daß Frankreich Deutschland gegenüber sich in den schwierigsten politischen Fragen behauptet, ihm beständig entgegentritt, es in Mißerfolge verwickelt, sich seiner Vorherrschaft widersetzt oder sich dem vorherrschenden Einfluß des Deutschen Reichs in Europa und seinen kolonialen Wünschen widersetzt, seine Armee verzweifelt vermehrt, um das Gleichgewicht der Kräfte aufrechtzuerhalten, das seit langem, wie sie [die Deutschen] glauben, in Wirklichkeit nicht mehr existiert."

Der Kanzler Bethmann Hollweg ist selbst der beste Zeuge dafür, daß nicht allein die Generale und der Kaiser, sondern ebenso die „Zivilisten“ Frankreich als eine neidisch feindselige Macht betrachten, nicht nur militärisch, sondern auch politisch und ökonomisch, die dem Aufstieg Deutschlands allüberall sich widersetze. Nur zweieinhalb Monate später hat der Reichskanzler[17] beim Kaisergeburtstagsdiner am 27. Januar 1914 im Gespräch mit dem französischen Botschafter Jules Cambon dieselben Motive der Erbitterung gegenüber Frankreich ausgesprochen, wie sie Baron Beyens als Gesinnung Moltkes berichtet hat: während Frankreich in 40 Jahren ein riesiges Kolonialreich erworben habe, sei Deutschland beinahe leer ausgegangen und habe nicht den ihm gebührenden „Platz an der Sonne“ gefunden (womit der Kanzler das Schlagwort aufnahm, mit dem sein Vorgänger die deutsche ‚Weltpolitik‘ 1897 eingeleitet hatte). Deutschland brauche für seine unaufhörlich wachsende Wirtschaft ein Betätigungsfeld (in Kleinasien):

„Deutschland sieht seine Bevölkerung jeden Tag ohne Maßen wachsen; seine Marine, seine Industrie, sein Handel nehmen eine Entwicklung ohne Gleichen [...] es ist verdammt sich in irgendeiner Weise nach auswärts auszubreiten.“

Bethmann Hollweg droht Frankreich, wenn es wagen sollte, gegen die notwendige deutsche Expansion Widerstand zu leisten. – Cambon legt seinem Außenminister nahe, diese Gedanken sehr ernst zu nehmen, da der Kaiser mit diesen Ansichten übereinstimme.

3. Die Armee regiert Deutschland

In den Monaten Oktober/November/Dezember 1913, in denen der Kaiser tätig war, im Osten wie im Westen die Ausgangssituation für den als nahe bevorstehend betrachteten Krieg zu verbessern, spielte sich im Innern des Reichs eine Machtprobe ab: zwischen dem Verfassungs- und Rechtsstaat, als der das Reich nach liberaler Tradition sich verstand, und dem Militärstaat, der das Reich, mit dem es beherrschenden Staat Preußen mit seinem König, seinem Adel, seiner Armee und ihrer Immediatstellung zur Krone, in Wirklichkeit war, wobei die Persönlichkeit des König-Kaisers Wilhelm II. und seine militärische

Umgebung den Ausschlag eindeutig zugunsten der Tradition Preußens gaben.

Als nach den Zwischenfällen in der elsäßischen Kleinstadt Zabern[18] am 28. Oktober, am 8. und 28. November 1913 wegen der Übergriffe des Militärs gegenüber Zivilisten der Reichsstatthalter als der Vertreter der zivilen Gewalt in einem Telegramm an den Kaiser die Sorge ausgesprochen hatte, es könnte durch diese Vorgänge „der Glaube an den deutschen Sinn für Gerechtigkeit und an deutsche Unparteilichkeit bis in die Grundfesten erschüttert werden“, und den Kaiser bat, ihm persönlich berichten zu dürfen, lehnte Wilhelm II. diese Bitte ab und entschied sich unter dem Einfluß seiner höfischen und militärischen Umgebung, „das Prestige der Armee“ unter allen Umständen aufrechtzuerhalten. Er stimmte der Meinung des Korps-Befehlshabers zu, daß die Armee vollkommen angemessen gehandelt habe, selbst wenn die legale Basis ihrer Intervention zu bestreiten gewesen sei. Nach einem neuen Übergriff desselben Offiziers, am 2. Dezember, erließ der Kaiser am 3. Dezember eine Order an den Korps-Befehlshaber, daß fortan die Armee verantwortlich sei für Ruhe und Ordnung in Zabern, und lehnte es dabei ab, eine Klausel einzufügen, daß sie sich dabei „innerhalb der Grenzen des Gesetzes“ zu bewegen habe.

Die Vorgänge in Zabern machten in der Presse des In- und Auslands ungeheures Aufsehen und provozierten u.a. einen Entrüstungssturm im Reichstag. Der Reichskanzler mußte Stellung nehmen. Obwohl er erst zwei Jahre vorher dem ‚Reichsland‘ eine Verfassung gegeben hatte (mit gleichem Wahlrecht, anders als in Preußen!), und obwohl er von der Verletzung des geltenden Rechts durch die Armee überzeugt war, entschied er sich, gerade weil das Prestige der Armee gelitten hatte, und weil in der Öffentlichkeit der Verdacht verbreitet war, der Kaiser persönlich habe die Verletzung des Rechts gutgeheißen, sich ohne Einschränkung vor die Armee und damit vor den Monarchen zu stellen – gewiß auch in Erinnerung an Bülow, der das in der Daily-Telegraph-Affäre nicht getan hatte und darüber in kaiserliche Ungnade gefallen war. Sozialdemokraten, Linksliberale und Zentrum stimmten für ein Tadelsvotum, das auch die Zustimmung der Nationalliberalen fand und damit einer überwältigenden Majorität der Abgeordneten. In allen parlamentarisch regierten Ländern des Westens hätte die Regierung zurücktreten müssen. Nicht so im Preußisch-Deutschen Reich. Ja, der Reichskanzler Bethmann Hollweg erklärte scharf, daß er „mit aller Macht sich einer Änderung unserer Verfassungsbestimmungen in dieser Richtung widersetzen werde". Und es fand sich auch keine Mehrheit, die dahin gehende Forderungen unterstützt hätte. Nach der Daily-Telegraph-Affäre wurde hier die zweite und letzte Möglichkeit verspielt, auch nur den Versuch einer Verfassungsänderung im westeuropäischen Sinne zu machen. Das preußische System, die Herrschaft einer kleinen Minorität, blieb bestehen inmitten einer Industriegesellschaft. Ja, der Kaiser konnte angesichts der Reichtstagsdebatten von „Anfällen politischer Kinder" „in einem Narrenhaus"sprechen. Die Londoner „Times" schrieb am 14. Januar 1914 über den Ausgang der Zabern-Affäre: „Die Armee ist das Höchste, und durch Preußen regiert die Armee Deutschland."

4. Machtprobe um Konstantinopel

Auch die letzte große außenpolitische Vorkriegskrise, die Liman-von-Sanders-Krise,[19] geht völlig auf die Entscheidungen Wilhelms II. zurück. Sie war seine Antwort auf die Niederlage der Türkei im Ersten Balkankrieg, die ja auch ein Prestige-Verlust für die deutsche Armee gewesen war, welche die türkische ausgebildet hatte. Der Kaiser und sein Militärkabinett hatten mit Vertrauensmännern der türkischen Regierung schon im Frühjahr 1913 die Wiederaufnahme einer militärischen Ausbildungsmission beschlossen; und Wilhelm II. hatte dieses Vorhaben in unverbindlichen Gesprächen dem Zaren Nikolaus und König Georg von England während der Hochzeitsfeierlichkeiten seiner Tochter im Mai angekündigt – freilich ohne den Umfang, die neue Rechtsstellung und die außerordentlichen Vollmachten der neuen Mission erkennen zu lassen, so daß der Zar sich später düpiert fühlte.

Im Lauf des Oktobers 1913 billigten der Kaiser, die zuständigen militärischen Stellen und das Auswärtige Amt den Vertragsentwurf mit der Türkei, durch den General Liman u.a. zum Kommandeur des in Konstantinopel stationierten 1. türkischen Armeekorps ernannt wurde. – Zum ersten Mal stießen hier Deutschland und Rußland unmittelbar aufeinander, während das sonst nur bei der deutschen Verteidigung der Interessen Österreich-Ungarns der Fall gewesen war. Denn dadurch war ein Deutscher in der Lage, die Dardanellendurchfahrt zu sperren. Das war eine Bedrohung vitalster Interessen Rußlands, dessen Getreideexport durch die Meerengen ging, ein Export, der allein Rußland die Durchführung seiner Industrialisierung ermöglichte.

Den Russen wurde die geheime Abschiedsansprache des Kaisers vom 9. Dezember 1913 an die Offiziere der Militärmission bekannt, in der er als ihre Aufgabe gefordert hatte: die „Germanisierung der türkischen Armee"; die strenge Kontrolle der Politik anderer Mächte in der Türkei; die Entwicklung der türkischen Militärmacht in Kleinasien „als Gegengewicht gegen die aggressiven Absichten Rußlands" und „die Behauptung der dominierenden deutschen Autorität und des Einflußes auf Fragen der Außenpolitik". Der Kaiser ging so weit zu sagen: „Von den Mitgliedern der Mission wird es abhängen, [...] für mich eine starke Armee zu schaffen, die meinen Befehlen gehorcht."

Am 19. Dezember übernahm Liman das Kommando des 1. Armeekorps in Konstantinopel und begann sofort, die Befestigungsanlagen weiter auszubauen und mit Kruppartillerie zu bestücken, worüber er im Februar dem Kaiser persönlich in Berlin berichtete. Das herrische Auftreten Limans führte zu schweren Zerwürfnissen mit dem durchaus deutschfreundlichen, deutsch sprechenden, in Deutschland militärisch ausgebildeten türkischen Kriegsminister Enver Pascha.

Doch diese deutsch-türkischen Konflikte waren sekundär im Vergleich zu den internationalen Auswirkungen der Mission Liman von Sanders. Der deutsche Vorstoß in das machtpolitische Vakuum des durch die Balkankriege geschwächten Osmanischen Reiches führte eine entscheidende Wendung in der Stimmung der russischen Regierung und Öffentlichkeit herbei. Die Militärs, die Diplomaten, der Kriegs- und der Außenminister, und der als deutschfreundlich geltende Ministerpräsident Kokowzow protestierten gegen die Mission. Auf der Rückreise von Anleiheverhandlungen in Paris hatte Kokowzow persönliche Unterredungen mit Bethmann Hollweg wie mit dem Kaiser (17. 12. 13); doch weder der Hinweis des ersteren auf „die großen wirtschaftlichen Interessen [Deutschlands] in der Türkei", noch der Hinweis des Kaisers auf die Zustimmung des Zaren zu der Mission im Mai und die zwanzigjährige Tätigkeit deutscher Militärinstrukteure in der Türkei konnten Kokowzow zufriedenstellen.

Die Bemühungen der Russen, bei ihren westlichen Verbündeten Unterstützung zu finden, scheiterten. Wilhelm II. hatte es auf eine Kraftprobe ankommen lassen wollen. „Es handelt sich um unser Ansehen in der Welt, gegen das von allen Seiten gehetzt wird! Also Nacken steif und Hand ans Schwert!" (13. 12. 13). Doch gab er schließlich dem Kompromiß seine Zustimmung, den Bethmann Hollweg und Jagow im Blick auf England ausgehandelt hatten: am 14. Januar 1914 gab Liman das Kommando des 1. türkischen Korps ab und wurde, unter Ernennung zum türkischen Marschall der Kavallerie, zum Generalinspekteur des türkischen Heeres ernannt, womit sein Einfluß in Wirklichkeit noch größer wurde als vorher. Die Russen erkannten das klar, und der Stachel ihrer Niederlage saß tief.

Die Gefährdung der deutschen Orientstellung

Noch während der Vorbereitungen der neuen deutschen Militärmission, die der Erhaltung und Festigung der Türkei dienen sollte, hielt der Kaiser eine Aufteilung[20] des Osmanischen Reiches für möglich. So sah er im April 1913 England und Frankreich bereits im Streit „auf Leben und Tod" um Palästina und Syrien (vgl. das Sykes-Picot-Abkommen von 1916) und befahl:

„also Achtung, aufgepaßt, daß die Aufteilung nicht ohne uns gemacht wird. Ich nehme Mesopotamien, Alexandrette und Mersina!"

Der Kaiser wollte Kriegsschiffe nach Alexandrette und Mersina entsenden. Doch das hätte zum sofortigen Zusammenstoß mit England geführt und die Englandpolitik Bethmann Hollwegs durchkreuzt. Der Reichskanzler setzte sich durch; der Kaiser gab nach. – Doch noch im Mai und Juli 1913 sondierte Jagow wegen der Aufteilungspläne in Wien und Rom. Berlin reklamierte für sich Südanatolien, eine Interessensphäre von 400 km. entlang der fertigen bzw. geplanten Bagdadbahnstrekke, dazu Mesopotamien und Alexandrette, wie es der Kaiser im April 1913 gefordert hatte. – Bethmann Hollweg suchte dabei die für die deutsche Politik beste Lösung in Zusammenarbeit mit England zu erreichen, in monatelangen Verhandlungen über die Begrenzung der Bagdadbahn, über Erdölkonzessionen, über den türkisch-englischen Dockvertrag usw. Der Kanzler nahm dabei für seinen machtpolitischen Endzweck – der Neutralisierung Englands für den Fall eines kontinentaleuropäischen Konflikts – große wirtschaftliche Nachteile in Kauf, was Albert Ballin, Hugo Stinnes, die Deutsche Bank, große Teile der deutschen Öffentlichkeit heftig kritisierten, und was auch Wilhelm II. mißfiel.

Das anmaßende Auftreten der Offiziere der deutschen Militärmission gefährdete im Frühjahr 1914 das Ansehen Deutschlands in der Türkei so erheblich, daß der Reichskanzler sich in einer Immediateingabe (am 20. Mai 1914) an den Kaiser wandte: der General Liman scheine nicht zu begreifen, daß seine Mission nicht Selbstzweck, sondern Mittel zum Zweck sei:

„Das deutsche Interesse an der Erstarkung der türkischen Armee steht und fällt mit unserem politischen Einfluß am Goldenen Horn. Nur wenn und solange die Türkei uns politisch ergeben bleibt, sind wir an dem Erfolge des Reformwerkes interessiert. Gelänge es uns nicht, die Türkei bei der Stange zu halten, so würde eine erhöhte Schlagfertigkeit ihrer Armee nur für unsere Gegner Gewinn sein. Für Frankreich oder Rußland den türkischen Säbel zu schleifen, haben wir keine Veranlassung."

Wilhelm II. mußte das einsehen und im Sinne der Eingabe des Kanzlers den General zur Raison bringen.

Die Randbemerkungen des Kaisers zu der Eingabe zeigen, daß er sich dabei der großen Schwierigkeiten der deutschen Politik in der Türkei in der Konkurrenz mit England und Frankreich voll bewußt war. Zu dem deutschen politischen Einfluß bemerkte er:

„Der ist gleich Null! Im Vergleich zu früher! (Sie [die Türkei] denkt nicht mehr daran bei der Stange zu bleiben)! Sie ist ins russisch-französische Fahrwasser, wo es *Geld* gibt, abgeschwenkt und speist uns mit Worten ab [...] da wir kein Geld haben! Sie ist nicht an der Stange mehr!"

So exaltiert diese Sprache war, sie war in der Sache objektiv richtig. England und Frankreich konnten ihren ganzen Kapitalreichtum in die Waagschale ihres politischen Einflusses in Konstantinopel werfen. – Der Kaiser nahm an den Konflikten in und um die Türkei, um die Bagdadbahn und Krupps Rüstungsgeschäfte den lebhaftesten Anteil und war sich insbesondere der Gefahren bewußt, die aus einem möglichen griechisch-türkischen Krieg – die Türkei hatte seit Januar 1914 einen Bündnisvertrag mit Bulgarien, dem Verlierer des Zweiten Balkankrieges – entstehen könnten:

„Es kommt bald das dritte Kapitel des Balkankrieges, an dem wir alle beteiligt sein werden ... Daher die kolossalen russisch-französischen Rüstungen!"[21]

(Im Juni 1914 verhandelte die russische Duma über die Vorlage zur großen Heeresvermehrung, die 1917 verwirklicht sein sollte. Ende Juni wurde die Vorlage angenommen.) Daher der Auftrag des Kaisers an das Auswärtige Amt: „Klarheit im Verhältnis zu England schaffen!" (8. Juni 1914)

Das Jahr 1914: Die Präventivkriegsforderung der Militärs und der deutschen Presse[22]

Am 10. Februar 1914 forderte der deutsche Generalstabschef Moltke eine Pressekampagne gegen Rußland; und am 24. Februar gab er ein Memorandum an das Auswärtige Amt, in dem er die Gefahr darstellte, die dem Reich durch die russischen

Rüstungen drohte, wodurch er offensichtlich die Reichsleitung zu präventiven Maßnahmen drängen wollte. Am gleichen Tag forderte ein Leitartikel der „Post", des Parteiorgans der Freikonservativen mit traditionell guten Beziehungen zur militärischen Führung, das Deutsche Reich zum Präventivkrieg gegen Rußland auf. Der Artikel kommt zu dem Schluß, was genau die Meinung des deutschen Generalstabs wiedergab, daß die Aussichten für einen siegreichen Präventivkrieg momentan noch günstig seien:

„Frankreich ist noch nicht kampfbereit, England in innere und koloniale Schwierigkeiten verwickelt. Rußland scheut den Krieg, weil es die innere Revolution fürchtet. Wollen wir abwarten bis unsere Gegner fertig sind, oder sollen wir den günstigen Augenblick benutzen, um die Entscheidung herbeizuführen?"

Obwohl die „Post" diese Überzeugung zwei Tage später in einem Artikel ihres Petersburger Korrespondenten wiederholte, blieb der Artikel vom 24. Februar in der deutschen Presse fast ohne Echo.

Erst ein sehr ähnlich lautender Artikel am 2. März 1914 in der als Sprachrohr des Auswärtigen Amtes geltenden „Kölnischen Zeitung" fand einen gewaltigen Widerhall in der deutschen und europäischen Öffentlichkeit. Dieser vom Petersburger Korrespondenten der Zeitung stammende Artikel, der in Köln sorgfältig redigiert worden war, enthielt alarmierende Nachrichten über Kriegsvorbereitungen des Zarenreiches, die in drei bis vier Jahren bedrohlich sein würden. Dieser Artikel wurde überall sofort als offiziöse Auslassung interpretiert. Von den großen deutschen Zeitungen, die alle auf den Artikel Bezug nahmen, überschrieb die „Germania", das führende Blatt der katholischen Zentrumspartei, seine Auszüge mit der Überschrift: „Der kommende Krieg mit Rußland".

Den Höhepunkt der Kampagne aber bildete ein mit drei Sternen gezeichneter Artikel im „Berliner Tageblatt", der großen liberalen Tageszeitung, vom 9. März 1914, in dem behauptet wurde, der Kaiser sei „friedlich bis in die Knochen", aber Rußland bedrohe Deutschland und Österreich-Ungarn durch seine wirtschaftliche Erstarkung, den Ausbau seiner Festungen und Eisenbahnen und durch den „schier unerschöpflich fließenden Geldstrom Frankreichs". Der Verfasser schlägt als Mittel dagegen einen defensiv begründeten Präventivkrieg der Zentralmächte vor. Jedem weiteren Übergriff Rußlands, so werden der „Monarch" und der „Staatsmann" ermahnt, müsse man ein absolutes Veto entgegensetzen, „mit dem festen Willen, äußerstenfalls an das Schwert zu appellieren!". Der Verfasser des anonymen Artikels war der frühere deutsche Botschafter in Rom, Graf Monts, einer von Wilhelms II. Kandidaten für den Posten des Reichskanzlers im Juli 1909.

Der Kaiser, der die deutsch-russische Pressefehde lebhaft verfolgte, stand dabei ganz auf seiten des preußischen Kriegsministeriums und des Generalstabs bzw. des Auswärtigen Amts und der mit ihnen verbunden Presseorgane. Zu einem abwiegelnden Bericht des deutschen Botschafters in Petersburg, Graf Pourtalès, vom 11. März 1914 vermerkte Wilhelm II.:

„Der liebe Purzel hätte diesen Bericht lieber ungeschrieben lassen sollen. Nichtkenner Rußlands und schwache Charaktere unter seinen Lesern macht er total konfus! Mich überzeugt er nicht im Geringsten [...] Ich als Militär hege nach allen meinen Nachrichten nicht den allergeringsten Zweifel, daß Rußland den Krieg systematisch gegen uns vorbereitet, und danach führe ich meine Politik."[23]

Der Kaiser war inzwischen davon überzeugt worden, daß Rußland rüste, um gemeinsam mit Frankreich das Reich und die Donaumonarchie zu gegebener Zeit zu überfallen.

Um diese Zeit war der Kaiser, in Abstimmung mit dem Auswärtigen Amt, auf seiner Frühjahrsreise nach Korfu eifrig beschäftigt, durch Besuche in Wien und Miramare Österreich-Ungarn bei der Stange zu halten und vor allem der Wiener Politik erneut dringend eine Lösung der serbischen Frage – durch Diplomatie oder Gewalt – anzuempfehlen, damit die österreichisch-ungarische Armee für den erwarteten großen Krieg gegen Rußland-Frankreich ganz frei sein würde zur Abwehr der russischen Armeen, zumindestens für die ersten sechs Wochen des großen Kampfes.

Inzwischen gingen die Vorbereitungen der Generalstäbe in Berlin und Wien insgeheim weiter. Am 13. März schrieb Moltke an Conrad:

„Alle Nachrichten, die wir aus Rußland haben, weisen nicht auf eine z.Z. beabsichtigte aggressive Haltung hin", und „Noch viel weniger als Rußland ist jetzt von Seiten Frankreichs eine aggressive Haltung zu erwarten. Frankreich ist augenblicklich in einer militärisch sehr ungünstigen Lage."

Und Conrad fragte seinen nächsten Mitarbeiter,

„ob man warten solle bis Frankreich und Rußland bereit wären, uns gemeinsam anzufallen, oder ob es nicht wünschenswert wäre, daß der ‚unvermeidliche' Konflikt früher ausgetragen würde?"

Am 16. März stellte Conrad die Frage nach dem Präventivkrieg auch gegenüber dem deutschen Botschafter in Wien, v. Tschirschky,

„ob nicht ein früherer Austrag vorteilhafter wäre?!".

Der Botschafter stimmte dem völlig zu, wies aber auf die Kriegsunwilligkeit der entscheidenden Personen in Wien und Berlin hin:

„Zwei Große sind hindernd: Ihr Erzherzog Franz Ferdinand und mein Kaiser." Beide würden sich, seiner Ansicht nach, nur einem fait accompli gegenüber zum Krieg entschließen: „es müßte eine Situation sein, in der man nicht anders kann, als ‚losgehen'".

In dieser Hinsicht konnte Conrad den Botschafter beruhigen; er meinte, „daß am Balkan stets Verwicklungen drohen, die eine solche Lage schaffen könnten", (womit Conrad recht hatte).

Am 12. Mai fand jene Unterredung zwischen Moltke und Conrad in Karlsbad[24] statt, in der beide Generalstabschefs sich gegenseitig in ihrer Überzeugung bestärkten, daß die Zeit ihnen davonlaufe. Moltke äußerte kategorisch: „Noch länger warten, bedeutet eine Verminderung unserer Chancen." – Am 18. Mai fragte Moltkes Stellvertreter, der Generalquartiermeister Graf Waldersee:

„Im Augenblick halte Italien noch zum Dreibund und noch

halte Kaiser Franz Joseph's Persönlichkeit die bunte Donaumonarchie zusammen [...] Aber wie lange noch?"

Und am 20. Mai 1914, auf einer gemeinsamen Rückfahrt von Potsdam nach Berlin, stellte Moltke an Jagow, den Staatssekretär des Auswärtigen Amts, die Forderung, „unsere Politik" einzustellen auf die baldigste Herbeiführung eines „Präventivkrieges". In zwei bis drei Jahren werde Rußland seine Rüstungen vollendet haben; dann würde es zu spät sein. Jagow hält die Herbeiführung eines Präventivkrieges auch des Kaisers wegen für schwierig:

„Der Kaiser, der die Erhaltung des Friedens wollte, würde dem Krieg immer auszuweichen suchen und ihn nur führen, wenn er ihm von unseren Feinden aufgezwungen würde."

Wilhelm II. war im März 1914 in Wien[25] ganz eingenommen gewesen von der starken Persönlichkeit des ungarischen Ministerpräsidenten Tisza und stimmte mit ihm überein, daß – entgegen den Ansichten Franz Ferdinands – in der Aufrechterhaltung der Herrenstellung von Ungarn und Deutschen in der Doppelmonarchie die Garantie für ihre Stärke gegenüber dem Slawentum gegeben sei. Jetzt, Mitte Juni 1914 bei seinem zweiten und letzten Besuch in Konopischt (15. 6. 14) stellte sich der Kaiser, beraten vom Auswärtigen Amt, stärker auf den Thronfolger ein, der 1913 noch einen Krieg mit Rußland gefürchtet und abgelehnt hatte, der aber jetzt überzeugt worden war, daß Rußland wegen seiner inneren Schwierigkeiten nicht zu fürchten sei. Wilhelm, in Übereinstimmung mit Moltke, bestärkte ihn in dieser Überzeugung: Rußland sei keineswegs kriegsbereit und werde sich einer österreichischen Aktion gegen Serbien wahrscheinlich nicht widersetzen; einer Aktion übrigens, für die Wilhelm II. erneut volle deutsche Unterstützung zusagte. Der Kaiser verband sein Drängen mit einer Drohung: „Wenn wir nicht losgingen, würde sich die Lage verschlechtern." Hierin war er mit Moltke einer Meinung.

Es ist begreiflich, daß Wilhelm II. – immer umgeben von Militärs – fünf Tage später, am 21. Juni 1914 (er hatte am 18. Juni seine übliche Sommerreise nach Hamburg und Kiel angetreten), in einem Gespräch mit dem Bankier Max Warburg bei einem Diner in Hamburg sich beunruhigt zeigte über die allgemeine europäische Lage:

„Die Rüstungen Rußlands, die großen russischen Bahnbauten waren seiner Ansicht nach Vorbereitungen für einen großen Krieg, der im Jahre 1916 ausbrechen könne [...] Bedrängt von seiner Sorge, (so berichtet Warburg) erwog er sogar, ob es nicht besser wäre, loszuschlagen, anstatt zu warten".[26]

Offensichtlich war der Monarch von den Präventivkriegsforderungen der Moltkes, Waldersees, Conrads, Pollios usw. tief beeindruckt. So sah die Gedankenwelt des Deutschen Kaisers aus, als ihn sieben Tage später auf der ‚Kieler Woche' am Sonntag, dem 28. Juni 1914, die Nachricht von der Ermordung Franz Ferdinands erreichte, seines „Freundes", mit dem er freilich nach wie vor in fundamentalen Fragen nicht übereingestimmt hatte.

Von Sarajewo bis zum Krieg mit drei Großmächten 28. Juni bis 4. August 1914

In der Woche nach Sarajewo war der Kanzler Bethmann Hollweg an vier Tagen beim Kaiser in Potsdam, zuletzt am Sonnabend, dem 4. Juli morgens, bevor er am Nachmittag in „Urlaub" auf sein Gut Hohenfinow fuhr. An diesem oder am vorausgehenden Tag, dem 3. Juli, fiel die in seiner ganzen Regierungszeit folgenschwerste Entscheidung Wilhelms II.: er tadelte den deutschen Botschafter in Wien, v. Tschirschky, für dessen zurückhaltende, ja abwiegelnde Haltung in der Frage einer Strafaktion Österreich-Ungarns gegen Serbien:

„Wer hat ihn dazu ermächtigt? Er soll den Unsinn gefälligst lassen! Jetzt oder nie! Mit den Serben muß aufgeräumt werden und zwar bald."[27]

Diese kaiserliche Willensäußerung wurde im Auswärtigen Amt als Befehl verstanden und sofort an Tschirschky nach Wien weitergegeben. Der österreichische Sondergesandte Graf Hoyos, der in der Nacht vom 4. zum 5 Juli nach Berlin fuhr, um die Haltung des Deutschen Kaisers und des Reichskanzlers in dieser Frage zu sondieren, wußte also bereits, in welche Richtung die deutsche Antwort gehen würde. Es war der sog. „Blancoscheck“ an Wien für eine solche „Aktion“, selbst auf die Gefahr eines Kriegs mit Rußland hin, den Wilhelm II. am Sonntag, dem 5. Juli, um Mittag in Potsdam dem österreichischen Botschafter gab, der die Anfrage von Graf Hoyos dem Kaiser überbrachte. Dieser „Blancoscheck“ wurde am nächsten Tag, Montag, dem 6. Juli, vom Reichskanzler in Berlin gegenüber dem Botschafter bestätigt, womit die Zusage des Kaisers verfassungsrechtlich bindend wurde. (Auf die Frage des Grafen Hoyos übrigens, ob die „Aktion“ gegen Serbien Krieg mit Rußland bedeute, antwortete Unterstaatssekretär Zimmermann, der Jagow vertrat: zu 90%!) Der Kaiser hat sich und Gesprächspartner mit dem Hinweis beruhigt, daß der Zar die Fürstenmörder nicht unterstützen würde. Doch war er sich des Risikos, wenn nicht der hohen Wahrscheinlichkeit des großen Krieges, voll bewußt: nicht nur ließ er sich am 5. und 6. Juli die Kriegsbereitschaft von Armee und Flotte bestätigen, sondern er versicherte am Abend des 6. Juli in Kiel, vor seiner Ausfahrt zur Norwegenreise, seinem „Freunde“ Krupp,[28] den er dorthin bestellt hatte, daß, falls Rußland zugunsten Serbiens mobil machen würde, er auch sofort mobil machen werde, und das bedeute, wie er ausdrücklich betonte, im Falle Deutschlands unweigerlich Krieg. (Dreimal wiederholte der Kaiser dabei – peinlich genug für Krupp – die Versicherung „dieses Mal falle ich nicht um“! Er fiel freilich doch um, als er nach Rückkehr von der Nordlandreise am 28. Juli die serbische Antwort auf das österreichische Ultimatum sah und sie für befriedigend erklärte. Doch es war zu spät. Wien hatte am gleichen Tag vormittags an Serbien den Krieg erklärt. Der Kaiser wurde am 29. Juli durch den Kanzler und die Militärs auf den Regierungskurs zurückgebracht.)

Noch glaubte der Kaiser, bestärkt darin auch durch Aussagen seines Bruders, des Prinzen Heinrich, an die Politik Bethmann Hollwegs einer möglichen Neutralisierung Englands im bevorstehenden Krieg mit Frankreich und Rußland, eine Politik, die der Kanzler am 29. Juli spätabends durch ein Gespräch mit dem englischen Botschafter Goschen endgültig sichern zu können glaubte, während kurz danach ein Telegramm Lichnowskys dieses Kalkül zerstörte. Als der Kaiser am 30. Juli von dieser Warnung des Foreign Office erfuhr (daß England bei einem Angriff Deutschlands auf Frankreich nicht neutral bleiben könne), war er völlig desillusioniert, und sein alter, nie ganz verlorener Haß gegen England brach in den wildesten Ausbrüchen wieder hervor: vom Rasseverräter Albion, der mit den Slawen und Galliern gegen die Germanen geht, von dem ehrlosen Krämervolk, gegen das der Kaiser nun den Aufstand der islamischen und der Kolonialwelt entfachen will, damit es Indien verliere, wenn wir schon zugrunde gehen müssen! Eine Ahnung des Kriegsausgangs überfällt den Kaiser.

Doch mit der russischen Generalmobilmachung, die abzuwarten der Kanzler Bethmann Hollweg die Nerven hatte, und die am 31. Juli mittags offiziell in Berlin bekannt wurde, und mit der „Erklärung des Zustandes drohender Kriegsgefahr" und den zwei Ultimaten an Rußland und Frankreich am gleichen Tag war der Kontinentalkrieg da. Der Kaiser übersiedelte an diesem 31. Juli mittags mit seiner gesamten Familie von Potsdam nach Berlin, von der Bevölkerung enthusiastisch begrüßt. Er hatte nur noch die Aufgabe, das überraschte und überrumpelte Österreich-Ungarn bei der Stange zu halten: parallel mit dem Kanzler, der an Berchtold, und mit Moltke, der an Conrad („Will Österreich Deutschland im Stiche lassen?") telegraphierte, sandte Wilhelm II. ein Telegramm an Kaiser Franz Joseph:

„Sofort gegen Rußland mobilisieren und aufmarschieren! Der Krieg gegen Serbien ist völlig sekundär jetzt!"[29]

Nach der Verkündung der Mobilmachung am 1. August nachmittags hielt der Kaiser vom Balkon des Schlosses eine Rede an die kriegsbegeisterte Menge, die ausklang in die Mahnung: Nun geht in die Kirchen und bittet Gott, daß er unserer gerechten Sache den Sieg verleihe. Am Abend dieses Tages kam aus London eine Depesche Lichnowskys, die dahin mißverstanden wurde, daß England die französische Neutralität gewährleisten würde, wenn Deutschland sich im Westen defensiv verhalte und nur im Osten angriffe. Darauf erklärte der Kaiser: „Also wir marschieren einfach mit der ganzen Armee im Osten auf!" Molkte lehnte das entschieden ab, dann sei die Armee eine ungeordnete unbrauchbare Masse: der Aufmarsch im Westen sei bereits angelaufen und lasse sich nicht mehr ändern. Darauf der Kaiser ungnädig: „Ihr Oheim würde mir eine andere Antwort gegeben haben." Doch es war Moltke selbst, der die Bearbeitung eines Ostaufmarsches im Generalstab ab 1. April 1913 hatte einstellen lassen. So hatte der Generalstab im August 1914 keinen Alternativplan zur Hand, da er sich an den Schlieffenplan gebunden hatte, gleichgültig, wo und was der Anlaß eines großen Krieges sein würde.

Die Feier im Weißen Saal des Schlosses am Mittag des 4. August 1914 war der letzte öffentliche Auftritt Wilhelms II., dieses Mal zur Eröffnung des Reichstags, wobei die Führer der Fraktionen ihm Treue in die Hand versprachen. Leider verfiel der Kaiser am Ende dieser bewegenden Szene wieder in einen Kasernenhof-Jargon, als er beim Verlassen seines Thronsitzes ausrief: „Und nun wollen wir sie dreschen!" – Als aber an diesem 4. August um Mitternacht England sich als im Kriegszustand mit Deutschland befindlich erklärte, weil das Reich es ablehnte, den am Morgen begonnenen Einmarsch in Belgien zurückzunehmen, da brach das Bethmann Hollwegsche Kalkül (manche betrachten es als eine ‚idée fixe') der englischen Neutralität endgültig zusammen. Der Kaiser sagte später,[30] er hätte daraufhin eigentlich den Kanzler entlassen wollen und sollen. Doch wenn das bei Beginn eines Krieges an sich schon schwierig genug gewesen sei, so habe man (der Reichskanzler und der Chef des Zivilkabinetts v. Valentini) ihm gesagt, die Arbeiterschaft stünde hinter Bethmann. Weil diese sich aber am 4. August so „tadellos" benommen habe, so habe er ihr ihren Kanzler nicht nehmen wollen; was den Haß der Konservativen gegen diesen Kanzler nur steigern konnte.

Welches Fazit ergibt sich für unser Thema „Kaiser Wilhelm II. und die Gestaltung der deutschen Politik vor 1914?“. Was waren seine Ideen, was waren seine Handlungen? Er hatte zunächst große gegen England gerichtete Ziele: Schon 1896 hat seine Mutter ihrer eigenen Mutter, der Königin Viktoria von England, voller Entsetzen Mitteilung gemacht über Wilhelms antienglische Pläne.[31] Im Monat nach der Krügerdepesche des Kaisers, im Februar 1896, notierte Admiral von Müller in einer Denkschrift für den Prinzen Heinrich:

„Der Krieg, der aus diesem Kampfzustand entstehen kann, und, wie viele behaupten, entstehen muß, hat nach einer bei uns landläufigen Ansicht, das Ziel des Brechens der englischen Weltherrschaft und damit das Freilegen des notwendigen Kolonialbesitzes für uns, da Mitteleuropa für uns zu eng wird ...“[32]

Und nur sieben Jahre später – dazwischen liegen das I. (1898) und das II. (1900) Flottengesetz – äußert Theobald von Bethmann Hollweg, der dem Kaiser sehr nahe stand: seine Politik sei keine „schwankende“. Vielmehr:

„Seine erste und Grundidee ist, Englands Weltstellung zugunsten von Deutschland zu brechen; dazu bedarf es einer Flotte, um diese zu haben, vielen Geldes, und da nur ein reiches Land dies geben kann, soll Deutschland reich werden; daher die Bevorzugung der Industrie, und die Wut der Landwirte, die, um nicht zugrunde zu gehen, sich gegen diese Politik wehren.“[33]

Baronin Spitzemberg, die diese Äußerung überliefert, hält diesen Gedanken für „grundfalsch“, „unheilvoller noch als ein schwankender Kurs“. Sie findet darin „ein bißchen Größenwahn, d.h. der Ehrgeiz, etwas ganz anders Geartetes zu schaffen als sein Großvater, der mit der Armee das deutsche Reich gründete“; „er [der Kaiser] will mit der Flotte Deutschland zur Handels- und Kolonialmacht erheben“, und sie fügt hinzu:

„Einstweilen buhlt man deshalb um Amerikas Gunst, das uns doch nimmermehr Englands Erbe antreten ließe, selbst wenn dieses Erbe frei würde, woran nicht zu denken ist, und vergißt ganz, daß wir als Kontinentalmacht niemals unsere Armee können schwächen lassen, Armee *und* Flotte aber uns auffressen."

Über drei Flottennovellen (1906, 1908, 1912) hält der Kaiser diesen antienglischen Kurs durch, vernachlässigt die Armee, und steigert sich im Hale-Interview (28. Juli 1908) zum Gipfel der Illusion einer Freundschaft und einer Zusammenarbeit mit dem amerikanischen Präsidenten Theodore Roosevelt in China und im Pazifik, verbunden mit der Überzeugung, die er öffentlich ausspricht, vom Niedergang des Britischen Empires.

Dabei signalisiert das gleiche Jahr 1908 die Rückkehr Rußlands – nach seiner Erholung von Krieg und Revolution – in die mitteleuropäische Politik, wie sein Widerstand gegen die Annexion von Bosnien und der Herzegowina durch Österreich-Ungarn anzeigt, der an den Rand eines kriegerischen Zusammenstoßes mit Deutschland führte, als Berlin noch unter Bülow durch Drohung mit der „Schimmernden Wehr" die im Jahr vorher entstandene Triple-Entente zu sprengen versuchte. Was hier an neuen Gefahren aufleuchtete, trat unvermittelt durch die Ereignisse der Balkankriege seit Oktober 1912 ins Bewußtsein der deutschen Führungsschicht. Der Kaiser, nach seiner „Bekehrung" durch den Reichskanzler v. Bethmann Hollweg am 9. November 1912, schaltete nun um auf Rußland als den Hauptgegner der Zukunft. Wilhelm II. wird zum leidenschaftlichen Propagandisten der Überzeugung vom „unvermeidlichen", baldigen Krieg, vom „Existenzkampf", vom „Endkampf" zwischen Slawentum und Germanentum. War diese Vorstellung zunächst ausgelöst durch die erdrutschartige Veränderung auf dem Balkan, so steigerte sie sich im Laufe des Herbstes 1913 und des Frühjahrs 1914 durch die Nachrichten über die geplante russische Heeresvermehrung, die 1917 abgeschlossen sein sollte, zur Forderung nach einem „Präventivkrieg" gegen Rußland und Frankreich. In diesen Monaten war Wilhelm II. führend in der Herstellung günstiger diplomatisch-psychologischer Vorbedingungen für diesen Krieg.

So engagiert der Kaiser in seinen mit dem Kanzler und dem Auswärtigen Amt abgestimmten Aktivitäten auch war, so blieb doch seine Umgebung, zumal die Militärs, aber auch die Diplomaten, seinem Charakter gegenüber mißtrauisch, ob sein Kriegswille auch durchhalten würde, sobald er sich der Entscheidung über Krieg und Frieden gegenübergestellt sehen würde. War es nun genuiner Friedenswille, die Verantwortung vor Staat und Nation, oder war es Schwäche gegenüber den harten Realitäten – er galt als ein Unsicherheitsfaktor, weil er mehrfach „umgefallen" war: 1905, 1909, 1911 und wieder Ende Juli 1914, und es mußten Umstände genutzt und Einwirkungen auf ihn angesetzt werden, die ihn über die Schwelle der letzten Entscheidung trugen. – Unter dem Druck des Mentors, des ebenso rechthaberischen wie beharrlichen und nervenstarken, von Machiavellismus nicht freien Kanzlers Bethmann Hollweg, ließ Wilhelm II. mehrfach von eigenen Ideen ab und unterwarf sich der Politik des „verantwortlichen" Staatsmannes; aber freilich ebenso dem Druck der Militärs auf einen „Präventivkrieg", den am Ende auch der Kanzler bejahte, spätestens seit Dezember 1913/Februar 1914. Erst die Enttäuschung im September und im November 1914, als es nicht „geklappt" hatte, erst das Eingeständnis[34] im Frühjahr 1915, daß niemand erwartet hatte, daß es nicht „klappen" würde, macht offenbar, auf welches Vabanque-Spiel man sich eingelassen hatte, wie sehr man alles auf eine Karte gesetzt hatte. Der Kaiser nahm, unter dem Druck seiner militärischen und zivilen Ratgeber diese Rechnung, die dann nicht aufging, auf sich, lag doch bei ihm die letzte Entscheidung über Krieg und Frieden.

Trotz aller kaiserlichen Eskapaden (er schießt bei ihm übertragenen Aufgaben öfters übers Ziel hinaus) und dem Glauben des Kaisers, die Außenpolitik allein zu bestimmen, erscheint die Einheit der politischen Willensbildung in Berlin für Außenstehende verblüffend: Kaiser, Reichskanzler, Auswärtiges Amt, die Preußischen Ministerien, die Militärs, die Industrie, die Junker (nachdem sie im Dezember 1912 auf den antirussischen Kurs eingeschworen worden waren), die Presse und öffentliche Meinung, die Rechtsparteien, die Kirchen und Universitäten, alle sagen dasselbe von der „Unvermeidlichkeit" des großen Krieges gegen Rußland und Frankreich. – Nur die Marine steht abseits. Tirpitz ist sich bewußt, daß das von ihm geschaffene Instrument noch unfertig ist für den großen Krieg, sollte England daran beteiligt sein. Aber wann würde es je für diese Aufgabe fertig sein?

Dabei zeichnete sich ab – genau wie es der Kaiser und mit ihm die wirtschaftlichen (mit wenigen Ausnahmen wie Hugo Stinnes) und geistigen Eliten es sahen und erstrebten – daß ein deutscher Sieg die Hegemonie Deutschlands auf dem Kontinent bedeuten würde: nach dem Sieg über Frankreich und seiner ökonomischen Angliederung; nach dem Sieg über Rußland und seiner Zurückdrängung (1917/18 schien das erreicht, und der Kaiser war begeistert über den Frieden von Brest – Litowsk und drängte noch darüber hinaus); nach dem „Aufräumen" auf dem Balkan und der Sicherung der Verbindung zum Osmanischen Reich. Die Europahegemonie würde zugleich die Gewinnung eines zusammenhängenden, verteidigungsfähigen deutschen „Mittelafrika" ermöglichen.

Der Kaiser war „Vordenker" und Repräsentant der deutschen Gesellschaft und damit der rasanten wirtschaftlich-technischen, politisch-militärischen und kulturellen Entwicklung Deutschlands um die Jahrhundertwende. Die Bülowzeit erschien dabei den Zeitgenossen und den Nachlebenden als die goldene Zeit, die Zeit eines zukunftsfrohen, selbstbewußten Optimismus, wie ihn der Kaiser ausstrahlte – obwohl in ihr doch durch politische Fehlentscheidungen, die maßgebend auf den Kaiser zurückgehen, eine Überspannung der deutschen Möglichkeiten und damit die Keime der Isolierung und des Niedergangs Deutschlands gelegt wurden. So war der Einfluß des Kaisers auf die Gestaltung der deutschen Politik vor 1914 gewiß groß. Das gilt auch für die Innenpolitik, wo seine starre Haltung als König von Preußen im Bunde mit den „Ostelbiern", den Konservativen, und mit dem preußischen Staatsministerium ein Hauptthemmschuh für notwendige innere Veränderungen war. Dabei waren wohl die Antriebe der Militärs und der mit ihnen verbundenen Kräfte in der Gesellschaft und Wirtschaft noch stärker als die selbstbewußten ‚Träume' des Kaisers von der künftigen Weltstellung Deutschlands; doch jene waren wiederum ohne diese gar nicht denkbar, so wie die Machtverteilung im Kaiserreich gegeben war. Ohne seine, wie die Baronin Spitzemberg sagt, „so mächtige Persönlichkeit“ wäre vielleicht auch eine andere Entwicklung der inneren und äußeren Politik möglich gewesen. Doch das ist reine Spekulation; denn in der Wirklichkeit waren eben diese Persönlichkeit und die Strukturen, Kräfte und Interessen der deutschen Gesellschaft gegebene Größen, die einander steigerten und zu verhängnisvollen Illusionen und Konsequenzen führten.

Exzesse der Autokratie. Das Hale-Interview[1] Wilhelms II. vom 19. Juli 1908

Versucht man in der Regierungszeit Wilhelms II. Zäsuren in seiner inneren Entwicklung zu finden, so wird man sie jeweils mit äußeren Ereignissen in Verbindung setzen müssen: nach noch nicht zweijähriger Regierungszeit die Entlassung Bismarcks, des übermächtigen und ihn überschattenden Reichskanzlers – der 31jährige Herrscher will sein eigener Herr im Hause sein, Chef der Armee, Leiter der Außenpolitik, Wohltäter des Volkes, Mittelpunkt der Bewunderung. Nach der Enttäuschung mit dem von ihm zum Reichskanzler ernannten General Caprivi, der weder so unterwürfig noch so konservativ war, wie der Kaiser erwartet hatte, will Wilhelm das „persönliche Regiment" praktizieren, in einem Wirbel von Intrigen, mühsam gedämpft durch den alten Hohenlohe als Reichskanzler. Über diesen hinweg hatte der Kaiser 1897 mit Tripitz als Staatssekretär der Marine und Bülow als Staatssekretär des Äußeren die Ära von „Weltpolitik" und Flottenbau eingeleitet. Das geschah mit großen Worten und Visionen vom „Platz an der Sonne", vom Kampf gegen die „gelbe Gefahr" („Völker Europas, wahrt Euere heiligsten Güter!"), mit schrecklichen Reden an die Rekruten, an die Ritterschaften, gegen die Sozialdemokraten und Redensarten über die Parlamentarier, „die Schafsköpfe"; Reden, die Unruhe und Mißtrauen stiften, wie die 1898 in Damaskus („Schutzherr über dreihundert Millionen Mohammedaner") oder die 1900 in Bremerhaven, die „Hunnenrede"; Telegramme wie das Krügertelegramm 1896 oder das an den Zaren („Der Admiral des Atlantik grüßt den Admiral des Pazifik") und ähnlich Ungereimtes mehr. Seit nun sein „Freund" Bülow als Reichskanzler (1900–1909) amtiert und der Generalstabschef Schlieffen die Kriegsspiele Seiner Majestät und den Flottenbau toleriert, schwimmt der Kaiser im Selbstbewußtsein des Alleinherrschers, da Bülow den Reise-, Manöver- und Jagdkaiser zu nehmen und zu unterhalten weiß, ihn abschirmt, selbst in der großen Krise des Eulenburg-Moltke-Prozesses, dessen Enthüllungen den Träger der Krone von Dekadenz umgeben erscheinen ließen. In der Gesellschaft und in kleinbürgerlichen Schichten breitet sich ein Byzantinismus aus, der alle Kritik diffamiert und die durch Wilhelms, Tirpitz' und Bülows Politik verursachte Isolierung Deutschlands lange Zeit verdeckte. Bülow nahm sie „pomadig". Der Kaiser selbst betäubte sich durch Betriebsamkeit oder beantwortete Warnungen etwa vor einem Bruch mit England mit Schneid („Dann müssen wir fechten!"). Er fährt fort – über die Verfassung hinausgehend, die ihm die letzte Entscheidung in allen Bereichen der Politik beließ, durch das Recht der Berufung beziehungsweise Entlassung des Reichskanzlers – durch Äußerungen in der Öffentlichkeit immer wieder in die Tagespolitik einzugreifen. Dies führte im Winter 1908–09 zu einer Krise, die das Ende der Bülow-Ära einleitete und das kaiserliche Selbstbewußtsein nachhaltig erschütterte.

Allen Beschwichtigungsversuchen zum Trotz wuchs in der deutschen Öffentlichkeit seit Ende 1907 die Sorge über die Isolierung oder „Einkreisung" des Reichs, nachdem zur Entente Cordiale von 1904 die englisch-russische Entente von 1907 hinzugetreten war. In England nahm demgegenüber die Unruhe angesichts des deutschen Flottenbaus erneut zu, als die neue Flottennovelle den Umfang des deutschen Bauprogramms für die nächsten zehn Jahre erkennen ließ, und steigerte sich, durch Presse und Publizistik geschürt, zu einer förmlichen Invasionsfurcht.[2] Ein offizieller Staatsbesuch Wilhelms II. und der Kaiserin im November 1907 sollte der Entspannung dienen. Jedoch wurde durch die Ankündigung der genannten deutschen Flottennovelle[3] am 19. November, einen Tag nach der Abreise des Kaisers von Schloß Windsor, in der *Norddeutschen Allgemeinen Zeitung*, lanciert durch die in Berlin gebliebenen Bülow und Tirpitz, der Besuch um seine Wirkung gebracht, ja, er kam darüber hinaus in den Geruch einer Vernebelungsaktion. Dabei hatte der Kaiser in einem Interview, das er in diesen Tagen einem britischen Journalisten gab, versucht, die Engländer zu beruhigen, indem er jegliche offensive Absicht des deutschen Flottenbaus bestritt: die deutsche Flotte sei durchaus nicht gedacht als eine Herausforderung der britischen Seeherrschaft; vielmehr sei sie bestimmt zur Repräsentation des Namens und der Macht Deutschlands in fremden Gewässern, zum Schutz des deutschen Handels in allen Teilen der Welt.

Ähnliche Gedanken äußerte der Kaiser – selbst Ehrenadmiral der britischen Flotte – in einem persönlichen Brief vom 14. Februar 1908 an Lord Tweedmouth, First Lord of the Admiralty, also den britischen Marineminister.[4] Das geschah in einem Moment, als die britischen Flottenbauvorlagen für 1908 noch nicht veröffentlicht waren, so daß dieser ganz außergewöhnliche Schritt als die Einwirkung eines fremden Souveräns auf den Entscheidungsprozeß der englischen Regierung erscheinen mußte. Auch hier erscheint wieder, noch emphatischer, die Versicherung, die deutsche Flotte sei gegen niemand gebaut, sondern ausschließlich zum Schutz des rapide wachsenden deutschen Handels gedacht. Dieser wohlgemeinte, jedoch in dieser Form unglaubliche Schritt des Kaisers war dem Reichskanzler nicht bekannt, der durch den erneuten Alleingang des Monarchen äußerst betroffen war. Obwohl der Brief Anfang März in England bekannt wurde, haben Presse und Parlament die Angelegenheit heruntergespielt, um nicht Öl in das Feuer der deutsch-englischen Beziehungen zu gießen. In Deutschland kam es zu einer Aufwallung in der Presse, da man sich an ähnliche Auftritte Wilhelms II. erinnerte und Schlimmeres fürchtete.

Im Frühsommer des gleichen Jahres wurde die deutsche Öffentlichkeit durch Anzeichen einer Festigung der Triple-Entente beunruhigt. Infolge des Staatsbesuchs des französischen Präsidenten Fallières in London Ende Mai und des Treffens zwischen Zar Nikolaus und König Eduard VII. in Reval im folgenden Monat steigerte sich die Furcht vor einer „Einkreisung". Dies um so mehr, als die Presse der drei Staaten die Triple-Entente als ein Bollwerk gegen die aggressiven Pläne Deutschlands feierte. Die deutsche Presse antwortete entsprechend und der Kaiser gab ihr in Ansprachen vor Offizieren der Armee recht.

Wie stark, entgegen seinen öffentlichen Äußerungen, die Stimmung des Kaisers gegen England eingenommen war, ergibt sich aus einem Gespräch, das Wilhelm II. während seines Aufenthaltes in Norwegen mit einem amerikanischen Journalisten führte und in dem bei öffentlichem Werben um die Gunst Amerikas ein stark antienglischer Akzent unverkennbar war, zugleich aber auch erstaunliche Aspekte der deutschen „Weltpolitik" hervortraten. Dieses sog. „Hale-Interview", von dem die Öffentlichkeit erst Anfang November 1908 erfuhr, bildet den engeren Gegenstand dieser Untersuchung, auf den zurückzukommen sein wird.

Die durch die Flottenpropaganda erzeugte antienglische Stimmung in Deutschland machte es der Regierung schwer, ihr Schiffbauprogramm abzuschwächen oder es zum Gegenstand von Verhandlungen zu machen. Der Kaiser selbst hielt unbeirrt am Ausbau der Flotte fest. Greys und Lloyd Georges Versuche im Juli 1908, über den deutschen Botschafter Metternich zu einer gegenseitigen Verlangsamung der Flottenrüstungen zu kommen,[5] lehnte er strikt ab. Anfang August sprach er Metternich seine Mißbilligung aus. Der Botschafter hätte den beiden erklären sollen, daß kein Staat einem anderen Vorschriften über Umfang und Art seiner Rüstungen machen dürfe; er lehnte es ab, an solchen Diskussionen teilzunehmen. Er betrachtete die Anfrage als eine „grenzenlose Beleidigung" seiner selbst und der deutschen Nation. Der Kaiser war weder fähig noch bereit, die Wirkung der deutschen See- und Landrüstung auf das Ausland zu erkennen.

So war das politische Klima, als Eduard VII. im August 1908 auf seinem Weg zur Kur in Marienbad den Kaiser in Kronberg im Taunus besuchte. Der König selbst wollte die Flottenfrage nicht berühren, erlaubte dies jedoch, im Einverständnis mit Grey, dem ihn begleitenden Unterstaatssekretär Sir Charles Hardinge. Im Verlauf der Unterredung mit Hardinge hob der Kaiser erneut den Defensivcharakter der, wie er betonte, mit

Zustimmung des Reichstags gebauten Flotte hervor. Als der Diplomat zu sagen wagte: „You must stop or build slower!" antwortete der Kaiser erregt: „Then we shall fight, for it is a question of honour and dignity!"

Um die Spannung zwischen dem Deutschen Reich und England zu mildern und vor allem die Sorgen der Briten angesichts der deutschen Seerüstung zu mindern, stimmte Wilhelm II. im September 1908 einem Vorschlag des ihm befreundeten Colonel Stuart Wortley zu, dessen Gast er im Anschluß an den Aufenthalt in Windsor Castle 1907 gewesen war und der auf seine Einladung hin 1908 in Deutschland weilte. Wortley regte im Interesse der deutsch-englischen Beziehungen an, die damals geführten Gespräche in der Form eines Interviews zu veröffentlichen. Das Ergebnis bildete das berühmt-berüchtigte „Daily-Telegraph-Interview", das am 28. Oktober 1908 in dieser Zeitung publiziert wurde. Obschon die Tatsache solcher Gespräche und etliche dabei gemachte Aussagen – noch immer war der Burenkrieg und die Haltung Deutschlands, besonders Bülows, dazu Gegenstand der öffentlichen Diskussion in England – bereits vorher in der Presse bekannt geworden waren, hat dieser Artikel nicht nur in England und Deutschland, sondern weltweit ungeheures Aufsehen erregt. In Großbritannien erschien er als ein raffiniertes Manöver, die Bedenken Englands gegenüber der deutschen Politik herunterzuspielen, in Deutschland wurde er vor allem von den Alldeutschen als Hochverrat empfunden. Er löste eine innenpolitische Krise und eine tiefgehende Erschütterung des Selbstvertrauens Wilhelm II. aus, die sich bis zum physischen Zusammenbruch steigerte, als auch noch das „Hale-Interview" bekannt wurde, dessen Inhalt und Zielrichtung dem „Daily-Telegraph-Interview" widersprach.

Das Daily-Telegraph-Interview

Es soll hier nicht die Vor- und Nachgeschichte des „Daily-Telegraph-Interviews" in allen Details nachgezeichnet werden. Es existiert darüber bereits eine Fülle historischer Untersuchungen; erstmalig hat der amerikanische Historiker Andrew R. Carlson den inneren Zusammenhang beider Interviews und damit die volle Brisanz und die Konsequenzen dieser Vorgänge aufgrund umfassender archivalischer und Pressestudien herausgearbeitet. Ihm verdanke ich die Anregung zu dieser Studie und die Erlaubnis, den von ihm aufgefundenen unverkürzten Text wie auch den für den Druck bestimmten Text des „Hale-Interviews", das er zum ersten Mal veröffentlichen wird, hier wiedergeben zu dürfen. – Zu der vieldiskutierten Frage nach der Verantwortung für das „Daily-Telegraph"-Interview und seiner Veröffentlichung sei nur soviel bemerkt, daß der Text auf Wunsch des Verfassers, Oberst Stuart Wortley, und der Zeitung dem Kaiser vorgelegt wurde, der sich neben einer Verbesserung der deutsch-englischen Beziehungen von dem Artikel vor allem eine Korrektur des seiner Meinung nach falschen Bildes versprach, das die englische Öffentlichkeit von ihm, dem Kaiser, besaß. Der Verfassung entsprechend hat der Kaiser den Text dem Reichskanzler vorgelegt, der ihn allerdings nur flüchtig las, da er mit aktuellen Fragen wie dem Casablanca-Zwischenfall, die dadurch neu aufgerührte Marokkofrage, der bosnischen Krise und der Reichsfinanzreform beschäftigt war und es deshalb dem Auswärtigen Amt überließ, den Text auf eventuelle faktische Irrtümer zu überprüfen. Die fünf mit dieser Frage befaßten Diplomaten ließen den Artikel passieren; im Blick auf Wortlaut und Inhalt des Interviews ein schwer begreiflicher Vorgang, der wohl allein daraus erklärt werden kann, daß vom Kanzler bis zum Geheimrat kein Beamter dem von Seiner Majestät so lebhaft angesprochenen Wunsch, den Artikel publiziert zu sehen, entgegentreten und sich so unbeliebt machen wollte. Die Annahme, Bülow habe den Kaiser, wie dieser später behauptet hat, absichtlich in eine große Blamage fallen lassen wollen, um ihn von solchen Alleingängen in der Politik für einige Zeit abzuhalten, muß wohl als unbegründet aufgegeben werden. Nach der Verfassung hatte der Kaiser sehr wohl das letzte Wort in den Entscheidungen der Politik, jedenfalls nach der Interpretation der Verfassung durch die Mehrheit der deutschen Verfassungsjuristen. – Inhalt und Form des ‚Interviews' waren geeignet, in beiden Ländern Erstaunen und Erbitterung auszulösen, ebenso wie in Frankreich, Rußland, den Niederlanden und Japan. Der Vorgang ist eher aus der Egozentrik und Theatralik des Kaisers zu erklären als aus einem kühlen Kalkül, wenn auch die Intention einer Verminderung der akuten Spannung zwischen Deutschland und England ganz im Sinne der Bülow-Tirpitz'schen Strategie lag.

Das Daily-Telegraph-Interview ist die Beschwerde eines sich beleidigt gebenden Alleinherrschers, der, sowohl durch seine Geburt und Ehrenämter mit England verbunden, alle seine Bemühungen um die Freundschaft des englischen Volkes verkannt sieht. „You English are mad", kann er sagen. Unter Bezugnahme auf seine Rede in Guildhall protestiert er: „What more can I do than I have done?" So mißverstanden zu werden, „that is a personal insult which I feel and resent". Gegenüber seinen wiederholten Angeboten der Freundschaft und seinen Versicherungen, daß er ein Freund Englands sei, wäre seine angebotene Hand zurückgestoßen und behauptet worden, die andere hielte einen Dolch. Diese Behauptung verbindet der Kaiser, gleich zweimal im Interview, mit einer Feststellung, die den Verdacht der Engländer nur allzusehr bestätigte, die deutschen Leser aber über den Unverstand, solch gewichtige politischen Tatsachen auszusprechen, erbittern mußte: die vorherrschende Meinung (sentiment) des deutschen Volkes, so erläutert der Kaiser, betrachte England mit Mißtrauen. Er, der Kaiser, befinde sich in Deutschland in der Minorität – um so unbegreiflicher sei es, daß die Engländer sein beschworenes Wort (my pledged word), daß er der Freund Englands sei, nicht annehmen wollten, ihn vielmehr als Erzfeind betrachteten.

Er verteidigt die von England, ja von ganz Europa (wie der Gesprächspartner einzuwerfen wagt) mit größter Unruhe beobachtete neue deutsche Aktion in Marokko mit der voreiligen Anerkennung von Mulay Hafid als neuen Sultan und bezieht sich gegenüber denen, die ihn zu Unrecht kritisierten, erneut auf seine Friedensreden. Will er England von Frankreich trennen, die Entente Cordiale sprengen?

Ungeheuerlich aber erscheinen seine Behauptungen über den Burenkrieg: Deutschland sei feindselig gegenüber England eingestellt gewesen; nur er, der Kaiser, sei für England eingetreten. Er rühmte sich, daß er die Delegation der Buren, die in Holland und Frankreich festlich aufgenommen worden war, abgewiesen habe. Sie wünschten nach Berlin zu kommen, wo das deutsche Volk, so sagt er, und das war richtig, sie mit Blumen bekränzt hätte. Die Agitation brach daraufhin zusammen. War das, fragt er, die Aktion eines geheimen Feindes? Was aber mußten die burenbegeisterten Deutschen von ihrem Kaiser denken? Was die Holländer?

Ja, der Kaiser gibt geheimste diplomatische Sondierungen, die erst vor 6 oder 7 Jahren stattgefunden haben sollen, preiswenn er behauptete, daß Frankreich und Rußland – seit 1904 bzw. 1907 die Ententepartner Englands – ihn eingeladen hätten, gemeinsam England zur Beendigung des Krieges zu bewegen; um, wie sie angesagt haben sollen, nicht nur die Burenrepublik zu retten, sondern um England zu demütigen. Er, der Kaiser will geantwortet haben, daß er sich nicht nur nicht beteiligen, sondern daß Deutschland sogar seine bewaffnete Macht benutzen würde, um solch eine konzertierte Aktion zu verhindern. (So jedenfalls hieß es im ursprünglichen Text. Das Auswärtige Amt ersetzte ihn durch die Passage: Germany would always keep aloof from politics that could bring her into complications with a seapower like England). Der Brief, der in den Archiven von Windsor Castle liege, mit dem er die Königin über seine Antwort an jene zwei Mächte informiert habe, würde der Nachwelt sein Handeln beweisen. Der Kaiser behauptete ferner, er habe, um der Queen in den Wochen der größten Rückschläge zu helfen, Pläne ausgearbeitet, sie dem eigenen Generalstab zur Beurteilung vorgelegt und sie an die Königin gesandt für einen Feldzugsplan gegen die Buren, der – „as a matter of curious coincidence" – dem von Lord Roberts erfolgreich angewendeten Operationsplan ähnelte. „Was that, I repeat, the act of one who wished England ill?" Das mochte wohlgemeint sein, war aber eine Beleidigung der englischen Armee und des englischen Nationalstolzes, nicht weniger als eine unglaubliche Verletzung der so tiefsitzenden proburischen Empfindungen der deutschen Bevölkerung.

Und schließlich kommt der Kaiser zu einem dritten, dem Hauptthema des Interviews. Die Engländer, so führt er aus, würden sorgenvoll den Ausbau der deutschen Flotte verfolgen. Was ist mit der deutschen Flotte, so sagt er, werden die Engländer fragen. Ist sie nicht eine Drohung für England? Und wenn die Deutschen nicht an England denken, warum nehmen sie solch neue und schwere Steuerlasten auf sich? Was der Kaiser antwortet, ist einerseits das Credo von Tirpitz, den er vorsorglich zu Hause gelassen hatte, andererseits aber seine eigene Vision von künftigen Weltentwicklungen, die er in diesem Sommer 1908 auf seiner Nordlandreise in einem zweiten Interview ausmalt, wovon gleich näher zu sprechen ist. Zum einen sagt er: Deutschland ist ein junges und aufstrebendes Reich. Sein weltweiter Handel dehnt sich rasch aus, kennt keine Grenzen. Deutschland muß eine mächtige Flotte haben, um diesen Handel zu beschützen und seine vielfältigen, immer weiter wachsenden Interessen selbst in der entferntesten Übersee wahrzunehmen. Zum anderen sagt er, und hier trägt ihn seine neu-alte Vision zu fernen Horizonten: Deutschland müsse vorbereitet sein für alle Eventualitäten in Fernost. Wer voraussehen könne, was im Pazifik in kommenden Tagen, Tage, die nicht so fern seien, wie manche glaubten, sich ereignen werde, der wisse, daß alle europäischen Mächte mit Fernostinteressen sich darauf vorbereiten müßten. Der Kaiser verweist auf den vollzogenen Aufstieg Japans, auf das nationale Erwachen Chinas. Nur die Mächte, die über große Flotten verfügen, wird man hören, wenn über die Zukunft des Pazifiks entschieden werden wird; und schon aus diesem Grunde allein müsse Deutschland eine machtvolle Flotte haben. Ja, der Kaiser gibt sich überzeugt, daß England selbst eines Tages glücklich über Deutschlands Flotte sein werde, wenn sie in den großen Debatten der Zukunft zusammen auf der gleichen Seite sprechen würden. Er scheint in diesem Augenblick, vielleicht wohlberechnet, vergessen zu haben, daß England seit 1902 ein Bündnis mit Japan hatte und damals jedenfalls kaum erfreut sein konnte über den in den

Worten des Kaisers liegenden „Weltmachtanspruch“ des Deutschen Reiches.

Der Berichterstatter unterstreicht noch einmal den großen Ernst, mit dem der Kaiser im sogenannten Interview sprach, seinen Wunsch nach Freundschaft mit England, aber auch seine steigende Ungeduld über das beharrliche Mißtrauen dort drüben gegen seine Person und hofft, daß dieses Gespräch der Überwindung dieser Kluft diene. Das Gegenteil war freilich, wie wir wissen, der Fall.

Das Hale-Interview

Es erscheint sinnvoll, neben das ‚Daily-Telegraph-Interview‘ das ‚Hale-Interview‘[6] zu stellen, das der Kaiser am 19. Juli 1908 einem amerikanischen Journalisten gab, und das (wiederum mit Zustimmung des Auswärtigen Amtes, gegeben mit einiger Verzögerung im Oktober und dieses Mal allerdings nach sehr wesentlichen vom Amt durchgesetzten Kürzungen und Änderungen) am 1. Dezember 1908 in Amerika veröffentlicht werden sollte, das heißt zu einem Zeitpunkt, als bereits der „Novembersturm“, den das Daily-Telegraph-Interview in Deutschland ausgelöst hatte, das Reich erschütterte. Das neue Interview hätte Öl ins Feuer gegossen. Der Reichskanzler Bülow konnte das Erscheinen im letzten Moment verhindern.

Ein Amerikaner hatte, wie er sagt, die Ehre, zu sprechen mit „dem berühmtesten Souverän der Welt“ (the most renowned sovereign of the world); einen „machtvollen Monarchen“ (a powerful monarch) reden zu hören über die Verantwortlichkeit der Macht und die Freude, sie auszuüben; über den Sinn der menschlichen Geschichte und seinen eigenen Anteil an ihr; über Gott und die Bestimmung des Menschen; über Kriege der Vergangenheit und Kriege der Zukunft; über die Freundschaft der Völker und über gerechte Kriege, über Kunst, Architektur, Wissenschaft usw. usw. Wilhelm tadelt das gegenwärtig ultramoderne Norwegen mit seinem Ibsen und bewundert die männliche Kraft der alten skandinavischen Sagas. Er philosophiert über die Rolle der Persönlichkeit in der Geschichte, indem er als begeisterndes Beispiel dafür – bestimmt für dessen Ohren – Präsident Roosevelt feiert:

„Yes, the big things in the world are always done by just a man – one man – one strong personality. History in its times of crisis cries out for a man [...] Look what Mr. Roosevelt has done. He has done it alone, single-handed [...] He is one of the greatest leaders of men the world has seen."

Parlament, Kongreß, Senat mögen kritisieren, auch zustimmen, aber sie vermögen keinen entscheidenden Einfluß auf die Gestaltung der Politik auszuüben; weder in einer Republik noch in einer Autokratie: „The strong upright personality rules. It is a law of society; it is a principle of progress." Es ist unverkennbar, daß Wilhelm hier zugleich sich selbst und seine historische Rolle vorstellt, wie er sie sieht und gesehen wünscht. Der Kaiser tadelt, vor dem Amerikaner, die Kritik und Verachtung seiner „aristokratischen Freunde in England", die in amerikanischen Aktien spekuliert und viel verloren hätten, gegenüber Roosevelt, den sie „the uncouth monster in the White House" (das ungehobelte Monster) nennen. Er lobt die Industriekapitäne Rockefeller und Carnegie und ihre nachahmenswerte Bereitschaft, große Stiftungen für Wissenschaft und Kunst ins Leben zu rufen. Es folgen Äußerungen über Christentum und Krieg, die, wenn es ein gerechter Krieg ist, sich nicht ausschlössen, und Tadel an den Japanern, die die christliche Religion ablehnen, weil sie unbrauchbar sei für Soldaten. Freilich fehle den Japanern überhaupt das Gefühl; sie seien praktisch und kalt: „[...] they dont't want any religion. They are constitutionally incapable for religion." In den breiten Ausführungen des Summus Episcopus über Religion und Kirchen fallen die kritischen Äußerungen über die katholische Kirche und Religiosität auf, die der Kaiser entschieden ablehnt; was um so mehr erstaunen muß, als doch ein gutes Drittel der Bevölkerung des Reichs aus Katholiken bestand und der Monarch im gleichen Moment von „meinen Bischöfen" (den katholischen!) sprechen kann, die die Modernismus-Enzyklika des gegenwärtigen Papstes in ihrer Geltung für Deutschland abgelehnt hatten. Mehrfach beklagt er, daß der katholische Glaube Maria und die Heiligen über den Gottessohn Jesu stelle, und bekennt seinen Glauben an ihn. Er rühmt sich, siebzig Kirchen gebaut zu haben, und behauptet, in seinem Reich herrsche Frömmigkeit. Der Kaiser greift die Jesuiten an, deren Einfluß in Amerika und auf den Philippinen er für verhängnisvoll hält. Während er die Talente des verstorbenen Papstes Leo XIII. herausstellt, äußert er sich geringschätzig über seinen Nachfolger, Pius XI. Doch dies alles, ebenso wie der Schlußteil über die teutonisch-germanische Rasse und ihre Rolle in Amerika und Europa in Vergangenheit und Zukunft, war doch nur eine Einrahmung des eigentlichen hochpolitischen Anliegens des Kaisers: die asiatische und pazifische Frage. Der überwiegende Teil des Gesprächs wurde vom Auswärtigen Amt gestrichen; in der zur Veröffentlichung freigegebenen Fassung blieben nur einige überarbeitete Sätze stehen.

„The Asiatic question was, I cannot overstate to what degree, the Emperor's chief theme. The particular phases of the situation now obtaining and developing to which his Majesty mainly adverted were the attitudes with regard to the East taken respectively by England and the United States – the contrasted attitudes."

Nun folgt der nur im ursprünglichen Text des Interviews enthaltene Teil,[7] den A. R. Carlson auffand und veröffentlichen wird im Rahmen seiner umfassenden Darstellung der Krise von 1908/09. Dieser Text wird hier in deutscher Übersetzung und mit Zwischenüberschriften versehen wiedergegeben.

Die gelbe Gefahr

„Wie lange ist es her (fragte der Kaiser), daß ich mein Bild „Die Gelbe Gefahr" malte? Ich glaube, es ist 15 Jahre her. Beachten Sie, niemand anders hat bis jetzt eine Prophezeiung gemalt, und zwar nicht nur in schwarz-weiß, sondern in unmißverständlichen Farben. Ich sprach nicht in Orakelversen. Es war da nichts Sibyllinisches noch Rätselhaftes noch Zweideutiges. Nein, in meiner Prophezeiung da gab es nur eine Deutung ... Das ist nun 15 Jahre her. Ich wage zu sagen, die Welt lächelte. Jetzt lächelt die Welt nicht mehr. Die Zeit für das Lächeln ist vorüber. Jedermann versteht, was kommen muß zwischen Asien und dem Westen, zwischen der gelben und der weißen Rasse. Es ist eine blödsinnige Verrücktheit, wenn wir unsere Augen vor dem Unausweichlichen schließen; wenn wir es unterlassen, uns darauf vorzubereiten, dem Unausweichlichen zu begegnen. Wir sind unserer Väter nicht würdig, wenn wir unsere heilige Pflicht vernachlässigen, die Zivilisation zu bewahren, welche sie für uns geschaffen haben und die Religion, welche Gott uns gegeben hat.

Der Russisch-Japanische Krieg

Die ganze Welt versteht, daß die größte Krise in den Geschikken der Bevölkerung der Erde vor der Tür steht. Die erste Schlacht ist geschlagen. Unglücklicherweise ist sie nicht gewonnen worden. Rußland hat den Kampf des weißen Mannes geführt. Viele haben es damals nicht gesehen, alle sehen es jetzt.

Wie schade, daß der Kampf nicht besser geführt wurde! Was für ein Unglück. Diese Russen waren nicht fähig, diesen Kampf zu kämpfen. Welch ein Jammer; es hätte ihnen diese Aufgabe nicht zufallen sollen. Das Gesicht von S. M. wurde rot, er erhob den Arm, er ballte die Faust in die Luft. Zwischen zusammengebissenen Zähnen, das Gesicht nahe dem meinen, rief er aus: Mein Gott, ich wünschte, meine Bataillone hätten diese Chance gehabt; sie hätten kurzen Prozeß mit denen gemacht!

Ich frage S. M., ob er glaube, die Japaner wären als Soldaten überschätzt worden. Er antwortete: Ganz bestimmt denke ich so. Wenn die ganze Wahrheit über den Russisch-Japanischen Krieg in der Welt bekannt wäre, würde ein großer Teil des Japanischen Prestiges verschwinden. Wir hatten einige gymkhana-Übungen in Tientsin, wo ihre Organisations- und Ingenieur-Fähigkeiten überschätzt worden sind. Es ist wahr, sie sind große Nachahmer an der Oberfläche, aber sie begreifen nicht den Geist und stoßen nicht zum Kern der Sache vor.

Die Gefahr für uns ist nicht Japan, sondern Japan an der Spitze eines konsolidierten Asien, die Kontrolle Chinas durch Japan, des Landes, das scharf und bitter antagonistisch gegenüber dem Westen ist. Das würde die größte Kalamität sein, die die Welt bedrohen könnte.

S. M. besprach den japanischen Charakter in großer Breite. An einer Stelle sagte ich [Hale]: Sie betrachten also die Japaner als die Jesuiten des Ostens. Eine halbe Stunde vorher hatte S. M. die Jesuiten bitter angeklagt. Er rief aus: Genau so ist es!

Ich sagte: Manchmal scheint es mir, daß wir alle in unserem Urteil über den Japaner im Irrtum sind. Bei allem, was wir über ihn wissen können, bleibt er ein Geheimnis [...] (Seine Seele) erscheint von Instinkten beeinflußt, welche für uns nicht existieren. Auf diese meine längeren Ausführungen antwortete der Kaiser unmittelbar: Wir wissen von ihm so viel, daß er den weißen Mann mehr haßt als der weiße Mann den Teufel haßt. Er haßt alles, was zu dem weißen Mann gehört. Er ist ein Wunder in der Nachahmung, aber im Inneren verachtet er alles, was er im Augenblick nachmacht. --- Die Japaner sind Teufel, sagte S. M. das ist eine einfache Tatsache, sie sind eben Teufel.

Die Vereinigten Staaten, so fuhr S. M. fort, müssen den Ernst des Asiatischen Problems erkennen. Wohnend an der einen Seite des Pazifischen Ozeans, dessen gegenüberliegende Seite überquillt von Hunderten von Millionen gelber Menschen, was Ihr (Amerikaner) jetzt zu sehen beginnt; das werdet Ihr sehr bald, schneller noch als Europa, als die einzige ernsthafte Sorge einschätzen für die Zukunft, als die Sorge, neben der alle anderen zur Bedeutungslosigkeit verblassen.

Ein amerikanisch-deutsches Agreement – um China vor Japan zu schützen, um China und Japan getrennt zu halten.

Haben Sie [die Amerikaner] angefangen, darüber nachzudenken, wie Sie am besten dem Problem des von Menschen überquellenden Ostens, seinen Traditionen und seiner Lebensweise begegnen könnten? Ich habe damit schon vor Jahren begonnen, und es besagt vielleicht doch etwas für meine Intelligenz, daß ich am Ende doch eine Idee über dieses Thema gefunden habe. Es ist dies: Es scheint mir klug zu sein, wenn wir den Osten in sich geteilt halten. Das bedeutet auf dieser Stufe des Spiels, daß wir China und Japan nicht erlauben dürfen zusammenzukommen, weder brüderlich noch so, daß einer in dem andern aufgeht. Die besondere Pflicht, welche der weiße Mann sich selbst schuldet, in diesem Augenblick, ist, zu verhüten, daß Japan China verschluckt.

Das ist die Idee, zu der ich gekommen bin: Wenn China einen ‚Big Brother' braucht, dann sollten lieber wir der „Big Brother" sein als Japan.

Ich [Hale] betrachtete es nicht als einen Vertrauensbruch, S. M. die Meinungsäußerung Präsident Roosevelts weiterzugeben, mit der dieser, wie ich ihn selbst sagen hörte, einen Beamten nach China entließ (ich glaube, es war der Konsul von Amur). Die Meinung des Präsidenten war, daß die Brust Chinas nicht von großer Zuneigung zu den Inselvettern [den Japanern] bewegt sei.

[Nach einer Geschichte Roosevelts, die Hale erzählte, von dem Mann, der die Wahl hat, zwischen beiden stehend, entweder vom Tiger oder vom Haifisch gefressen zu werden, ruft der Kaiser lachend:] Genau! Nur daß China nicht in irgend jemands Magen gehen soll oder muß.

Es würde für die Vereinigten Staaten sehr leicht möglich sein, in Übereinstimmung mit mir (in agreement), die ‚offene Tür' in China zu garantieren, und die Rolle als ein treuer und fürsorglicher Freund von China zu spielen, eine Rolle, die man dem gierigen Verwandten nicht anvertrauen darf.

Das zu tun, wäre leicht möglich und außerdem wäre es höchste Klugheit. Japans Ziele müssen beschnitten werden. Des weißen Mannes Interessen in China müssen beschützt werden. Die Konsolidierung von Ostasien [unter Japans Führung, F. F.] muß verhindert werden.

Aber, sagte ich [Hale], ist nicht die Integrität Chinas und das Prinzip der ‚Offenen Tür' von einem halben Dutzend Verträge garantiert, an denen allen Japan beteiligt ist?

Das ist eben die Schwierigkeit, erwiderte S. M., Japan ist an allen Verträgen beteiligt, die nicht das Papier wert sind, auf dem sie geschrieben sind. Was wir unbedingt haben müssen, ist ein Abkommen zwischen den weißen Nationen.

Nun überlegen Sie, welche Positionen die weißen Nationen einnehmen. Sie wissen, wo ich stehe. Schauen Sie sich die anderen an! Es ist traurig, über England zu sprechen. England ist ein Verräter an der Sache des weißen Mannes. Die Dummköpfe dort haben die Regierung in eine absolut unmögliche Position gebracht. Ich sage Ihnen, das Weltreich wird an diesem Felsen zerschellen. Wenn sie auf dieser ihrer Allianz mit Japan bestehen, dann kann ich nicht sehen, wie das Britische Weltreich vor dem Auseinanderbrechen gerettet werden kann. Wenn das Selbstinteresse durch die Tür hereinkommt, fliegt das patriotische Gefühl zum Fenster hinaus.

Wissen Sie, warum Australien und Neuseeland Präsident Roosevelt eingeladen haben, er solle die amerikanische Flotte an ihre Küsten schicken? Wenn Ihnen der Präsident niemals erzählt hat, warum, werde ich es Ihnen erzählen: Diese Einladung hatte den ausdrücklichen Zweck, der Regierung meines guten Onkels [Eduard VII.] da drüben klar zu machen, daß diese Kolonien wissen, sie haben in den Vereinigten Staaten einen Freund, der die Pflichten des weißen Mannes besser versteht, als das Mutterland sie zu erkennen scheint.

Dieses war der Grund für die Einladung, und der Präsident verstand, daß dies der Grund war, warum die Einladung ausgesprochen war. Die Einladung wurde angenommen und die Flotte wurde geschickt in diesem Sinne. London verstand dieses auch alles, und ich weiß, daß es den Empfang, der der Flotte bereitet wurde, mit großer Betroffenheit beobachtete.

Ich weiß, daß Britisch-Kolumbien es [dem Mutterland] klargemacht hat, daß es sehr zartfühlend behandelt werden müßte, sonst würde es dem Weltreich verlorengehen. In Südafrika – jedermann weiß, wie kritisch das Rassenproblem dort ist.

In Indien sind die Zustände eben jetzt, selbst soweit sie öffentlich bekannt sind, eine große Sorge für die Engländer. Wenn sie die ganze Wahrheit wüßten, so würden sie noch mehr besorgt sein. Ich spreche nicht so oben hin, ich weiß, worüber ich in dieser Sache spreche. Ich habe Informationen von meinen Konsuln, daß die Zustände in Indien sehr viel schwieriger sind als England weiß.

Die besondere Gefahr dort entspringt direkt aus der Tatsache, daß die englische Regierung einen Vertrag mit Japan[8] gemacht hat. Sie hat Ehrenbezeugungen und Zeichen der Freundschaft ausgetauscht auf der Basis der Gleichheit, während man ein asiatisches Volk noch in Knechtschaft hält.

Verstehen Sie nicht, wie diese Tatsache in der Brust der Inder wühlt? Die lange schlummernde Abneigung in Indien wurde dadurch zur aufflammenden Rebellion angefacht, durch den Hinweis auf diesen erniedrigenden Sachverhalt. Es macht diese Menschen wild, zu begreifen, daß sie nicht britische Untertanen sein können, daß keiner von ihnen den Titel eines V. C. erwerben kann, während ein anderes asiatisches Volk den Engländern gleich geachtet wird. Und ich kann ihnen versichern, daß die Leute, die diesen Aufstand weitertragen, die dieses Argument nachdrücklich verwenden, verkleidete japanische Agenten in Indien sind. Es mag noch 6 Monate dauern – vielleicht 9 Monate – aber nicht mehr lange. Was meinen Sie? Ich glaube nicht, daß die öffentliche Meinung in England hinter diesem Vertrag steht. Aber die Dummköpfe, die die Regierung in der Hand haben, sind entschlossen, daran festzuhalten. Solange es aber daran festhält, ist England ein Verräter der Sache des weißen Mannes. Und England steht außerhalb jedes Programms, welches westliche Nationen erstellen könnten, um den Umständen zu begegnen, die das Erwachen des Ostens heraufgeführt hat.

Wie England, so fallen Frankreich und Rußland gegen Japan aus

Wenn Sie dann fortfahren, zu bedenken, welche anderen Mächte mit England durch Vertrag, durch Allianz oder diplomatische Beziehungen verbunden sind – welche anderen Mächte müssen dann als von jedem Programm gegen Englands fernöstlichen Verbündeten ausgeschlossen betrachtet werden. Dazu zählen Frankreich und Rußland. Rußland findet seine augenblicklichen praktischen Interessen identisch mit denen von Japan. Das ist die Teilung der Mandschurei.

Welche Macht bleibt dann interessiert und ungebunden? – Die Vereinigten Staaten.

Die deutsch-amerikanische Freundschaft zum Schutze Chinas

S. M. sprach des langen und breiten über die Grundlagen der Freundschaft zwischen Deutschland und den Vereinigten Staaten. U.a. sagte er, die sehr große Zahl der Deutschen und der Männer und Frauen von deutscher Abstammung, welche, wie Sie mir sagen, die solidesten Bürger ihres großen Landes sind, bilden bereits ein notwendiges Band zwischen uns. Unsere Instinkte sind eins, unsere Religion ist die gleiche, und unsere Rasse ist auch die gleiche. [Und nun folgt einer der wichtigsten Punkte des Gesprächs, der auch mehrfach wiederholt wird, eine Versicherung an Amerika bzw. seinen Präsidenten über deutsches Wohlverhalten in der Zukunft.]

Nirgendwo, und nicht länger mehr, nicht einmal in den Alpträumen von Agitatoren, kann man sich die Möglichkeit oder den Schatten eines Streites zwischen uns vorstellen. Deutschland hat keinerlei Ehrgeiz, die Grenzen amerikanischer Betätigungsfelder zu überschreiten oder auch nur sich ihnen zu nähern.

Ich [Hale] fragte S. M., ob denn Präsident Roosevelt mit seiner Meinung über diesen Gegenstand übereinstimme.

Er sagte, Ja, wir haben das schon recht gut miteinander besprochen und ich glaube, daß er zustimmt. Oh, das ist schon viel weiter gediehen, als irgend jemand sich davon träumen läßt. Ich habe das in dieser Form schon 4 bis 5 Jahre im Sinn. Es hat nun Gestalt angenommen. [So jedenfalls glaubte der Kaiser. Freilich gibt es auch noch Unsicherheitsfaktoren; doch die liegen seiner Meinung nach bei dem Dritten im Bunde, bei China.]

Die Hauptschwierigkeit ist, China ist so langsam. Sie schieben alles auf und schieben es noch einmal wieder auf. Ich *hoffe*, sie werden dieses nicht zu lange aufschieben. Ja, sagte er, in Beantwortung einer Frage von mir, wir haben Schwierigkeiten, eine starke zentrale Autorität dort zu finden, mit der man verhandeln kann. Aber wir haben eine gefunden in – (ich kann mich an diesen Namen nicht erinnern, ich glaube, es war der Vizekönig von Kanton). Wir warten jetzt darauf, zu erfahren, welche Bedingungen China stellen wird. Wir haben es bis jetzt noch nicht erfahren. Ich glaube nicht, daß seine Vorstellungen dazu übertrieben sein werden. Ich glaube, wir werden keine Schwierigkeiten haben, zu einer Verständigung mit China zu kommen. Natürlich wird es bestimmte Vorbehalte und Bedingungen machen. In diesen Tagen, sehr bald, hoffe ich, ich hoffe sehr bald, wird ein Sendbote von höchstem Rang die Vereinigten Staaten besuchen, und uns Chinas Bedingungen wissen lassen. Dann können wir weitergehen. Eines schönen Tages wird die Welt aufwachen und einen kleinen unauffälligen Vertrag zwischen Deutschland und Amerika lesen, der öffentlich erklärt, daß wir chinesische Souveränität über chinesisches Territorium garantieren und die ‚Offene Tür' in allen Teilen des Chinesischen Reichs. O – Ho, Ho! Ich bin gespannt, was man dazu sagen wird!

Die Zukunft gehört der weißen Rasse

Die Zukunft gehört der weißen Rasse. Hier lachte S. M. laut und sprang vor Freuden auf dem Deck herum. Oh, es wird schon alles zurecht kommen, sagte er. Die Zukunft gehört der weißen Rasse! Sie gehört weder der gelben noch der schwarzen noch der oliv-farbenen, sie gehört dem blonden Mann, sie gehört dem Christentum und dem Protestantismus. Wir sind die einzigen, die die Zukunft retten können. Es gibt keine andere Zivilisation und keine andere Religion, die die Menschheit (humanity) retten kann; die Zukunft gehört uns, den Anglo-Teutonen, den Menschen, die von Nordeuropa kamen."

Damit endet der unterdrückte Teil des Interviews. In dem von Hale überarbeiteten, zur Veröffentlichung durch das Auswärtige Amt freigegebenen Teil blieb aber noch genug, um doch die Gedankengänge des Kaisers erkennen zu lassen. Davon sei noch einiges wiedergegeben. Gleich drei Mal wird darin ein Hauptanliegen des Kaisers, auf das oben bereits hingewiesen wurde, und offenbar auch des Auswärtigen Amtes herausgehoben; das Deutsche Reich, so versichert der Kaiser seinem Gesprächspartner, habe keine Absichten auf die Karibik und in Südamerika. Es galt, die Erinnerung an zwei Zwischenfälle auszulöschen, die zu einer ernsten Verstimmung zwischen Deutschland und den USA geführt hatten. Im Jahre 1898, während des Seegefechts zwischen der amerikanischen und spanischen Flotte vor Manila, war ein deutsches Kreuzergeschwader erschienen, offenbar um deutsche Ansprüche auf Teile der Inselgruppen anzumelden. Noch kürzer zurück lag der Zwischenfall vor Venezuela 1902, als im Zuge einer englisch-italienisch-deutschen Blockade deutsche Kriegsschiffe Zollstationen beschossen und gewillt schienen, sie zu besetzen. Präsident Roosevelt sah darin eine Verletzung der Monroedoktrin, drohte mit dem Einsatz der amerikanischen Flotte und war noch 1908 stolz darauf, daß Deutschland zurückgewichen war. Er war sogar überzeugt, erst durch dieses entschiedene Auftreten die Achtung, ja Zuneigung des deutschen Kaisers gewonnen zu haben.[9] Als der neue deutsche Botschafter, Graf Bernstorff, Ende November 1908 sein Amt in Washington antrat, fand er allein die noch fortwirkende Erinnerung an diese beiden Zwischenfälle als Belastung des sonst konfliktfreien deutsch-amerikanischen Verhältnisses vor.[10] Deshalb wurden im überarbeiteten Teil des Hale-Interviews die Ausführungen über die Grundlagen der deutsch-amerikanischen Freundschaft breit wiedergegeben, und der wichtigste Satz erscheint wörtlich wieder:

„Nowhere, no longer now in the nightmares of agitators is there imagined to be the shadow or possibility of an issue between us. Germany has no ambitions that traverse or even approach the spheres of American activity."

Und es werden die umstrittenen Schauplätze auch genau genannt:

„This is, of course, strictly true. The absurdity of fearing Teutonic designs in Central or South America is fully apparent to anyone conversant with the European situation. To fancy that Germany has any time to spare to thinking of American projects is like fearing she may planning the invasion of Mars."

Dabei gab es solche Ideen einer Invasion Amerikas in den 90er Jahren und um 1904 bis hin zu Admiralstabs- und Generalstabsplanungen,[11] die uns heute als phantastisch erscheinen. Man kann aber die Veränderung der Stellung Deutschlands in der Welt, die inzwischen eingetreten war, recht gut daran erkennen, daß im überarbeiteten Hale-Interview, gewiß unter Einwirkung Berlins, als Begründung für die Undenkbarkeit eines bewaffneten Eingreifens in Amerika die Lage Deutschlands in Europa, vor allem gegenüber dem seit 1871 unversöhnten Frankreich, angegeben wird. Diese strategische Lage erlaube es nicht, auch nur ein einziges Armeekorps von der Verteidigung des Vaterlandes abzuziehen. Hale verweist auf die „Einkreisung", die das Gespräch mit dem Kaiser berührt haben muß, und dabei fallen wieder sehr absprechende Äußerungen über die Rolle Englands. Und zum dritten Mal wiederholt Hale die Essenz des Gesprächs mit dem Kaiser, wie sie diesem so wichtig gegenüber der öffentlichen Meinung in Amerika und gegenüber dem Präsidenten erschien:

„I may seem to have dwelt a very long time upon the European isolation of Germany. But the superstition that „the Kaiser will be watching in the Caribbean" has been so persistent that it is worth while asking intelligent men to take a few minutes to consider it fully".

Und zum Schluß kommt noch einmal vollmundig der Kaiser zu Wort mit seinem Bekenntnis zur Zukunftsaufgabe der weißen Rasse, fast wörtlich entsprechend der Schlußpartie im unterdrückten Text.

Heutige Leser werden versucht sein, dem deutschen Kaiser in seinen Visionen über die Zukunft des Pazifik und der Welt Prophetengabe zuzugestehen, wenn sie an das jahrzehntelange Streben Japans nach der Vorherrschaft in China, an das Ringen und schließlich den See-, Luft- und Landkrieg der USA mit Japan denken, wenn sie das „Teeming of Asia“ in einer Milliarde Chinesen verwirklicht sehen oder den Niedergang des Britischen Empire beginnend mit dem Freiheitskampf Indiens, Afrikas und der Renaissance des Islams vor Augen haben. Sie werden sich erinnern, daß alle diese Momente auch in deutschen Erwartungen und Bestrebungen 1914 eine Rolle spielten. Wenn ein Wahrheitsgehalt in seinen, des Kaisers Vorstellungen war, so waren sie jedenfalls eine Vorausnahme erst später eintretender oder bedeutsam werdender Vorgänge. Im Jahre 1908, zumal in Verbindung mit der Rolle, die er und das Deutsche Reich dabei spielen sollten, waren sie jedoch höchst dubios und gefährlich für Glaubwürdigkeit und Ansehen seiner Person und der Politik Deutschlands. Diesem historischen Moment also gilt unser Interesse.

Das Drama im November 1908

Wäre auch nur der durch die Intervention des Auswärtigen Amtes gekürzte Text des Hale-Interviews in der Dezember-Ausgabe von *Century*, einer angesehenen amerikanischen Monatsschrift, erschienen, vier Wochen nach der Veröffentlichung des Daily-Telegraph-Interviews, so hätte dies sicher eine erneute große Aufwallung in der öffentlichen Meinung Deutschlands ausgelöst. Zu deutlich war doch der Widerspruch zu den Aussagen, die der Kaiser wenig zuvor in England gemacht hatte. In England, besonders auch bei König Eduard, mußte der Eindruck der Doppelzüngigkeit des deutschen Kaisers entstehen; in Amerika, besonders bei Präsident Roosevelt, Erstaunen über das Drängen des Kaisers in einer noch ganz ungeklärten Angelegenheit, in der der Präsident sich möglichst freie Hand bewahren wollte; in Japan schließlich Haß und Hohn. Darüber hinaus wäre es zu einer tiefen Verstimmung im katholischen Bevölkerungsteil Deutschlands, bei der katholischen Kirche und beim Zentrum gekommen, die die Äußerungen des Kaisers über Glaubensinhalte, über die Jesuiten und über den gegenwärtigen Papst unweigerlich ausgelöst hätten. Wie aber würde erst der ungekürzte Text des Interviews, das der Kaiser doch zum Zwecke der Publikation gegeben hatte, in Amerika, in der Weltöffentlichkeit und im eigenen Lande und noch dazu in diesem kritischen Moment gewirkt haben!

Es ist dringend zu wünschen, daß die Vor- und Nachgeschichte des Interviews, sein vollständiger Text sowie sein Zusammenhang mit der Daily-Telegraph-Affäre in einer englischsprachigen wie deutschen Ausgabe der Forschung von Andrew R. Carlson dem historisch-politisch interessierten Lesepublikum zugänglich gemacht wird. Hier sei nur kurz auf die Ergebnisse dieser Arbeit im Hinblick auf das Zustandekommen des Interviews sowie die Geschichte dieses Dokuments hingewiesen, das durch die Untersuchung Carlsons nun erst, 75 Jahre nach seiner Entstehung, inhaltlich voll bekannt wird. Es wirft auf die Persönlichkeit des letzten deutschen Kaisers und damit auf das deutsche Regierungssystem neue Schlaglichter.

Ein angesehener amerikanischer Journalist, William Bayard Hale, damals Mitarbeiter der *Sunday Times* in New York, hatte 1908 Interviews mit Präsident Roosevelt geführt und daraufhin einen viel beachteten Artikel und ein Buch über den Präsidenten geschrieben, was die Anregung gab, einen parallelen Artikel über den deutschen Kaiser zu verfassen, der seine Sympathien für amerikanische Selfmademen bekundet hatte und sich als „Freund“ des Präsidenten gab. Durch Vermittlung des deutschen Botschafters in Washington und des neuen amerikanischen Botschafters in Berlin kam es am 19. Juli 1908 zu der Begegnung Hales mit Wilhelm II. an Bord der Yacht Hohenzollern in Norwegen, wo der Kaiser seinen Sommerurlaub verbrachte. Das Gespräch dauerte am Spätnachmittag zwei Stunden, meist dozierte der Kaiser, doch konnte Hale ihn mit Fragen und Bemerkungen unterbrechen, ohne daß der Befrager, um den Redefluß des Kaisers nicht zu hemmen, sich Notizen machte. Das geschah in der folgenden Nacht in einem 5000-Worte-Memorandum, dessen Charakter und Stil unzweifelhaft die wörtliche Wiedergabe des Gesprächs ist.

Es handelte sich bei Hale um einen Bewunderer Wilhelms II., der sich von der Persönlichkeit des Kaisers und dem weiten Kreis seiner geistigen Interessen beeindruckt zeigte, und der vor allem ein durchaus positives Bild des Monarchen im Interesse der guten Beziehungen beider Länder zu zeichnen bemüht war. Hale war dann aber doch von dem, was er hörte, im Blick auf religiöse und damit innenpolitische Fragen, vor allem aber im Blick auf die außenpolitischen Äußerungen des Kaisers so überrascht und fand sie so aufregend, so schlechthin „startling“, daß er noch in der gleichen Nacht seinem Auftraggeber, dem Herausgeber der Zeitung, in einem Telegramm die wichtigsten Punkte mitteilte. Er war sich dabei wohl bewußt, daß dies ein journalistischer ‚Knüller‘ sein würde, daß aber eine volle Wiedergabe des Gesprächs politische Implikationen haben könnte. Eigner und Herausgeber der *New York Sunday Times* hatten ebenfalls Bedenken und forderten die Zustimmung des Kaisers zum Text. Sie machten Präsident Roosevelt auf das Interview und die ihnen mitgeteilten wichtigsten Punkte des Inhalts, die ja für ihn bestimmt waren, aufmerksam. Der Präsident ließ sich außerdem von Hale persönlich über die Unterredung mit dem Kaiser berichten. Wenn er auch recht despektierlich vom Kaiser als „This Jack of an Emperor“ sprach, so fühlte er sich doch geschmeichelt, aber auch ärgerlich-verwundert und riet zu Diskretion. Der Kaiser seinerseits hatte, am Ende des Gesprächs von Hale ausdrücklich noch einmal darum befragt, einer Publikation des Interviews zugestimmt, das ja so viele Elogen auf seinen „Freund“, den amerikanischen Präsidenten, enthielt. Allerdings hatte er, hierin verfassungsmäßig korrekt handelnd, die Auflage gemacht, daß der Text des Artikels vor der Veröffentlichung dem Auswärtigen Amte vorgelegt würde. Das geschah auch. Dieses Mal hat das Auswärtige Amt – [wohl der am Zustandekommen der Begegnung Hales mit Wilhelm II. beteiligte von Bussche-Haddenhausen –], soweit es überhaupt den originalen Text der ersten Niederschrift vorgelegt bekam, die gravierendsten Passagen, von denen außenpolitische Rückwirkungen erwartet werden mußten, gestrichen und eine mehr seinen Interessen entsprechende Überarbeitung erreicht. Erstaunlicherweise betraf dies nur in geringem Maße die Aussagen über die katholische Kirche. In dieser Form wurde dann, allerdings mit einigen Wochen Verzögerung, die Veröffentlichung freigegeben, und zwar in der Zeitschrift *Century*, nicht in der Sonntagszeitung, wohl um den Artikel weniger spektakulär erscheinen zu lassen. Dennoch blieben auch in dieser gekürzten und gemilderten Form des Interviews politische Aussagen von so gefährlicher Tragweite stehen, daß gerade nach den Erfahrungen des Daily-Telegraph-Interviews (28. Oktober 1908) das Auswärtige Amt das Erscheinen des Hale-Interviews im letzten Moment verhinderte. Das war eine Sache von Stunden, denn von 70000 Exemplaren der Auflage waren 33000 bereits gedruckt. Die für England bestimmten wurden, bereits am Pier zur Verladung gestapelt, buchstäblich in letzter Minute zurückgehalten. Die deutsche Regierung mußte 2000 Dollar Unkosten für diese Stornierung tragen. So wurde durch die Bereitschaft und Einsicht der Herausgeber, die die schwierige Lage der deutschen Regierung in diesen kritischen Wochen erkannten und die die Unterdrückung des Interviews als im eigenen nationalen Interesse liegend beurteilten, erreicht, daß der Artikel nicht erschien.

Bei der Vielzahl der beteiligten Personen war es unvermeidlich, daß die Tatsache eines im letzten Augenblick unterdrückten Interviews des deutschen Kaisers doch an die Weltöffentlichkeit kam, daß Spekulationen um den Inhalt in entstellter Form auftauchten, aber auch Berichte, die der Wahrheit sehr nahe waren, wie der New Yorker *American* vom 20. November 1908, der die vier Hauptpunkte des unverkürzten Gesprächs recht genau wiedergab:

1) Die „gelbe Gefahr“, 2) der erwartete Niedergang des Britischen Empire, 3) die Chancen eines deutsch-amerikanischen Agreements über China und schließlich 4) der kommende Kampf zwischen Amerika und Japan.

Das hatte unmittelbare Auswirkungen auf die innere Krise in Deutschland. Doch weit bedeutsamer war, daß dieser Inhalt, und zwar in der unverkürzten originalen Form (z. T. wohl über Geheimdienste) den Regierungen bekannt wurde. So dem Präsidenten Roosevelt, der, obwohl persönlich geschmeichelt, doch den Kern, die Wahrscheinlichkeit konkreter Abmachungen zwischen den USA und Deutschland über bzw. mit China, in Frage stellte, obschon ihn der Kaiser, wie er sagte, seit 9 Monaten unentwegt dazu drängte. Er tat dies auch, weil er darin einen Konflikt mit England[12] sah und fürchtete, am Ende doch gegenüber Japan allein zu stehen. Jedenfalls wollte er seine Pazifik-Politik ohne Anlehnung an Deutschland führen. Im Interesse der Beziehungen beider Länder, ja der internationalen Beziehungen, warnte er vor einer Veröffentlichung des Hale-Interviews. Ebenso besonnen zeigten sich Grey und selbst Eduard VII., der darin freilich den Haß des Kaisers gegen ihn, seinen Onkel, bestätigt fand. Weit mehr als in Amerika und England nahm die Presse in Japan die Äußerungen des Kaisers mit Kritik und Hohn auf. Die Beziehungen der dortigen Regierung zu Berlin, die seit der deutsch-französisch-russischen Intervention gegen den Frieden von Shimonoseki sehr abgekühlt waren, wurden dadurch gewiß nicht verbessert. Auch die Russen konnten sich nicht geschmeichelt fühlen.

Als der Daily-Telegraph-Artikel am 28. Oktober morgens in London erschienen war, beschäftigte er unmittelbar die deutsche Presse wie die Regierungsstellen. Der Inhalt erschien so ungeheuerlich, daß viele darin zunächst eine englische Intrige sehen wollten, bis eine Mitteilung in der regierungsoffiziösen Norddeutschen Allgemeinen Zeitung die Authentizität bestätigte. Ebenso wurde der Umstand bekannt gegeben, daß Kanzler und Auswärtiges Amt das Interview gekannt hatten und daß Bülow durch sein Rücktrittsgesuch die Verantwortung übernahm. Diese offiziöse Bestätigung erst veranlaßte einen Sturm nationaler Entrüstung in der Presse, der sogar die konservativen Blätter einschloß. Gerade die Deckung des Kaisers durch die formell für die Führung der Politik Verantwortlichen steigerte die Erregung und lenkte die Kritik auf die Person des Kaisers, der in den zwanzig Jahren seiner Regierung genug Beispiele solcher bedenklichen Äußerungen in der Öffentlichkeit gegeben hatte; nur daß dieses Mal das Maß überlief und deshalb sogar Forderungen nach institutionellen Schranken gegen solche Übergriffe des Monarchen laut wurden. Jedenfalls erkannte Bülow, daß er in der bevorstehenden Reichstagsdebatte über dieses Ereignis, das zu einer Staatskrise zu werden drohte, die apologetische Position gegenüber dem „Fehltritt" Wilhelms II. nicht aufrechterhalten konnte, daß er vielmehr – unter dem Druck der Öffentlichkeit – dem Kaiser im Reichstag in irgendeiner Form einen Tadel aussprechen müsse, wobei er, wenn er den rechten Ton traf, hoffen konnte, selbst im Amt zu bleiben.

Am 9. November, einen Tag vor Beginn der Reichstagsdebatte, erreichte die Berliner Presse die Nachricht von dem Interview, das der Kaiser dem amerikanischen Journalisten William Bayard Hale gegeben hatte, zugleich mit ersten Hinweisen auf den Inhalt. Der Geheimrat Holstein, auch nach seiner Entlassung 1906 noch immer ein Berater Bülows, war erschreckt und fürchtete für die Zukunft der Monarchie. Noch am gleichen Tag schrieb er an Maximilian Harden:

„[...] wenn das Interview enthält, was die „Berliner Zeitung" behauptet. Das würde der Gipfel der Dummheit und Verantwortungslosigkeit sein. Dieses Mal sprach er [der Kaiser] gegen England und um das Maß voll zu machen auch gegen den Vatikan." [...] „Insbesondere die monarchisch gesinnten Wähler müssen mit Erschrecken sehen, wie die Monarchie in heftigen Krämpfen bis auf die Fundamente erschüttert wird."

Beide Männer, Holstein wie Harden, hatten, wenn auch in völliger Verkennung der Psychologie des Kaisers wie auch der realen Machtverhältnisse an der Spitze des Reichs, Bülow zu einem energischen Auftreten gegen den Kaiser geraten, vor wie besonders nach der Reichstagsdebatte. In dieser Debatte hat nur ein Redner, der Fortschrittsparteiler Hausmann, Bezug genommen auf das am Tage vorher bekannt gewordene Hale-Interview und auf die aufsehenerregende Tatsache, daß die deutsche Regierung sein Erscheinen im letzten Moment durch ein finanzielles Opfer zu verhindern wußte. Diese Mitteilung blieb aber ohne Einfluß auf die Debatte. Den Kaiser, der nicht in Berlin war, erreichte diese Nachricht offenbar nicht.

In den Reichstagssitzungen vom 10. und 11. November 1908, in denen Interpellationen zum Daily-Telegraph-Interview zu behandeln waren, äußerten die Sprecher sämtlicher Parteien einschließlich der Konservativen ihre Bestürzung über diesen Vorgang und seine schädlichen Folgen für die internationale Stellung des Reichs. Wenn auch in unterschiedlicher Tonstärke wünschten oder forderten sie für die Zukunft eine Beschränkung der Eingriffe des Kaisers in die Tagespolitik durch Reden oder Telegramme. Bülow nahm in einer relativ kurzen Rede am ersten Tag für sich und das Auswärtige Amt die formelle Verantwortung auf sich, deutete aber doch die Schuld des Kaisers in der Sache, also den Inhalten des Interviews, so weit an, daß er damit einerseits dem Unwillen in der öffentlichen Meinung über dessen Verhalten Genüge tat, andererseits es erscheinen konnte, als habe er den Monarchen nicht ausreichend verteidigt. So jedenfalls empfand es dieser selbst. Entscheidend aber, und für die Mentalität der deutsche Nation kennzeichnend war es, daß selbst in diesem Moment größter emotionaler Erregung und Entrüstung nur Sozialdemokraten und Fortschrittsparteiler eine Verfassungsreform als Konsequenz aus dem Geschehenen verlangten. Alle anderen Parteien aber begnügten sich mit einer verbalen Willenskundgebung und wollten in der Kanzlerrede eine Versicherung für das Wohlverhalten des Monarchen in der Zukunft erkennen. Zu viele gesellschaftliche und materielle Interessen hingen am monarchischen System. So blieb im Deutschen Reich der anachronistische Verfassungszustand erhalten, daß über einem Volk von 63 Millionen Bürgern ein einziger Mensch in freier Willkür die Richtung der Politik bestimmte und über Berufung und Abberufung des einzig verantwortlichen (ihm verantwortlichen) Regierungsbeamten, den Reichskanzler, entschied.

Allgemein wurde es als befremdend und als dem Ernst der politische Situation nicht angemessen empfunden, daß der Kaiser in diesen Tagen nicht in Berlin weilte; dies wurde auch ausgesprochen. Wilhelm II. war am 3. November zu einem Besuch bei Franz Ferdinand nach Eckartsau gefahren, hatte dort, wie er mit Stolz Bülow mitteilte, in drei Tagen 65 Hirsche geschossen (fünfundsechzig!), und war dann zu einem Jagdbesuch beim Fürsten Max Egon von Fürstenberg nach Donaueschingen weitergefahren (dieser hatte Philipp Eulenburg nach dessen Sturz durch seinen Prozeß als intimsten Freund des Kaisers abgelöst). Der Fürst versuchte mit großem gesellschaftlichen Aufwand seinen kaiserlichen Gast von den unerfreulichen Vorgängen in Berlin abzulenken. Beim Abschiedsdinner am 14. November im Schloß zu Donaueschingen geschah jenes makabre Unglück, daß der als Primadonna mit Pfauenfeder und Fächer gekleidete Chef des Militär-Kabinetts, der 54jährige General von Hülsen-Häseler, nach einem Tanz vor dem Kaiser einen Herzschlag erlitt. Die durch die zweitätige Reichstagsdebatte erneut gestiegene Unruhe in Reich, zuletzt noch durch diese höfischen Ereignisse angeheizt, zwangen Bülow, für die Rückkehr des Kaisers, dem er nach Brauch und Verfassung Vortrag über die innere Situation halten mußte, irgendeine Form einer Verlautbarung an die Nation zu finden, die als Versicherung jener künftigen Verhaltensänderung des Monarchen, die der Kanzler im Reichstag angedeutet hatte, gelten konnte.

In der mehrstündigen Audienz, die Bülow am 17. November beim Kaiser hatte, gelang es ihm, den Kaiser zur Unterschrift unter ein vom Kanzler vorbereitetes Papier zu bewegen, das, wenn auch taktvoll verklausuliert, eine gewisse Zusage durch Wilhelm II. enthielt, daß er die Stabilität des Reiches bewahren wolle, unbeschadet der Verantwortlichkeit, die die Verfassung ihm auferlegte. Es wurde am gleichen Abend im „Reichsanzeiger“ veröffentlicht.

Die beiden sich ergänzenden Ereignisse, die Reichstagsrede Bülows, in der der Kaiser sich nicht ausreichend verteidigt glaubte, und die Verlautbarung im „Reichsanzeiger“, die der Kaiser als eine Demütigung empfand, führten den inneren Bruch zwischen den beiden „Freunden“ Kaiser und Kanzler herbei. Diese Mißstimmung wurde in den nächsten Wochen und Monaten noch durch die Umgebung des Kaisers, vor allem auch durch Max Egon Fürstenberg, geschürt. Die Tage Bülows als Kanzler waren gezählt; nur die schwelende Bosnische Krise und die durch die Kosten des Flottenbaus notwendig gewordene Reichsfinanzreform, die noch durch den Reichstag zu bringen war, veranlaßten den Kaiser, Bülow noch einige Zeit zu dulden. Nach außen hin schien alles wieder normal, wenn auch in kühler Atmosphäre, wie die Umgebung des Kaisers sehr wohl wahrnahm. Auch der Kaiser schien nach den Tagen der Aufregung wieder entspannter zu sein.

Da geschah das Entsetzliche, daß am 20. und 21. November das Hale-Interview wieder auftauchte. Als Berliner Zeitungen den von amerikanischen Blättern als authentisch bezeichneten, wenn auch nur in Stichworten wiedergegebenen Text des originalen Interviews gedruckt hatten, konnte dies auch vor dem Kaiser nicht verheimlicht werden. Der Inhalt, das war sofort zu erkennen, widersprach dem Daily-Telegraph-Interview diametral, vor allem durch die gegen England und das Britische Weltreich gerichteten Äußerungen. Die Parteien hatten (mit einer Ausnahme) in der Reichstagsdebatte mit Rücksicht auf den Kaiser auf eine Bezugnahme auf das eben damals erst bekannt gewordene zweite Interview verzichtet. Jetzt aber mußte der Kaiser vor der deutschen und der Weltöffentlichkeit nicht nur als leichtfertig und unverantwortlich, sondern als doppelzüngig und in sich widersprüchlich erscheinen; und noch wußte niemand, ob die gänzliche Unterdrückung gelungen war, oder ob dieses noch brisantere Interview doch noch – gekürzt oder ungekürzt, wie auch immer – in die Öffentlichkeit gelangen würde. Das war zu viel für die schon überreizten Nerven des Kaisers. Er legte sich – für 10 Tage, wie sich dann ergab – ins Bett, ließ den Kronprinzen zur Stellvertretung kommen und dachte an Abdankung zu dessen Gunsten. Das wurde von der Kaiserin durch Einwirkung auf ihren Sohn verhindert, wohl auch von Bülow, der auch vom Kaiser gerufen wurde. Alle, die ihn in diesen Tagen sahen, hatten vom Kaiser den Eindruck eines um Jahre gealterten Mannes, der nur noch halblaut sprach, er, der 20 Jahre lang so laut und selbstsicher sich der Welt und seinem Volk gezeigt hatte. Es war, als würde er, der, umgeben von

Schmeichlern, in einer Scheinwelt gelebt hatte, durch die kritischen Äußerungen der Presse und der Sprecher der Parteien im Reichstag erstmals der Realität konfrontiert worden sein, die ihn niederwarf.

Es ist ein historisches Problem, ob der Kaiser von da an sich in seinem Regierungsstil geändert habe. Äußerlich für einige Zeit vielleicht. Doch zeigt sein Umgang mit dem Nachfolger Bülows, dem ihn oft mit seinem Ernst langweilenden Bethmann Hollweg, daß dies nicht der Fall war. Der Kaiser beanspruchte nach wie vor die ihm von der Verfassung her zustehende letzte Entscheidung in der Politik. Wohl aber könnte die Erfahrung mit seinem „Freunde" Bülow (auch wenn er ihn gewiß zu Unrecht als „Verräter" und „Luder" ansah) dazu geführt haben, daß der Kaiser von nun an die alte Geringschätzung des Gardekasinos für die „Zivilisten", hier also den „Zivilkanzler", wieder aufnahm und sich in die Arme der Militärs warf, in deren Umgebung er aufgewachsen war. Zu dieser Schlußfolgerung kommt A. R. Carlson in seiner Analyse der Folgen der Novemberkrise von 1908. Wenn das so war, und der Kaiser damit mehr und mehr unter den direkten Einfluß der „Militärpartei" geriet, die sich seit 1905, spätestens aber – nach der Beobachtung ausländischer Diplomaten und Militärattachès – seit 1909 bildete, so ergab das freilich ein Dilemma, und zwar bereits in der großen Krise um die Annexion Bosniens, die im März 1909 einen Zweifrontenkrieg Deutschlands und Österreich-Ungarns mit Rußland und Frankreich unmittelbar bevorstehend erscheinen ließ. Die gleichen Militärs, zu denen der Kaiser sich nun gleichsam flüchtete, betrachteten ihn – wie der Nervenzusammenbruch im November/Dezember 1908 zeigte, nicht zu Unrecht – als nervenschwach, entscheidungsscheu, unzuverlässig, groß in Worten, zögernd in Taten. Eben damals stellte der neue Chef des Militärkabinetts, von Lyncker,[13] angesichts der Kriegsgefahr fest, daß Moltke nicht die Franzosen und die Russen fürchte, wohl aber die schwachen Nerven des Kaisers. Man dachte schon an die Nachfolge des Kronprinzen, den die „Kriegspartei" als ihren zukünftigen Mann aufbaute.

Da zwar die Reichstagsparteien und die Berliner „Intellektuellen" in der Daily-Telegraph- und der Hale-Interview-Krise den Kaiser getadelt hatten, die Bevölkerung im Lande und, wie sich bereits im Dezember 1908 und Januar 1909 zeigte, auch breite mittelständische Schichten in Berlin – bei aller momentanen Entrüstung – doch in der traditionellen monarchischen Gesinnung verharrten und in Kundgebungen auf der Straße ihre Ergebenheit gegenüber dem Kaiser bekundeten, war die Versuchung groß bei den Generalen und bei den Konservativen und den Alldeutschen, durch einen (siegreichen) Krieg das lädierte Ansehen der Monarchie in den Augen des Volkes und der Welt wiederherzustellen und damit auch die eben in der Krise laut gewordenen Forderungen der Sozialdemokratie und der Linksliberalen nach einer Demokratisierung Preußens und einer Parlamentarisierung der Regierung des Reichs für lange Zeit zu unterbinden.[14] Die Frage war nur: war ein solcher Kurs mit diesem Kaiser durchzuhalten? Generale wie Reichskanzler mußten mit diesem Unsicherheitsfaktor rechnen, um ihn am Ende zu überspielen. Das letzte Wort, vor allem die Entscheidung über Krieg und Frieden, hatte der Kaiser. Man mußte ihn nur gegebenenfalls dahin führen. Das Hale-Interview erscheint als ein Höhepunkt des kaiserlichen Autokratismus, zugleich auch als ein Höhepunkt der sog. ‚Weltpolitik', die mit Beginn des Jahres 1909 jäh umschlug in die härtere Luft des Kampfes um die Hegemonie in Europa.

Theobald von Bethmann Hollweg

Der „rätselhafte Kanzler"

Kaum eine Gestalt der neueren deutschen Geschichte ist widersprüchlicher beurteilt worden als der Reichskanzler von Bethmann Hollweg. Vor dem Ersten Weltkrieg hielten Sozialdemokraten und Fortschrittler ihn für einen Reaktionär, während er für die Konservativen als ihr gefährlichster Gegner galt, der die Vormachtstellung des Reichs wie die gesellschaftlichen Grundlagen Preußen-Deutschlands bedrohte. Die einen sahen in ihm einen „schweren Pflüger" und zuverlässigen Charakter, die anderen eine Hamletnatur und „Kleber" an der Macht. Im Ersten Weltkrieg setzte die Linke gewisse Reformhoffnungen auf ihn, aber die Rechte – Alldeutsche, Konservative, Nationalliberale – blieb mißtrauisch gegen den vermeintlichen „Flaumacher", der mit einem „faulen Frieden" das Volk um seinen Siegespreis betrüge, und griff ihn als den „Totengräber des Reichs" hemmungslos an.

Dieser Ton beherrschte die nationale Presse und die Historiographie der Nachkriegszeit und dauerte fort bis 1945 und zum Teil darüber hinaus. Bereits im Todesjahr des Kanzlers 1921 beurteilte Fritz Hartung ihn, den er an Bismarck maß, als Versager, der das Reich ins Unglück geführt habe; er, nicht Bülow, sei schuld an der Isolierung Deutschlands im Vorkrieg wie am Zusammenbruch des Reiches im Krieg. 1922 machte Conrad Bornhak gleicherweise Bethmann Hollweg, „den philosophischen Pessimisten ohne nationalen Schwung", verantwortlich für den Verlust des Weltkriegs „durch Niederbruch der Heimatfront und Herbeiführung der Revolution durch Befriedigung aller Parteiansprüche". Bornhak wurde überboten durch Hans Herzfeld, der 1923 in einem Buch über die deutsche Rüstungspolitik vor dem Ersten Weltkrieg den unglücklichen Ausgang des Krieges darauf zurückführte, daß dieser Kanzler „aus falscher Angst vor dem Parlament" die Wehrvorlagen der Jahre 1912 und 1913 so beschnitten habe, daß der Krieg bereits verloren gewesen sei, als er 1914 begann. Stimmen, die Bethmann Hollweg im Sinne einer ‚Realpolitik' verstehen wollten, kamen gegen die Kritiker und Ankläger nicht auf, die allein in den Schwächen und Fehlern dieses einen Mannes und nicht im politisch-gesellschaftlichen System die Ursache für Krieg und Niederlage sehen wollten.

Nach der erneuten Niederlage des Deutschen Reichs im Zweiten Weltkrieg machte nun aber das Bild dieses Reichskanzlers einen erstaunlichen Wandel durch: er avancierte zum „Star der westdeutschen Historiographie" (so der DDR-Historiker Willibald Gutsche). War bisher Bethmann Hollweg der Verderber des Reichs und Ludendorff der nationale Heros gewesen, so wurde nunmehr Ludendorff als „Militarist" die Inkarnation alles Bösen und Bethmann Hollweg der Repräsentant der Staatsräson im Sinne von Maß und Frieden, Vorkämpfer für Demokratie und Volksstaat, der nur seinen Widersachern in der dritten OHL tragisch unterlag: so in Gerhard Ritters *Staatskunst und Kriegshandwerk*, Band III, 1964, *Bethmann Hollweg als Kriegskanzler 1914/18. Die Tragödie der Staatskunst.* Dieser Band war eine Antwort auf das 1961 erschienene Buch des Verfassers dieses Aufsatzes, *Griff nach der Weltmacht. Die Kriegszielpolitik des kaiserlichen Deutschland 1914/18.*

„Weil aber Fischer", so Klaus Hildebrand, „wirtschaftliche Einflüsse und ihre Träger, Interessenpolitik und ihre Vertreter, Parteien und ihre Führer, Institutionen und Verbände, Militärs und Bürokratie zu einem Bilde" zusammengefügt, die alle eine „Erweiterung der Macht Deutschlands" erstrebten, so zeichnet er Bethmann Hollweg als Mann, „der aus Systemzwang diese Politik zu vollstrecken hat; dabei erscheint er jedoch nicht als Eroberungspolitiker, denn er wehrt sich stets gegen die direktannexionistische Linie alldeutscher Extremisten und tendierte zur ‚modernen' Variante einer „indirekt-wirtschaftlich durchgeführten Hegemonie". In die gleiche Richtung gehend, erklärte Karl Dietrich Erdmann 1974 in der Einleitung zu den von ihm herausgegebenen Tagebüchern von Kurt Riezler, dem Adlatus des Kanzlers, dessen Konzeption zu 1914 wie folgt: Bethmann Hollweg wollte, daß „in dem Maße, wie es die Kriegslage erlaubte, über den status quo hinaus im Osten und Westen für das Reich in vertretbarem Maße (zu fragen wäre: vor wem vertretbar? dem übrigen Europa?) ein politisch-militärisch-wirtschaftliches Vorfeld zu gewinnen sei, um für die Zukunft ein für allemal den Koalitionsdruck zu beseitigen und die kontinentale Basis für Deutschland als Weltmacht zu sichern." Andernorts stellte Erdmann Bethmann Hollweg als einen Politiker vor, „der Macht verwaltet, ohne der Macht verfallen zu sein", ein Diktum, das Gutsche in seiner Biographie des Kanzlers 1976 provokativ abwandelte in: der Mann, der „den Mächten verfallen war, deren Macht er verwaltete". Eberhard von Vietsch spricht in seiner Biographie von dem „Rätsel Bethmann Hollweg"; die Biographie des amerikanischen Historikers Konrad H. Jarausch ist überschrieben *Der rätselhafte Kanzler,* den er im Ringen sieht mit der „Hybris des Wilhelminischen Deutschland".

Wer aber war nun dieser Mann Bethmann Hollweg, was wollte, was erreichte er?

Herkunft – Gedankenwelt – Aufstieg

Theobald von Bethmann Hollweg wurde geboren am 29. November 1856 in Hohenfinow, nordwestlich von Berlin, in der Mark Brandenburg, dem Herzland Preußens, wo sein Vater Felix ein Jahr zuvor das umfangreiche gleichnamige Rittergut erworben hatte. Obwohl der Familie nach kein Ostelbier, teilte der Vater doch deren konservative Anschauungen. Er war ein tüchtiger Landwirt, wurde Landrat seines Kreises und Mitglied der Freikonservativen Partei. Eine aktive herrische Natur, erzog er seine Kinder mit äußerster Strenge, die jedoch gemildert wurde durch die in Paris geborene, aus einer Offiziersfamilie der französischen Schweiz stammende Mutter Isabelle de Rougemont. Theobald, der hochbegabte zweitälteste Sohn, verbrachte fünf recht freudlose Jahre auf dem berühmten Internatsgymnasium Schulpforta, das er 1875 als Primus Omnium verließ, um dann in Straßburg, Leipzig und Berlin Jura zu studieren. Er schloß sich keinem Corps an, sondern war ein Einzelgänger mit intensiven wissenschaftlichen und philosophischen Interessen.

In diesen Jahren wurde er stärker als vom Elternhaus geprägt durch die Persönlichkeit und Gedankenwelt seines Großvaters Moritz August von Bethmann Hollweg (1795–1877), der als bedeutender Rechtshistoriker aus der Schule Savignys, Professor in Berlin und Bonn, 1840 von Friedrich Wilhelm IV. geadelt worden war. (Er war der einzige Sohn eines Juristen Hollweg, der 1780 in das Frankfurter Bankhaus Bethmann eingetreten war und nach Heirat mit einer Tochter des Hauses den Doppelnamen Bethmann Hollweg angenommen hatte. Die Verbindung zur Bankwelt riß mit Hollwegs Tod ab). Moritz August war als Gegner der Revolution ein Konservativer, doch kein Reaktionär, sondern strebte eine mittlere Linie zwischen Absolutismus und Demokratie an, die er in der konstitutionellen Monarchie verkörpert sah, bei tiefer Abneigung gegen jede Volksherrschaft. Als Gründer und Führer der Partei des Preußischen Wochenblatts, die während des Krimkriegs prowestlich orientiert war, widersetzte er sich nach 1850 der Wiederherstellung altfeudaler Zustände, weil ihm staatliches Leben „ohne Wandlung und Fortentwicklung" nicht denkbar erschien, wobei der monarchische Staat diese Entwicklung im Rahmen „gesetzmäßiger Freiheit" zu steuern habe; eine Konzeption, die er auch als Minister in der „Neuen Ära" nach 1858 vertrat, was aber an Bismarck scheiterte. Diese Ideenwelt beeinflußte den Enkel und bereitete dessen spätere Politik einer „Diagonale" vor. Eine neue Komponente kam in das Denken des späteren Kanzlers durch das Studium von Darwin. Von ihm übernahm er die Vorstellung von der Zwangsläufigkeit historischer Prozesse, das Überlebensrecht des Stärkeren, die Auslese einer Elite, den Krieg als naturnotwendige Auseinandersetzung zwischen den Völkern – Gedanken, die ihn lebenslang begleiteten.

Aus eigenem Entschluß wechselte er von der Gerichts- zur Verwaltungslaufbahn, weil er hier die Möglichkeit einer späteren „staatsmännischen Tätigkeit" sah, wo er seine Überzeugungen selbständig in Politik umsetzen zu können hoffte. Als „ungewöhnlich befähigter" Beamter wurde er Nachfolger seines Vaters als Landrat des Kreises Oberbarnin (1886–1896), in noch ganz agrarisch geprägter Umwelt; danach rasch Oberpräsidialrat, Regierungspräsident, Oberpräsident der Mark Brandenburg (1899–1905) in Potsdam, dem Hofe nahe. Hier begegnete er bei der Bildung Groß-Berlins erstmals direkt den Problemen der Industriearbeiterschaft und des Vordringens der Sozialdemokratie, und er erkannte, daß diese Fragen mit Gewalt allein nicht gelöst werden könnten.

Seine während der Landratszeit 1889 geschlossene Ehe mit Martha von Pfuel-Wilkendorf verband ihn enger mit dem alten Adel. Doch als er 1900 nach dem Tode seines Vaters (sein älterer Bruder war nach Amerika ausgewandert) Hohenfinow erbte, konnte er an diesem stattlichen Besitz, der ihm eine grandseigneurale Unabhängigkeit garantierte, keine rechte Freude empfinden. Er ging in der Arbeit für die Staatsverwaltung auf, wo er sich den Ruf eines Mannes von hohem fachlichen Können und Rechtsgefühl erworben hatte.

Unter dem Eindruck des großen Ruhrbergarbeiterstreiks Januar 1905 und der russischen Revolution gelang es Bülow – sehr zum Mißfallen der Konservativen –, Wilhelm II. zur Ernennung Bethmann Hollwegs zum neuen Innenminister Preußens zu bewegen; von ihm als einem gemäßigten Konservativen wurde erwartet, daß er statt mit Gewaltanwendung durch eine flexiblere Politik die Arbeiterschaft an den Staat binden werde. (Immerhin hat der Kaiser, von Revolutionsfurcht gepeinigt, noch Ende dieses Jahres Bülow empfohlen: „Erst die Sozialisten abschießen, köpfen, unschädlich machen, wenn möglich per Blutbad ...") Bethmann Hollweg befürwortete im April 1905 die Ausgestaltung der Volkswohlfahrtspflege und eine Förderung der „unteren Volksklassen, auch in ihren kulturellen Bedürfnissen." Im Frühjahr 1906 wagte er eine, wenn auch sehr begrenzte, technische Details bessernde Reform des Preußischen Dreiklassenwahlrechts vorzuschlagen. In einer Grundsatzrede (23. 3. 06) erteilte er gleichzeitig jeder „demokratischen

Gleichmacherei" eine Absage und erklärte das Reichstagswahlrecht für Preußen als „unannehmbar", schrieb aber der Industrie und Technik, Physik und Chemie und dem „gewaltigen Aufstreben unserer Arbeiterschaft" ein Potential der Bildung neuer Eliten zu – so verstand er Darwin. Zwar war er überzeugt, daß das preußische Wahlrecht „auf die Dauer unhaltbar" sei, weil die dadurch zementierte Herrschaft der Agrarkonservativen jede Fortentwicklung blockierte, aber er wußte doch, daß zur Zeit irgendeine substantielle Änderung dieses Wahlrechts gegen den König, das Staatsministerium und die Majorität des Landtags nicht durchzusetzen sein würde.

Auch als er im Juni 1907 als Nachfolger des Grafen Posadowsky Staatssekretär des Innern im Reich und zugleich Vizepräsident des Preußischen Staatsministeriums wurde – damit war er der zweite Mann im Reich und im Preußischen Staat, verantwortlich für innenpolitische, soziale und wirtschaftliche Fragen –, versuchte er wie schon sein Vorgänger durch Teilreformen die Arbeiterschaft vom sozialdemokratischen Gedankengut zu lösen, z.B. durch das Reichsvereinsgesetz, das u.a. das Koalitionsverbot für Landarbeiter aufhob und es den Frauen erlaubte, Mitglieder politischer Vereine zu werden. Er tat alles, um eine „Verbürgerlichung" der Sozialdemokratie nicht zu stören und den ‚Revisionismus' zu stärken. Gegen das Wiederstreben des Preußischen Innenministers und des König-Kaisers ließ er im Oktober 1908 in die Thronrede zur Eröffnung des neuen Landtags die Ankündigung einer Wahlreform aufnehmen. Mehr als diese Geste war nach Lage der innenpolitischen Machtverhältnisse nicht möglich.

Reichskanzler – Innen- und Außenpolitik 1909–1912

Als Bülow nach dem Scheitern der Reichsfinanzreform Ende Juni 1909 zurücktrat, schlug er Bethmann Hollweg als geeigneten Nachfolger vor – als Reichskanzler, Preußischen Ministerpräsidenten und Preußischen Minister der Auswärtigen Angelegenheiten –, weil die Hauptschwierigkeiten in der inneren Politik lägen. An die Stelle des Bülow-Blocks trat jetzt der schwarzblaue als Stütze der Regierung. Konflikte mit den Liberalen und den Linken waren zu erwarten. Bülow mußte aber erst das Widerstreben des Kaisers überwinden, der Bethmann Hollweg als zu ernst und schulmeisterlich befand, vielleicht aber auch als zu „fortschrittlich". Wenn der Kaiser ihn schließlich akzeptierte, so gewiß auch deshalb, weil Wilhelm II., wie schon einmal beim Abgang Bismarcks, die Außenpolitik selbst führen zu können glaubte. Bethmann Hollweg, jetzt 52jährig, nahm das Amt nicht ohne Zögern an, jedoch in der Überzeugung, daß nur er bestimmte, für den Staat als notwendig betrachtete Ziele erreichen könne: war er doch beauftragt, die Sozialdemokraten „bei der Stange" und England neutral zu halten. Die Presse hatte ihn als englandfreundlich herausgestellt.

War dieser Bethmann Hollweg für die Stellung des Reichskanzlers in den sich abzeichnenden innen- und außenpolitischen Konflikten geschaffen? Ein Mann der inneren Verwaltung von sehr hohen Qualitäten, gewiß; aber war „der hohe, hagere, würdige, etwas trockene und steife Grandseigneur mit dem schmalen, schwermütigen, gedanken- und sorgendurchfurchten Gesicht [...] ein politischer Mensch voll leidenschaftlicher Handlungs- und Gestaltungskraft?", so fragte Werner Frauendienst, ihn an Bismarck messend, 1954, und er sah in ihm, wie die Mehrzahl der deutschen Historiker, „ eine wägende, bedenkensvolle, kontemplative Gelehrtennatur [...] einen innerlich einsamen Stoiker, schwer an der Last eines übermächtigen Schicksals tragend", der „letztlich doch ein handlungsscheuer, zaudernder Pessimist, ohne Ausstrahlungsvermögen" gewesen sei. Stimmt dieses Bild? Gewiß war Bethmann Hollweg eine schwerblütige Natur, alles Für und Wider umsichtig abwägend, aller Effekthascherei und allem dramatischen, besonders im Ausland Mißtrauen weckendem Getöse abgeneigt (der Flottenbau sollte „in arbeitsamer Stille" fortgehen). Aber er verfolgte seine langfristigen inneren und äußeren Ziele mit zäher Energie, oft auch mit verschlagener, schwer durchschaubarer Taktik. Auch an persönlich zu verantwortenden Entscheidungen von größter Tragweite hat er, wenn er nach langem Abwarten und reiflicher Überlegung über Zeitpunkt und Ziel einen Entschluß gefaßt hatte, mit Beharrlichkeit festgehalten und war dabei immer flexibel genug, um in wechselnden inneren und äußeren Konstellationen nur das zu erstreben, was ihm erreichbar schien. Er hatte einen weiten Blick und war frei von den Vorurteilen der Kaste, der er zugehörte, er war kein „Junker". Er besaß lange das Vertrauen des Kaisers, die einzige feste Stütze, die er hatte, die er nach der Verfassung haben mußte, womit ihm freilich auch sehr bestimmte Grenzen gesetzt waren. Gerade der vertrauenerweckende Ernst seiner Person und sein Auftreten als glänzender Redner waren politische Faktoren von großem Gewicht.

In der inneren Politik veranlaßten die großen Massendemonstrationen im Januar 1910 zugunsten eines neuen Wahlrechts in Preußen Bethmann Hollweg, im Preußischen Abgeordnetenhaus einen neuen Wahlrechtsentwurf einzubringen, der eine direkte Wahl und eine bessere Wahlkreiseinteilung vorsah, darüber aber nicht hinausging. Gegenüber den enttäuschten Sozialdemokraten verteidigte er das staatliche Gefüge Preußens, das sich nicht „in das Fahrwasser des Parlamentarismus" verschleppen lasse, solange die Macht seines Königtums ungebrochen sei. Daraus sprach die Lehre des „Historismus", wie sie Historiker und Juristen an deutschen Universitäten vertraten, wonach eine Reform nur in Anlehnung an das historisch Gewordene möglich sei. Zugleich aber konnte er gegenüber dem Monarchen und den starken preußischen Konservativen, die im Dreiklassenwahlrecht die Grundlage ihrer sozialen und politischen Existenz verteidigen, nicht weitergehen (zumal ihm selbst die Grundaristokratie politisch noch unentbehrlich zu sein schien). So versickerte sein Wahlrechtsentwurf zwischen den Widerständen von rechts und links.

Anfang April 1911 aber gelang Bethmann Hollweg gegen den Widerstand der Konservativen und der Militärs eine Reform der staatsrechtlichen Stellung Elsaß-Lothringens. Sie brachte dem „Reichsland" ein Zweikammersystem und der zweiten Kammer das allgemeine gleiche Wahlrecht. Um den Kaiser zu gewinnen, mußte der Kanzler freilich öffentlich versichern, daß ein freieres Wahlrecht für Elsaß-Lothringen keineswegs für

Preußen verbindlich sei. Diese Reform machte den bis dahin als Pfaffen- und Junkerknecht Verleumdeten plötzlich populär. Die außenpolitischen Verwicklungen des Jahres 1911 ließen die innenpolitischen Reformanläufe jedoch für längere Zeit stokken.

In der Außenpolitik erbte Bethmann Hollweg die „Konstellation", die die Politik seines Vorgängers Bülow ihm hinterließ: die „Einkreisung" Deutschlands, die zu sprengen er als seine Lebensaufgabe ansah, und zwar durch die Herauslösung Englands aus der Triple-Entente, was ihm aber bis 1914 nicht gelang. Zu dem aus der Tirpitzschen Flottenbaupolitik entstandenen deutsch-englischen Gegensatz war noch unter Bülow ein deutsch-russischer hinzugekommen: das ultimative Eintreten Berlins für Wien in der bosnischen Krise im März 1909. Bethmann Hollweg hat diese bedingungslose Unterstützung des Bundesgenossen akzeptiert.

Im Blick auf die Situation des damals drohenden Zweifrontenkriegs mit Rußland und Frankreich konzipierte der neue Kanzler das außenpolitische Programm, das er bis zum Kriegsausbruch 1914 verfolgte: Deutschland solle versuchen, ein politisches ‚agreement' mit England, möglichst in der Form eines Neutralitätsvertrages, zu erreichen, um das Inselreich aus einem kontinentalen Krieg herauszuhalten. Das Mittel dazu sollte ein Flottenabkommen sein; dies wurde allerdings vom Kaiser und von Tirpitz verhindert. Noch unerfahren in der Außenpolitik, trug Bethmann Hollweg dem englischen Botschafter übereilt den Wunsch nach einem förmlichen Neutralitätsabkommen vor und übergab ihm sogar einen schriftlichen Entwurf dazu. Die Gegenseitigkeit der Leistungen war darin jedoch so ungleichgewichtig (deutsche Neutralität, falls Rußland Japan, den Verbündeten Englands, angriffe!), daß London entrüstet ablehnte. Der deutsche Kanzler mutete England den Verzicht auf die Triple-Entente zu und damit auf sein System der ‚balance of power' in Europa.

Rückschauend schrieb Bethmann Hollweg 1915 an Bülow, man habe vor dem Kriege „eine Politik des äußersten Risikos" betrieben. Das begann mit der zweiten Marokkokrise, der sogenannten Agadirkrise des Jahres 1911. Dieser „Gewaltstreich der deutschen Politik“ wurde in Szene gesetzt durch den neuen Staatssekretär des Äußeren, von Kiderlen-Wächter, der der Öffentlichkeit als neuer Bismarck galt und hinter dem Finanz- und Industriekreise standen. Es ging um „Mittelafrika“. In dieser Krise ging Kiderlen bis an den Rand des Krieges. Der Kaiser aber wich zurück, als Großbritannien öffentlich hinter Frankreich trat, und auch der Kanzler zeigte Kompromißbereitschaft. Das trug Bethmann Hollweg den Tadel Kiderlens (dieser nannte ihn fortan den „Regenwurm“), die Erbitterung der Militärs und der Rechtsparteien sowie die erregte Kritik großer Teile der deutschen Öffentlichkeit ein.

Die Kriegsgefahr des Jahres 1911 führte zum Versuch eines deutsch-englischen Ausgleichs in der „Haldanemission“ (8.–10. 2. 1912). Der Kanzler vermochte dabei aber weder eine neue Flottennovelle zu verhindern, noch den Kaiser und Tirpitz zu einem für England annehmbaren Flottenabkommen zu bringen. Und er konnte auch nicht seine Lieblingsidee einer bindenden Neutralitätszusage Englands für den Fall der „Verwicklung“ Deutschlands in einem Krieg mit Frankreich und Rußland in einen Vertrag umsetzen. Er bot daraufhin seinen Rücktritt an und beharrte doch nicht darauf.

Wenn Bethmann Hollweg sich gegen sein politisches Urteil der Marine unterwerfen mußte, da nach der Struktur des monarchischen Militärstaats dem „Zivilkanzler“ keine Entscheidungsbefugnis in militärischen Fragen zustand, warum blieb er dann? Sah er in seiner Person allein noch die Möglichkeit eines Ausgleichs mit England garantiert? Oder den inneren Frieden, da im Monat vorher in den Reichstagswahlen die Sozialdemokratie zur stärksten Fraktion geworden war und nur ein Herüberziehen zum Staat, aber keine gewaltsame Niederwerfung der Arbeiterbewegung mehr möglich schien?

Gegenüber England schaltete der Kanzler nun auf geduldige, über zwei Jahre sich hinziehende Verhandlungen um: über einen Handelsvertrag, über die Bagdadbahn, über eine Teilung der portugiesischen Kolonien oder des belgischen Kongo. Auf diese Weise hoffte er einerseits eine Annäherung Englands an das Reich und eine, wenn nicht vertraglich festgelegte, so doch jedenfalls praktizierte Neutralität Großbritanniens im Falle eines kontinentalen Krieges zu erreichen; andererseits wollte er der ungeduldig werdenden deutschen Öffentlichkeit koloniale Gewinne vorweisen, die auch er selbst für erstrebenswert hielt.

Auf dem Weg zum Krieg

In den Sommer 1912 fällt so etwas wie ein Urerlebnis Bethmann Hollwegs, das ihn nicht mehr losließ. Auf einer Reise im Juli durch Rußland war er so tief beeindruckt von den unerschöpflichen Ressourcen des Riesenreichs und seiner derben unverbrauchten Menschenkraft, daß er überzeugt war, dieses Land würde sich – obwohl zur Zeit noch friedlich – in der Zukunft zu einer gewaltigen Industrie- und Militärmacht entwickeln und damit eine große Gefahr für Deutschland sein. Wenige Monate später brachte der Zusammenbruch der von deutschen Offizieren ausgebildeten türkischen Armee (Oktober 1912) unter dem Ansturm der vier Staaten des Balkanbundes, dessen Protektor Rußland war, eine Erschütterung des deutschen Selbstbewußtseins und dem Reich eine reale Machteinbuße. Als Österreich-Ungarn im Vordringen der Serben zur Adria eine Verletzung seiner „vitalen“ Interessen sah, trat Bethmann Hollweg öffentlich hinter Wien (er sagte im Reichstag: „Dann müssen wir fechten“), löste die Krise aber diplomatisch zugunsten Österreichs im Zusammenspiel mit England. Unter dem von Berlin ausgelösten Druck gab Rußland ein zweites Mal nach (wie im März 1909). Würde es dies noch ein drittes Mal tun, noch weiter erholt vom Krieg und den inneren Unruhen von 1905?

Auch hier gab es ein Nachspiel: den Haßausbruch des Kaisers gegen die Engländer, als er erfuhr, daß Grey (in Antwort auf die Reichstagsrede des Kanzlers vom 2. Dezember) Berlin hatte wissen lassen, England könne im Falle eines deutschen Angriffs auf Frankreich nicht neutral bleiben; London werde es nicht zulassen, daß es hinterher einem von einer einzigen Macht beherrschten Kontinent gegenüberstehe. Auf einem vom Kaiser daraufhin einberufenen „Kriegsrat“ (am 8. Dezember 1912), zu dem der „Zivilkanzler“ nicht eingeladen war, stimmte Moltke für Krieg „je eher, desto besser“, jedenfalls nicht später als 1914/15, Tirpitz aber für eine Verschiebung des Krieges um 1½ Jahre, weil frühestens dann die Vertiefung des Nord-Ostsee-Kanals für Großkampfschiffe fertig sei. Im Unterschied zu dem leicht erregbaren Kaiser beharrte der in Krisen unerschütterliche Bethmann Hollweg jedoch weiterhin auf seiner Politik des geduldigen Heranziehens Englands an das Reich und wehrte im Interesse dieser Politik eine neue vom Kaiser und Tirpitz geforderte Flottennovelle ab, um im Bunde mit Moltke die größte deutsche Heeresvermehrung seit 1871 durchzusetzen. Gerhard Ritter nennt dies die größte staatsmännische Leistung Bethmann Hollwegs. (Die Finanzierung dieser gewaltigen Rüstung konnte er nur mit den Stimmen der SPD erreichen, da die ansonsten so militärfreudigen Konservativen sich gegen direkte Besteuerung wehrten.) Durch die Reaktionen Frankreichs (dreijährige Dienstzeit) und Rußlands (zahlenmäßig enorme, aber erst 1917 abgeschlossene Armeeverstärkung) ergab sich freilich eine relative Stärkung der deutschen Armee nur für eine beschränkte Zeit, etwa 1914/15, wodurch ein gewisser Zwang zum Handeln gesetzt schien. Entsprechend drängte Moltke seit Oktober 1913 erneut zum Krieg.

Mit dem neuen Staatssekretär des Äußern, von Jagow, war ein Mann zum ersten Mitarbeiter des Kanzlers in der Außenpolitik geworden, für den (anders als bei dem Ende 1912 gestorbenen Kiderlen-Wächter) Rußland der Feind Nr. 1 war. Auch Bethmann Hollweg selbst hat in seiner Rede vor dem Reichstag zur Begründung der Heeresvorlage vom Kampf zwischen Slawen und Germanen gesprochen, also das Schlagwort gebraucht – wie es auch Moltke oft tat –, das damals in der Propaganda eine so große Rolle spielte neben dem Hinweis auf den ‚Erbfeind‘ Frankreich, das mit Rußland militärisch-finanziell verbunden war. Im Jahre 1913 hat Bethmann Hollweg die epochale Wendung gegen Rußland vollzogen, das ja unter Bülow noch immer als eine befreundete Macht betrachtet worden war. Im Dezember 1913 hat dann die Entsendung einer neuen deutschen Militärmission unter Liman von Sanders in die Türkei den deutsch-russischen Gegensatz im Kampf um den Einfluß in Konstantinopel zur Siedehitze gebracht, und nur zurückweichend konnte der Kanzler mit der Vermittlung Englands die Krise beilegen. Doch Bethmann Hollweg betrachtete nach dem Zeugnis von Friedrich Naumann und von Theodor Wolff von diesem Zeitpunkt an den großen Krieg für „unvermeidlich". Vor diesem Hintergrund hat der Kanzler in der inneren Krise, die die Nation zur gleichen Zeit erregte, in der Zabernaffäre, gegen seine rechtsstaatliche Überzeugung die Aktion der Militärs im Elsaß und die Stellung des Kaisers dazu im Reichstag verteidigt (was ihm ein Mißtrauensvotum einbrachte), sich also zu Monarchie und Armee bekannt.

Während der Auseinandersetzung zwischen der russischen und der deutschen Presse über die russischen Rüstungen im März 1914 wurde die „russische Gefahr" erneut hochgespielt, und die Forderung nach einem Präventivkrieg kam an die Öffentlichkeit (Graf Monts am 9. März 1914 im *Berliner Tageblatt).*

Neben der strategisch-defensiven gab es aber auch eine offensiv-expansive Komponente in der deutschen Politik und Wirtschaft. Es war die immer wieder ausgesprochene persönliche Überzeugung Bethmann Hollwegs, daß Deutschland (mehr) Kolonien brauche und darüber hinaus Einfluß- und Betätigungsgebiete für seine Wirtschaft, vor allem in der Türkei mit dem Bagdadbahnbau. (Verhandlungen über beide Ziele mit England waren im Ergebnis bis 1914 enttäuschend.) Es handelte sich in der Türkei (und ähnlich auf anderen Schauplätzen) um den Zusammenstoß des deutschen mit dem französisch-englischen Finanzkapital in Verbindung mit der konkurrierenden Rüstungsindustrie der drei Länder, wobei der Kapitalmangel Deutschlands immer spürbarer wurde. Es war die Empörung des Kanzlers über die „arme financière" Frankreichs (eine Anleihe von 500 Mill. Goldfrancs an die Türkei, die verkoppelt war mit der Vergabe hoher Aufträge an die französische Industrie zum Schaden der deutschen), die ihn Mitte Januar 1914 zu dem französischen Botschafter Jules Cambon drohend sagen ließ:

„Deutschland sieht Tag um Tag seine Bevölkerung unermeßlich wachsen; seine Marine, seine Industrie, sein Handel nehmen eine Entwicklung ohnegleichen; es braucht ‚Expansion', es hat einen Anspruch auf einen ‚Platz an der Sonne' [Der Kanzler benutzt hier das Schlagwort, mit dem Bülow 1897 die deutsche Weltpolitik angekündigt hatte, F.F.] [...] Wenn Ihr [Franzosen] ihm das verweigert, was der legitime Anspruch jedes Lebewesens ist, das wächst, so könnt Ihr sein Wachstum doch nicht aufhalten! Aber Ihr werdet es dann nicht nur in Kleinasien, sondern überall zum Gegner haben".

Unverkennbar scheint hier die Gedankenwelt Darwins durch, ebenso der ‚Sozialdarwinismus' aus den Schriften des Kanzler-Adlatus Kurt Riezler, von dem eben im Januar 1914 pseudonym ein Buch erschienen war, das diesen Geist widerspiegelte.

Nachrichten aus einer geheimen, aber zuverlässigen Quelle im Mai und Juni über Verhandlungen zwischen London und Petersburg über eine Marinekonvention ließen schließlich die Umbildung der Triple-Entente zu einer Allianz befürchten. Bethmann Hollweg begegnete dem aktiv, indem er am 16. Juni 1914 in Erwartung von „bevorstehenden Komplikationen auf dem Balkan" (es gab da eine Reihe brisanter Vorgänge) ein gemeinsames Vorgehen Englands und Deutschlands gegen eventuelle Aktionen Rußlands vorschlug.

Ende Mai 1914 bereits stellte Moltke dem Staatssekretär Jagow anheim, „unsere Politik auf die baldige Herbeiführung eines Krieges einzustellen!" Darauf will Jagow geantwortet haben, daß er zwar einen Präventivkrieg nicht herbeiführen, aber, sollte eine geeignete Situation sich bieten, auch nicht „kneifen" wolle. Eine solche Situation trat ein mit dem Mord von Sarajewo am 28. Juni 1914.

In Erwartung des kurzen Krieges Juli-November 1914

Rückschauend hat Bethmann Hollweg im Gespräch mit Conrad Haußmann im Februar 1918 geäußert:

„Ja, Gott, in gewissem Sinne war es ein Präventivkrieg. Aber wenn der Krieg doch über uns hing, wenn er in zwei Jahren noch viel gefährlicher und unentrinnbarer gekommen wäre und wenn die Militärs sagen, jetzt ist es noch möglich, ohne zu unterliegen, in zwei Jahren nicht mehr! Ja, die Militärs!“

Er hatte die Versicherung Moltkes von Anfang Juli: „Ja, wir werden es schaffen!“ (Am 13. März bereits hatte Moltke seinem österreichischen Amtskollegen Conrad geschrieben; er hoffe, „daß bis zum 22. Mobilmachungstag schon die wichtigsten Entscheidungen gefallen sein werden“; und am 12. Mai hatte Moltke Conrad in Karlsbad versichert: „Ich hoffe, in sechs Wochen nach Beginn der Operation mit Frankreich fertig zu sein“ – um dann den größten Teil der deutschen Armee gegen Rußland einsetzen zu können. Die Siegeszuversicht der deutschen Militärs, so sieht es der Schweizer Historiker Adolf Gasser, war ein wesentlicher Faktor für den Entschluß zum Krieg.) Tatsächlich hat sich Bethmann Hollweg, beherrscht von dem Gedanken der „russischen Gefahr“ – noch in seinen Memoiren behauptete er, das Reich hätte diesen Krieg führen müssen; denn ohne ihn wäre Deutschland ein Vasall Rußlands geworden – in der Woche nach Sarajewo von den Militärs überzeugen lassen, daß jetzt die große Machtprobe der beiden Mittelmächte mit Rußland-Frankreich gewagt werden müsse. Viermal war der Kanzler in dieser Woche beim Kaiser in Potsdam, am 3. oder 4. Juli fiel die Entscheidung, die am 5. und 6. Juli zum „Blancoscheck“ für Wien führte, eine militärische Strafaktion gegen Serbien durchzuführen. Der Kaiser war 1905 und 1911 vor dem Krieg zurückgewichen. Jetzt, erregt über den Fürstenmord, umgeben von den Generalen Plessen, Lyncker, Falkenhayn, Waldersee, war er bereit. Am Abend des 6. Juli vor Antritt seiner Nordlandreise versicherte er in Kiel seinem ‚Freunde‘ Krupp: „[...] er werde sofort den Krieg erklären, wenn Rußland mobil mache. Diesmal werde man sehen, daß er nicht umfalle!“ Beim Monarchen und seinem Kanzler lag die Entscheidung über Krieg und Frieden. Bethmann Hollweg übernahm das Kriegsrisiko und hielt durch. Der Kaiser aber fiel wieder um, als er nach seiner Rückkehr aus Norwegen am 28. Juli die serbische Antwort auf das österreichische Ultimatum für ausreichend und einen Krieg für überflüssig erklärte. Er wurde von Bethmann Hollweg ausgeschaltet, der alle englischen Vermittlungsvorschläge ablehnte, die Kriegserklärung Wiens an Belgrad am 28. und die Bombadierung Belgrads am 29. Juli zuließ und die Nerven hatte, gegen die eigenen Militärs die aus diesen Vorgängen resultierende Gesamtmobilmachung Rußlands abzuwarten, um damit Petersburg zum Kriegsschuldigen zu machen. Bethmann Hollweg war sich der psychologischen Aufgabe voll bewußt, die er als politischer Leiter der Reichspolitik zu erfüllen hatte: Deutschland mußte der Angegriffene sein; einmal, damit die Nation einmütig zu den Waffen griffe, damit vor allem auch die Sozialdemokraten „mitgingen", für die seit Marx das zaristische Rußland der alte Feind war und die allein einen Verteidigungskrieg akzeptieren würden; zum anderen, weil nur so mit der Neutralität Englands gerechnet werden könne (so in Erlassen am 26. und 27.: „Wir müssen vor dem Lande als die zum Krieg Gezwungenen dastehen", am 29. morgens und abends, man müsse die russische Gesamtmobilmachung abwarten, weil nur dann sowohl die deutsche wie die englische öffentliche Meinung im „bevorstehenden Krieg mit Rußland und Frankreich" die deutsche Haltung unterstützen würden). Die deutschen Ultimaten an Rußland und Frankreich am Mittag des 31. Juli und die Kriegserklärung am 1. bzw. 3. August nahmen Österreich-Ungarn jeden Spielraum, das man für den Krieg gegen Rußland dringend brauchte und vielleicht zum letzten Mal dafür haben konnte.

Glaubte Bethmann Hollweg je an die „Lokalisierung" der Strafaktion gegen Serbien, die nach der Meinung des Unterstaatssekretärs im Auswärtigen Amt, Zimmermann, ausgesprochen am 5. Juli gegenüber Graf Hoyos, zu 90 Prozent Krieg mit Rußland bedeutete? Während des Urlaubs, den der Kanzler offiziell am Nachmittag des 4. Juli in Hohenfinow antrat, fuhr er außer am 5./6. noch dreimal nach Berlin, um dort mit seinem

Stellvertreter Delbrück, mit Jagow, mit dem preußischen Kriegsminister Falkenhayn, mit hohen Beamten, mit dem Präsidenten der Reichsbank, den großen Krieg, den er als Folge der „Aktion“ erwartete, vorzubereiten. Mit einer Zielstrebigkeit und Energie tat er dies, die alles Philosophieren über Fatum, Schicksal und die immer wieder beschworene „russische Gefahr“ als Rechtfertigungsversuch zur Beruhigung seines Gewissens nach der von ihm am 5./6. Juli übernommenen Entscheidung für den großen Krieg erscheinen läßt. Für die Gegenwart galt nämlich, was Jagow am 25. Juli (dem Tag, an dem das Ultimatum ablief und Bethmann Hollweg endgültig von Hohenfinow nach Berlin zurückkehrte) äußerte:

„Weder Rußland noch Frankreich noch England wollten den Krieg [jetzt!]. Und wenn es sein müsse [wenn Rußland nicht zurückweiche!] – lächelnd – [..] einmal werde der Krieg ja doch kommen, wenn wir die Dinge gehen ließen, und in zwei Jahren sei Rußland stärker als jetzt.“

Auch in der berühmten Reichstagsrede am 4. August, als das Parlament zur Bewilligung der Kriegskredite aufgefordert wird, schiebt Bethmann Hollweg alle Schuld an der Kriegskatastrophe Rußland zu. Damit hat er die Sozialdemokraten zum „Mitgehen“ gewonnen, nicht aber die Neutralität Englands. Sein vieldiskutiertes Wort in dieser Rede, das den Bruch der belgischen Neutralität abschwächen sollte, vom „Unrecht“, das Belgien angetan sei und das wiedergutgemacht würde, war – mit dem Tenor bekenntnishafter Moralität und der Berufung auf das Recht der Notwehr – in erster Linie an die Sozialdemokratie und an England gerichtet, wirkte freilich im In- und Ausland mehr nachteilig.

Um London zu überzeugen, hatte Bethmann Hollweg am Spätabend des 29. Juli sein vielzitiertes Gespräch mit dem englischen Botschafter Goschen. Gegen die Zusicherung, Belgien, wenn es den Durchmarsch zuließ, nach dem Krieg wiederherzustellen und einem besiegten Frankreich kein Land in Europa abzunehmen, sollte England neutral bleiben. Die Briten lehnten ab, und der deutsche Einmarsch in Belgien am Morgen des 4. August gab Grey den Hebel in die Hand, das Kabinett und die englische Öffentlichkeit für den Krieg zu gewinnen. So war es nicht nur ein Ausbruch subjektiver Enttäuschung, sondern objektiv richtig, wenn der Kanzler bei der Verabschiedung Goschens ausrief: „Meine Politik (nämlich einen Krieg mit Frankreich und Rußland zu führen) bricht wie ein Kartenhaus zusammen."

Sicher haben alle Großmächte mit ihrem Festhalten an ihren Bündnissen, Sicherheitsvorstellungen und Interessen einen Anteil am Ausbruch des Weltkrieges gehabt. Wenn aber Bethmann Hollweg rückschauend Grey vorwirft, er habe die Erhaltung der Triple-Entente über die Erhaltung des Friedens gestellt, so ist festzustellen, daß Bethmann Hollweg die Sprengung der Triple-Entente (mit der Kriegsdrohung) über die Erhaltung des Friedens gestellt hat. Der persönliche Anteil, „die Schuld des Reichskanzlers", an der Auslösung des Weltkrieges liegt in der von ihm gebilligten, ja geforderten „Aktion", die äußerstes Kriegsrisiko mit zwei, dann drei Großmächten einschloß.

Sie wiegt besonders schwer, „weil die deutsche Regierung im Juli 1914 mit ihrem Einfluß auf Österreich-Ungarn den Schlüssel in der Hand hielt, die Katastrophe des Weltkrieges zu diesem Zeitpunkt zu verhindern" (Willibald Gutsche).

Bedenkt man allerdings, daß damals der Krieg noch von allen Staatsmännern der Großmächte als ein legitimes Mittel der Politik betrachtet wurde (Zara Steiner), also auch von Bethmann Hollweg, so muß man sich frei machen von der Frage nach der Kriegsschuld, wie sie 1919 rückschauend gestellt wurde. Hat nicht Bethmann Hollweg, der sich 1912/13 mehrfach auf Bismarck bezog, der für „vitale Interessen", für Lebensfragen der Nation, die drei Kriege von 1864, 1866, 1870/71 „gewollt und gemacht" habe, das gleiche für seine Politik im Juli 1914 in Anspruch genommen? Der vielzitierte Brief an den Kronprinzen vom 15. November 1913 ist ja nicht Ausdruck eines prinzipiellen Friedenswillens, sondern seines Verantwortungsgefühls, wenn er dort einen Krieg (nur) dann für gerechtfertigt erklärt, falls die Ehre, die Sicherheit und Zukunft Deutschlands bedroht seien. Sollte er im Juli 1914, überzeugt von den Militärs und nach seiner Abschätzung der Gesamtsituation des Reichs, nicht in der Behauptung und Festigung der „Sicherheit und Zukunft" Deutschlands „vitale Interessen" gesehen haben, als er Ja sagte zum Krieg? Und wie würde sein Name in der Geschichte dastehen, wenn Deutschland 1914 gesiegt hätte? Freilich hat er auch vielfach bezeugt, wie stark der Druck der öffentlichen Meinung und der hinter ihr stehenden Interessen auf ihn war. Und es ist unbezweifelt, daß er, der „Zivilkanzler", nach der Struktur des monarchischen Militärstaats, selbst wenn sein persönlicher Wille stärker gewesen wäre, sich nur schwer dem Urteil der Militärs, die direkten Zugang zum König-Kaiser hatten, hätte entziehen können, wie sich dann auch im Verlauf des Kriegs erwies. 1914 aber geschah dies auch deshalb nicht, weil Bethmann Hollweg selbst den Krieg als die jetzt notwendige Gesamtsituation ansah und aus eigenem Entschluß seine Herbeiführung unternahm.

Der von den Militärs vorausberechnete „kurze Krieg" erwies sich als Illusion. Bethmann Hollweg selbst meinte Anfang August:

„Es wird ein heftiges, aber kurzes, sehr kurzes Gewitter werden. Ich rechne mit einer Kriegsdauer von drei, höchstens vier Monaten [...]"

Er erwartet nach (siegreichem) Abschluß dieses kurzen Krieges ein besseres Verhältnis zu Frankreich und England, ja ein Bündnis mit ihnen, einen „außenpolitischen Kulturblock" von England, Frankreich, Deutschland gegen das Moskowiterreich (die Ideen seines Großvaters aus der Zeit des Krimkrieges scheinen durch!). Ganz im Einklang mit diesem erstrebten Revirement der Bündnisse bezeichnete Bethmann Hollweg am 6. August 1914, zwei Tage nach seiner Rede im Reichstag, als Ziel dieses Krieges im Osten: die „Befreiung und Sicherung der von Rußland unterjochten Stämme, Zurückwerfung des russischen Despotismus auf Moskau". „Im Falle glücklichen Kriegsausganges" sollten Finnland, Polen, Ukraine „Pufferstaaten" werden zwischen Deutschland bzw. Österreich-Ungarn und Rußland, „um den Druck des russischen Kolosses auf Westeuropa zu erleichtern und Rußland möglichst nach Osten zurückzudrängen".

Ohne Zweifel war es Bethmann Hollweg, den niemand für einen Kriegstreiber hielt, der den Kaiser in der Thronrede vom 4. August sagen ließ, Deutschland sei von der Entente zur „Notwehr" gezwungen worden und ergreife das Schwert, „nicht aus Eroberungslust, sondern von dem Willen beseelt, sich zu verteidigen". So war es auch das Image und das Pathos dieses Reichskanzlers, das die Kriegsbegeisterung (soviel auch durch Schule und Presse vorbereitet war), das „Augusterlebnis 1914" auslöste.

Der Vormarsch im Westen, die Abwehrschlacht bei Tannenberg im Osten steigerten diese Stimmung ins Extreme und lösten eine Flut von Kriegszielforderungen aus, von denen das meiste schon in den Vorkriegsjahren ausgesprochen worden war, gipfelnd im Programm, das der Vorstand des Alldeutschen Verbandes am 28. August beschloß: Ganz Belgien, ein Fünftel von Frankreich, große Teile Westrußlands sollten direkt annektiert werden. Bethmann Hollweg hatte demgegenüber zwar von Beginn des Krieges an durchaus auch bestimmte Ziele, so die Idee von Pufferstaaten im Osten und die Mitteleuropa-Idee, die Walther Rathenau erneut anregte, und die er mit dem Vizekanzler Clemens Delbrück besprach. Aber direkte Annexionen blieben für ihn immer sekundär gegenüber Formen und Mitteln indirekter Einflußnahme und Beherrschung. Vor allem aber betrachtete er seine Ziele im Unterschied zu den Alldeutschen und den Militärs nicht als starres unabänderliches Programm, sondern „als erstrebenswerte Möglichkeiten", die er im Laufe des Krieges dem je nach Kriegslage möglich Erscheinenden anpaßte. Bereits im August prägte er seine berühmte Formel von den „Garantien und Sicherheiten" für die deutsche Zukunft, die den Annexionisten Erwartungen beließ, die aber auch von den Sozialdemokraten, die nur einen Verteidigungskrieg bejaht hatten, angenommen werden konnte und die dem Ausland gegenüber verschleiernd wirkte.

Als mit Beginn der Marneschlacht baldige Verhandlungen über einen Sonderfrieden mit Frankreich möglich erschienen, ließ Bethmann Hollweg von Riezler *Vorläufige Richtlinien für die deutsche Politik beim Friedensschluß* ausarbeiten und sandte diese am 9. September an Delbrück in Berlin, den er beauftragte, im Einverständnis mit dem Auswärtigen Amt, Grundlagen für Vorfriedensschlüsse mit den Westmächten zu erarbeiten. Das „allgemeine Ziel des Krieges“ wurde darin mit den Sätzen umschrieben:

„Sicherung des Deutschen Reiches nach West und Ost auf erdenkliche Zeit. Zu diesem Zweck muß Frankreich so geschwächt werden, daß es als Großmacht nicht neu erstehen kann, Rußland von der deutschen Grenze nach Möglichkeit abgedrängt und seine Herrschaft über die nichtrussischen Vasallenvölker gebrochen werden.“

Neben begrenzten Annexionen im Westen (u.a. Lüttich, Longwy-Briey) ist die Bevorzugung von Formen indirekter Herrschaft erkennbar: Belgien sollte ein Vasallenstaat werden, wenn auch nach außen hin selbständig. Der Kern des Programms aber war der Plan eines mitteleuropäischen Wirtschaftsverbandes, der neben dem Reich Frankreich, Belgien, Holland, Dänemark, Österreich-Ungarn und Polen (das erst noch von Rußland loszulösen war und bald einen Zankapfel zwischen Wien und Berlin bildete), eventuell auch Italien, Schweden und Norwegen umfassen sollte. Das klingt sehr modern, doch ausdrücklich hieß es:

„Dieser Verband, wohl ohne gemeinsame konstituierende Spitze, unter äußerlicher Gleichberechtigung der Mitglieder, aber tatsächlich unter deutscher Führung, muß die wirtschaftliche Vorherrschaft Deutschlands über Mitteleuropa stabilisieren.“

Dazu sollte ein zusammenhängendes „Mittelafrika“ kommen, für das der Kolonialstaatssekretär Solf auf Verlangen des Kanzlers bereits am 28. August detaillierte Vorschläge gemacht hatte. In dem sog. Septemberprogramm sind erkennbar die Forderungen der Armee nach einem „Glacis“, einem strategischen Vorfeld, der Schwerindustrie nach neuen Erzlagern, vor allem aber das Interesse des Bank- und Handelskapitals und der Exportgüterindustrie (Chemie, Elektrotechnik, Maschinenbau) nach einem gesicherten Absatzgebiet. Das Programm zeigt die Gedankenwelt Bethmann Hollwegs als die eines „liberalen Imperialisten", der auf diese Weise eine langfristige und – wie er wohl glaubte – für Europa erträgliche Machtsicherung für Deutschland erstrebte.

Doch Delbrück erkannte sofort, daß dieses Ziel nicht mit den Rechtsparteien und den Wirtschaftsgruppen von Schwerindustrie und Agrariern (die auf Annexionen und Schutzzoll setzten) durchzuführen war, sondern nur mit einer liberalen Mehrheit und nicht ohne die Sozialdemokraten. Deshalb empfahl er den Versuch, „eine Reform der Sozialdemokratie nach der nationalen und monarchistischen Seite anzubahnen". Bethmann Hollweg stimmte dem (am 16. September) zu, indem er erklärte, daß dieser Versuch zu einer „*Neuorientierung* unserer ganzen inneren Politik" führen müsse; freilich müßten die Sozialdemokraten anerkennen, daß das Deutsche Reich und der preußische Staat niemals die feste Staatsgesinnung und den Militarismus, auf dem sie beruhten, lockern lassen könnten. Er setzte also deutliche Grenzen. Doch es war seine bestimmte Überzeugung, daß er die Aufgabe habe, die Einheit der Nation in diesem Krieg zu bewahren, und er verband damit die Hoffnung, daß der Krieg es vielleicht ermögliche, jenen mittleren Weg „zwischen Byzantinismus und Demokratie" zu verwirklichen, den er seit seiner Ernennung zum Preußischen Minister des Inneren zehn Jahre vorher erstrebt hatte. Nachdem er schon am 15. August im Preußischen Staatsministerium für die Anerkennung der Haltung der Sozialdemokratie geworben hatte, genügte jetzt das Durchsickern dieser innenpolitischen Pläne, um ihm unversöhnlichen Widerstand, ja die Todfeindschaft der Konservativen einzutragen.

Ja, schon vor dem 4. August, als die Sozialdemokraten für die Kriegskredite stimmten, hatte Bethmann Hollweg sich bei den Konservativen verdächtig gemacht: In einem Gespräch mit ihrem Führer von Heydebrand (über das Riezler 1931 berichtete) habe dieser „sich nach einem siegreichen Kriege nichts anderes vorstellen" können, „als die Wiederkehr der patriarchalischen Zustände, die das ‚alte Preußen groß gemacht hätten'", und sei entsetzt gewesen, als Bethmann ihn gefragt habe, „ob er denn allen Ernstes glaube, daß man den siegreich aus dem Felde heimkehrenden preußischen Truppen eine Änderung des preußischen Dreiklassen-Wahlrechts vorenthalten könne?" Mit Recht befürchtete Riezler schon im Oktober 1914 „alle nur erdenklichen Intrigen von den um die Grundlage ihrer Macht besorgten Konservativen, die keiner Begeisterung fähig sind und schon jetzt keine anderen Gedanken haben, als sich durch eine radikale bündnisunfähige Sozialdemokratie an der Macht zu halten". Sie hatten sich am 4. August kalt-feindlich verhalten, als der Reichskanzler in seiner Rede und in einer Geste die Sozialdemokratie in die ‚Nation' einschloß.

Wenige Tage nach dem Kriegszielprogramm vom 9. September war der Blitzkriegsplan in der Marneschlacht gescheitert, gleichzeitig mit der Niederlage der Österreicher in Galizien. Die deutschen Militärs hatten alles auf eine Karte gesetzt und hatten verloren. Der Krieg war von da an ein Krieg der Aushilfen und jeder Tag länger wirkte sich gegen Deutschland aus. „Es ist alles die Schlacht an der Marne. Wenn wir die gewannen, ging alles" (Riezler 20. 2. 15 Was ging?) „Die ganze ursprüngliche Rechnung ist durch die Schlacht an der Marne ins Wanken geraten" (Riezler 25. 5. 15). „Niemand habe voraussehen können, daß militärisch nicht alles so klappen werde, wie man geglaubt" (W. v. Stumm 17. 2.15). „Über Frankreich hätten sich die Militärs vollkommen geirrt, ebenso über alles andere" (Flotow 5. 4. 15). Man müsse 1870 vergessen und an den Siebenjährigen Krieg denken, sagte nun Riezler. Das Preußisch-Deutsche Kaiserreich hatte den Zenit seiner Macht überschritten.

Wie dem preußischen Kriegsminister Falkenhayn, der am 14. September Moltke als Generalstabschef abgelöst hatte, waren auch dem Kanzler Bethmann Hollweg die schwerwiegenden Folgen der Niederlage an der Marne zunächst nicht voll bewußt geworden. Er gab noch am 18. und 22. Oktober Anweisungen zur Ergänzung des Septemberprogramms in wirtschaftlich-finanzieller Hinsicht, z.B. über Höhe und Form der Kriegsentschädigungen, die von den Gegnern zu fordern waren. Erst unter dem Eindruck der militärischen Mißerfolge von Mitte November, als der erhoffte Durchbruch nach Calais und

Dünkirchen bei Ypern unter entsetzlichen Verlusten (Langemarck) scheiterte, begann er allmählich zu zweifeln, ob sich das ursprüngliche Programm in vollem Umfange werde realisieren lassen. Der eigentliche Umschlag aber kam am 18. November als Falkenhayn die Armee „ein zertrümmertes Werkzeug" nannte und (unter Einwirkung von Tirpitz) den sofortigen Abschluß eines Separatfriedens mit Rußland forderte, da er einen Sieg über die Gegner an beiden Fronten nicht mehr für möglich halte. Bethmann Hollweg übernahm diese Lagebeurteilung und schrieb an Zimmermann (Unterstaatssekretär im Auswärtigen Amt) am 19. November 1914, daß nun auch er bezweifle, „daß eine militärische Niederwerfung unserer Gegner noch möglich ist, solange die Triple-Entente zusammenhält". Gelänge es, einen Separatfrieden mit Rußland zu schließen, so „könnten wir gegen den Preis, daß gegenüber Rußland die Verhältnisse im Wesentlichen so bleiben wie vor dem Kriege, gegen Westen die uns passenden Zustände schaffen. Damit wäre zugleich die Triple-Entente beseitigt". (Dieser Brief ist das von deutschen Historikern so bezeichnete „Novemberraisonnement" Bethmann Hollwegs, von dem diese einen grundsätzlichen Friedenswillen der Reichsleitung ableiten, während es sich doch um Überlegungen *nach* der entscheidenden Niederlage handelt.) Bethmann Hollweg fordert vorerst noch eine weitere Schwächung Rußlands. Immerhin war er so erschüttert, daß er auf ein Minimalprogramm zurückgehen wollte und am 28. November im Preußischen Staatsministerium erklärt, die Bedingungen des künftigen Friedens würden von dem Grade der militärischen Stärke abhängen. Zu dem Minimum sollte nun im Osten der „Polnische Grenzstreifen" gehören, über dessen Umfang jahrelanger Streit mit den Militärs und den preußischen Ministern entstand.

Gegen Falkenhayns Rat ließ Bethmann Hollweg die deutsche Öffentlichkeit nicht über die Bedeutung der Rückschläge an der Marne und vor Ypern unterrichten; er befürchtete davon einen Zusammenbruch der Moral der Nation. Vor dem Reichstag, der am 2. Dezember neue Kriegskredite bewilligen mußte, verbarg er seine Zweifel und stellte Optimismus und Siegeszuversicht zur Schau. Es war die erste der großen Reden, in denen er eine Gratwanderung zwischen Wahrheit und Unwahrheit in hinreißender Rhetorik vollzog: Einerseits mußte er die herrschenden Schichten der „Kriegszielmehrheit" befriedigen, zum andern aber der sozialdemokratischen Fraktion ermöglichen, an den Verteidigungskrieg zu glauben. Doch während er am 4. August Rußland als den Kriegsschuldigen angeprangert hatte (die Macht, die er jetzt im Blick auf den Sonderfrieden schonen mußte), griff er jetzt England an als Initiator und Hauptmacht der Triple-Entente. Damit leitete er Wasser auf die Mühlen derer, die auch England bereits in diesem Kriege besiegen wollten, wie sein innenpolitischer Hauptgegner Tirpitz, der später von ihm sagte: Dieser Mann hat immer die falsche Politik betrieben, die Zerstörung Rußlands, aber die Schonung Englands.

Der vierjährige Krieg

So hat der Kanzler Bethmann Hollweg selbst beigetragen zu der Illusion über die Kriegslage, zu dem Trotz und zu der an Massenhysterie grenzenden Stimmung des bürgerlichen Deutschlands, wie sie sich in den Kriegszieldenkschriften der sechs großen Verbände von Industrie, Landwirtschaft und Mittelstand und der Denkschrift des größten Teils der Professorenschaft vom Mai 1915 (mit ihren extremen Annexionsforderungen in Ost und West) niederschlug. Jetzt notierte er dazu nur:

„Aufklären über die militärische Situation kann ich die Petenten nicht. Entweder sie bezichtigen mich des Flaumachens, oder sie werden selbst ängstlich. Beides können wir nicht brauchen. Die Aufklärung kann nur ganz allmählich durch die militärischen Ereignisse selbst stattfinden."

Doch darin täuschte er sich, zumal er selbst am Kern seiner Kriegsziele in West und Ost festhielt: Belgien müsse unschädlich gemacht, in Zollunion mit dem Deutschen Reich verbunden und militärisch besetzt werden (13. und 15. Mai 1915); oder wenn er nach dem Vormarsch in Polen Sommer 1915 (am 11. August) an den Kaiser schrieb:

„Wenn die Entwicklung der militärischen Ereignisse und der Vorgänge in Rußland selbst (d.h. die erwartete, von Berlin geschürte Revolution) eine Zurückdrängung des Moskowiterreichs nach Osten unter Absplitterung seiner westlichen Landesteile ermöglichen sollte, (es ist noch genau das gleiche Ziel wie am 4. August und am 9. September 1914) so wäre uns mit der Befreiung von diesem Alp im Osten gewiß ein erstrebenswertes Ziel geboten, welches die Opfer und äußersten Anstrengungen dieses Kriegs wert wäre".

Ja, in seiner Rede vor dem Reichstag vom 19. August 1915 – und wiederholt von dieser Tribüne im April 1916 – umschrieb er sein Ostprogramm vor der deutschen und der Weltöffentlichkeit, gewiß auch im Blick auf die englischen Liberalen und auf Wilson, als „Befreiung" der nicht-russischen Nationalitäten im Zarenreich.

Die Differenz zwischen den Zielen der Alldeutschen und der von Bethmann Hollweg vertretenen „gemäßigten Machtpolitik" war nicht so groß, wie die alldeutsche ‚revolutionär-terroristische' Agitation es erscheinen lasse; ihr gemeinsamer Nenner war der „Ausbau der kontinentalen Machtstellung des Reiches"; (so urteilt K. D. Erdmann) der Unterschied lag nur (so sagt derselbe Historiker) in der Frage „der adäquaten, wirkungsvollen, vernünftigen Methoden der Machtgewinnung und Machtsicherung", wie zum Beispiel in Belgien und Polen. Würden aber die Betroffenen und das übrige Europa jene wie immer geartete Machtstellung als „vernünftig" hingenommen haben? Unüberbrückbar sei die Differenz zwischen den Alldeutschen und den mit ihnen verbundenen Parteien und Wirtschaftsgruppen einerseits, Bethmann Hollweg andererseits nur gewesen im Blick auf die inneren Reformen, die jener erstrebte, diese aber mit Verbissenheit blockierten.

Die Auseinandersetzung zwischen dem Kanzler und seinen Gegnern spielte sich nun ab im Kampf um den U-Boot-Krieg, auf den sich die Hoffnungen der Öffentlichkeit nach dem Scheitern des Blitzkriegs zu Lande richteten, obwohl nur wenige hochseefähige Boote vorhanden waren. (Die Großkampfschiff-Flotte konnte nicht eingesetzt werden, da die englische Flotte nicht angriff.) Wie 1914 den Generalen, so unterwarf sich Bethmann Hollweg auch den Admiralen und stimmte der Eröffnung des U-Boot-Krieges gegen feindliche und neutrale Handelsschiffe zu, die Tirpitz und Falkenhayn beim Kaiser im Februar 1915 durchgesetzt hatten. Doch mit der Versenkung der „Lusitania“ kam es zur ersten schweren Krise mit den USA, worin Bethmann Hollweg eine tödliche Bedrohung für Deutschland sah. Nach einem 1½ Jahre währenden Konflikt mit dem Ressortfanatiker Tirpitz, den Riezler den „Vater der Lüge“ nannte, weil er immer wieder die Zahlen der U-Boot-Neubauten manipulierte, vermochte der Kanzler schließlich den Kaiser dazu zu bringen, Tirpitz im April 1916 wegen seiner im Bunde mit den Alldeutschen hemmungslosen Agitation für den unbeschränkten U-Boot-Krieg zu entlassen. Eine Erfolgschance, die Kriegslage durch den U-Boot-Einsatz entscheidend zu wenden, bestand ohnehin nicht.

Inzwischen zeigte sich, daß der Plan Falkenhayns, durch den Angriff auf Verdun (Februar bis Juli 1916) die französische Armee zum „Ausbluten“ zu bringen, ein Fehlschlag war, daß die deutsche Armee dabei kaum mehr ersetzbare Verluste erlitt. Mit größter Energie, vor keinem Mittel politischer Taktik zurückschreckend, arbeitete Bethmann Hollweg auf die Entlassung Falkenhayns hin, was er allerdings beim Kaiser erst im Moment der Panik erreichte, als im August 1916 Rumänien in den Krieg eintrat. Der Reichskanzler wollte ihn durch Hindenburg und Ludendorff, bis dahin Befehlshaber an der Ostfront, ersetzen. Er war überzeugt, daß nur noch mit dem Mythos der Sieger von Tannenberg das Volk in dieser Krise zum Durchhalten bewogen werden konnte und es nur dann bereit sein würde, auch einen bescheideneren Frieden hinzunehmen, wenn diese Nationalhelden im weiteren Kampf die Armee führten. Doch gerade Bethmann Hollwegs Erwartung hinsichtlich einer Mäßigung in der Kriegszielfrage sollte sich als Illusion erweisen. Waren diese Männer doch im engsten Bunde mit allen alldeutsch-annexionistisch eingestellten Kreisen und mußte doch ihr Aufstieg an die Spitze der OHL diese Kräfte im Reich stärken. Im Herbst 1916 wurde zudem Jagow ersetzt durch den bisherigen Unterstaatssekretär Zimmermann, der, alldeutsch und „forsch", als Vertrauensmann der neuen OHL zu sehen ist. So wurde der Handlungsspielraum des Kanzlers noch beschränkter.

Noch 1917, so berichtete Riezler rückschauend, als doch der Kenner sich keinen Illusionen mehr habe hingeben können, sei es unmöglich gewesen, „von einem Frieden ohne Sieger und Besiegte, also von einem Frieden auf Grund des Status quo ante, zu sprechen"; man sei Gefahr gelaufen, „von Wilhelm II. und den Generälen (mehrfach nennt Riezler auch „die Industrie") sowie den Professoren als ‚Vaterlandsverräter' bezeichnet zu werden" (oder, wie er in diesem Zusammenhang auch sagte, von ihnen ‚gesteinigt' zu werden).

In der nun schärferen Kriegspolitik ließ Bethmann Hollweg die Zwangsdeportationen von Arbeitern aus Belgien und Polen in die deutsche Rüstungsindustrie und Landwirtschaft als kriegsnotwendig zu, Vorgänge, die in der Weltöffentlichkeit zu Protesten führten. Als Hindenburg und Ludendorff, gestützt auf Forderungen der Rüstungsindustrie Anfang September 1916 eine Militarisierung der gesamten Industrie mit dem Ziel einer gewaltigen kurzfristigen Steigerung der Rüstungsproduktion verlangten, billigte Bethmann Hollweg zwar das „Hindenburg-Programm" im Prinzip, äußerte aber Bedenken gegen die Methoden, weil er davon eine Beunruhigung in der Bevölkerung befürchtete. Er ließ sich von General Groener beraten und setzte eine Reihe arbeitsrechtlicher Zugeständnisse an die Gewerkschaften durch, die seit Kriegsbeginn mit der Regierung zusammenarbeiteten, wodurch er deren Stellung im Sinne seiner Politik der „Neuorientierung" langfristig stärkte.

Obschon er der Initiator der Polenpolitik war, wehrte er sich lange gegen die Proklamation eines Königreichs Polen, weil dies die noch immer anvisierte Sonderfriedenspolitik gegenüber Rußland stören mußte; doch gab er nach, als die Militärs und der Kaiser die Aufstellung einer polnischen Armee für kriegsnotwendig erklärten, was sich freilich als Fehlschlag erwies.

Mit der „Friedensdeklaration" des Deutschen Reichs am 12. Dezember 1916, die auf einen Vorschlag des österreich-ungarischen Außenministers Burian zurückgeht, hat Bethmann

Hollweg nach der Meinung seiner Umgebung einen „meisterhaften Coup" gegenüber den Feinden, den Neutralen und dem eigenen Volk vollbracht. Sollte das Angebot zu Verhandlungen führen, so wollte er mit Hilfe der „Faustpfänder" Belgien und Polen „alles irgendwie Mögliche" (der Kriegsziele) durchzusetzen suchen; habe das Angebot aber, was wahrscheinlicher sei, keinen Erfolg, dann sei die Regierung in der Lage, „das Letzte aus dem Volke herauszuziehen". Er lehnte aber den Vorschlag Burians ab, der Entente jetzt schon konkrete „vernünftige" Friedensbedingungen zu nennen – er konnte das auch gar nicht angesichts der Kriegszielmehrheit und der Militärs. Die Generäle hatten sowieso die Deklaration nur als Vorbereitung des eigenen Volkes und der Weltöffentlichkeit auf den unbeschränkten U-Boot-Krieg gesehen.

Zu diesem Krieg verlangten Hindenburg und Ludendorff, gestützt auf die Reichstagsmehrheit von Konservativen, Nationalliberalen und Zentrum, Ende Dezember 1916 ultimativ die Zustimmung des Kanzlers. Dieser hatte sich lange im Blick auf den Kriegseintritt Amerikas zur Wehr gesetzt, glaubte nun aber aufgrund der Zahl der U-Boote eine Chance zu sehen (Riezler am 10. 1. 17: „Er hat immer nur pro tempore nein gesagt, die wachsenden Gründe pro immer selbst hervorgehoben"): entweder den unbeschränkten U-Boot-Krieg führen zu können (und England, wie die Marine behauptete, in 6 Monaten niederzuzwingen), ohne daß Amerika eingriff – der von ihm sogenannte „Dritte Weg"; oder aber mit dem neuen Seekriegsmittel dieses Ziel erreichen zu können, selbst auf die Gefahr des amerikanischen Kriegseintritts hin, womit also auch der Kanzler die Folgen einer Beteiligung Amerikas am Kriege unterschätzte.

Nachdem der Kaiser am 8. Januar 1917 zugestimmt hatte, leistete Bethmann Hollweg keinen Widerstand mehr mit der Begründung: „Wenn aber die militärischen Stellen den U-Bootkrieg für notwendig halten, so bin ich nicht in der Lage, zu widersprechen". Wieder zeigt sich, wie schon 1914, daß im Deutschen Reich die Stellung der Militärs so ausschlaggebend war, daß der verantwortliche Politiker verfassungsrechtlich sich nicht gegen sie durchsetzen konnte, umso mehr, als er selbst offenbar eine Erfolgsmöglichkeit nicht ausschloß. Zudem wußte er von der Entschlossenheit der Generale, seine Entlassung zu erzwingen, falls er weiterhin seine Zustimmung verweigern würde. Doch er war nicht bereit, um dieser Frage willen zurückzutreten.

Bethmann Hollweg hat sein Verbleiben im Amt damit begründet, daß sein Abgang innenpolitische Schwierigkeiten hervorgerufen hätte, d.h. daß er in seiner Person die Einheit der Nation gewährleistet sah. So mag er empfunden haben. Aber in Wahrheit hat er mit dem Image seiner Persönlichkeit eine Politik gedeckt, die ein Vabanque-Spiel, die die „letzte Karte" war, so daß nun Hindenburg-Ludendorff nicht Schild für seine Politik der Mäßigung waren, sondern er Schild für ihre Politik des äußersten Risikos. So hat es sein Adlatus Riezler gesehen (worauf W. Gutsche hinweist), der am 14. Februar 1917 in sein Tagebuch einträgt: „[...] daß wir eine derartig tollkühne Politik nach innen und außen durchsetzen können, wird lediglich ermöglicht, weil der vorsichtigste und besonnenste Mann an der Spitze sie allein glaubhaft machen kann".

Das deutsche Friedensangebot vom 12. Dezember 1916 war mit voller Absicht einem Friedensvermittlungsangebot des Präsidenten Wilson zuvorgekommen, das dieser dann noch am 18. Dezember ergehen ließ. Die Ententemächte, die das deutsche Friedensangebot abgelehnt hatten, erfüllten die Bitte Wilsons, ihre (sehr weitgehenden) Kriegsziele mitzuteilen. Berlin lehnte ab und zerstörte auch einen erneuten Versuch des Präsidenten, doch noch eine Friedenskonferenz herbeizuführen. Wilson wünschte keinen entscheidenden und vollständigen Sieg der einen oder anderen Seite in Europa. In seiner Senatsrede vom 22. Januar 1917 warb er für einen „Frieden ohne Sieg". Doch Bethmann Hollweg, unter dem Druck einer breiten Agitation gegen Wilson in der deutschen Öffentlichkeit, lehnte sowohl sein Angebot, als „clearing house" zu wirken, wie vor allem seine persönliche Mitwirkung an einer Friedenskonferenz ab, weil „wir nicht Gefahr laufen wollen, durch Druck der Neutralen um (den) gewünschten Gewinn (aus dem Kriege) gebracht zu werden". Als Bethmann Hollweg am 29. Januar dem Präsidenten auf dessen Bitte doch noch deutsche Kriegsziele mitteilen ließ, wurde diese Mitteilung verbunden mit der Ankündigung des unbeschränkten U-Boot-Krieges zum 1. Februar, was – in Verbindung mit dem berüchtigten Zimmermann-Telegramm – den widerstrebenden Präsidenten zwang, unter dem Druck der amerikanischen öffentlichen Meinung am 6. April dem Deutschen Reich den Krieg zu erklären.

Bethmann Hollweg aber hielt sogar in seinen *Betrachtungen* nach dem Krieg einen Verzicht auf den unbeschränkten U-Boot-Krieg, der Ende Januar 1917 noch möglich gewesen wäre, für undenkbar:

„Aber das deutsche Volk hätte dann, ohne vorherige Erprobung des von Militär, Marine und einem gewaltigen Teil der öffentlichen Meinung als unfehlbar angesehenen Kriegsmittels jeden Frieden schlucken müssen, den der mit den deutschen und europäischen Verhältnissen wenig vertraute Präsident für gut befunden und bei der Entente durchgesetzt hätte. Eine solche Politik konnte ich weder nach persönlicher Überzeugung vertreten, noch hätte ich sie überhaupt durchsetzen können."

„Systemzwang"?! Aber doch nicht allein, sondern auch eigene Überzeugung und Entscheidung!

Die bürgerlich-demokratische Revolution in Rußland (März 1917) mit der Abdankung des Zaren hatte tiefgehende Rückwirkungen auf die innere Situation in Deutschland. Zwei Jahre lang hatte Bethmann Hollweg allein mit vagen Hinweisen auf eine „Neuorientierung", etwa der Aussicht auf ein „Pluralwahlrecht" in Preußen, die Sozialdemokratie und die Gewerkschaften in einer Art von geheimem Bündnis in ihrer Unterstützung der Regierungspolitik festzuhalten gewußt. Jetzt, mit der Gefahr einer Spaltung der SPD, mußte er handeln. Der Kanzler schlug am 5. April 1917 im Preußischen Staatsministerium vor, durch den Kaiser das allgemeine, gleiche, geheime und direkte Wahlrecht für Preußen verkünden zu lassen; weil er andernfalls innenpolitisch schwere Erschütterungen voraussah und außenpolitisch die völlige moralische Isolierung Deutschlands in der Welt fürchtete. Immerhin hatte am 2. April Präsident Wilson erneut die junge russische Demokratie enthusiastisch als Verbündeten der alten Demokratien des Westens im Kampf gegen das autokratisch-militaristische Deutschland begrüßt. Doch fast die Hälfte der preußischen Minister lehnte den weitschauenden Vorschlag Bethmann Hollwegs ab, und wieder beugte sich der Kanzler dem Druck der Konservativen und verzichtete auf das gleiche Wahlrecht. Die von ihm formulierte „Osterbotschaft" des Kaisers (8. 4. 17) enthielt nur die Zusage des direkten und geheimen Wahlrechts, und auch dies erst für die Zeit nach dem Krieg. Aus einer Fanfare war eine Schamade geworden.

Erneute Kürzungen der Brotration führten im April zum Hungerstreik von Hunderttausenden von Arbeitern, verbunden mit der Forderung auf mehr politische Rechte und – unter Aufnahme des Schlagworts der russischen Revolution – auf einen baldigen Frieden „ohne Annexionen und Kontributionen". Die Mehrheitssozialdemokratie antwortete am 20. April mit einem maßvollen Friedensmanifest. Die Tatsache, daß der Kanzler diese Kundgebung nicht verhindert hat, veranlaßte Hindenburg am nächsten Tag beim Kaiser die sofortige Entlassung Bethmann Hollwegs zu fordern, was Wilhelm II. noch ablehnte.

Der Kaiser und die Generale der OHL waren um diese Zeit in Siegesstimmung; aufgrund der Versenkungsziffern der U-Boote und der Wirren in Rußland – Lenin, mit Zustimmung und Mithilfe Bethmann Hollwegs nach Petersburg zurückgekommen, verkündete am 17. April seine berühmten Thesen, die u. a. den sofortigen Frieden forderten – hielten sie einen Frieden im Juli für möglich, zumindest einen Separatfrieden mit Rußland. Auch Bethmann Hollweg hoffte auf diesen Sonderfrieden und die Verwirklichung wesentlicher Kriegsziele, wollte ihn aber nicht an bestimmten Teilforderungen scheitern lassen. Hindenburg-Ludendorff aber, mißtrauisch gegen seine Mäßigung, wollten ihn auf ihre Maximalziele festlegen. Auf der Kreuznacher Konferenz vom 23. April unter Vorsitz des Kaisers sah sich Bethmann Hollweg gezwungen, das von den Generalen durchgesetzte weitreichende Kriegszielprogramm mit zu unterzeichnen – wohl wissend, daß er andernfalls am gleichen Tag von ihnen gestürzt worden wäre. Der vielbesprochene Vorbehalt, den Bethmann Hollweg in den Akten dazu machte („Ich habe das Protokoll mitgezeichnet, weil mein Abgang über Phantastereien lächerlich wäre. Im übrigen lasse ich mich durch das Protokoll in keiner Weise binden"), mag sein Gewissen beruhigt haben, hatte aktuell aber gar keine Bedeutung; denn der Kaiser, der den extremen Kriegszielen voll zustimmte, bestand darauf, daß bei Friedenssondierungen mit russischen Unterhändlern wie in den Verhandlungen mit dem Verbündeten Österreich-Ungarn die unter seinem Vorsitz beschlossenen Kriegsziele für seine Regierung absolut bindend seien; und dem mußte sich Bethmann Hollweg zur großen Enttäuschung der Österreicher beugen. Nicht davon zu sprechen, daß diese Kriegsziele im Osten im Frühjahr 1918 in Brest-Litowsk als Richtschnur galten. Worauf eigentlich konnte Bethmann Hollweg seine Hoffnungen gründen, daß er – sollte sich eine Friedensmöglichkeit zeigen – diesen schwachen Monarchen, der sich in der Hand der OHL befand, zu gemäßigten Kriegszielen würde bekehren können, angesichts der noch immer in Illusionen lebenden deutschen Öffentlichkeit?

Die innere Lage in Österreich und Deutschland, die Kerenski-Offensive im Osten (die Sonderfriedenshoffnungen zerschlug), vor allem aber die aufgrund der Abwehrmaßnahmen der Gegner rasch zurückgehenden Versenkungsziffern der U-Boote veranlaßten Bethmann Hollweg, um dem Stimmungstief zu begegnen, erneut die Wahlrechtsfrage aufzurollen. Auf einem dazu einberufenen Kronrat am 9. Juli begründete er, warum diese Erweiterung der Osterbotschaft unumgänglich sei. Weil die Macht der Radikalen wachse, sei es „unbedingt notwendig, den rechten Flügel der Sozialdemokratie wieder zu stärken. Denn was solle werden, wenn die Regierung bei der Bekämpfung der Streikbewegung sich nicht mehr der Hilfe der Gewerkschaften bedienen könne?" Erneut aber lehnte die Mehrheit der Minister den Vorschlag ab; der preußische Innenminister Loebell drohte mit dem Rücktritt des Gesamtministeriums. Doch gelang es Bethmann Hollweg tags darauf, den Kaiser für seinen Plan zu gewinnen. In einem Erlaß am 11. Juli beauftragte Wilhelm II. das Staatsministerium, den in der Osterbotschaft versprochenen Wahlgesetzentwurf auf der Grundlage des gleichen Wahlrechts auszuarbeiten. Dies war Bethmann Hollwegs letzter Erfolg, aber zugleich sein politisches Todesurteil.

Vergeblich hatte er im privaten Kreis geäußert: „Die Macht Ostelbiens muß gebrochen werden!" Die preußische Regierung, die Konservativen, die mit ihnen verbundene Rheinisch-Westfälische Industrie sahen in dieser Zusage die Grundlage ihrer Macht im Staate bedroht und den Beweis für die Notwendigkeit, Bethmann Hollweg zu stürzen. Dieser aber hatte sich inzwischen durch die Zurückweisung des Entwurfs für eine „Friedensresolution" des Reichstags (durch die neue Reformmehrheit aus Sozialdemokraten, Zentrum und Fortschrittliche Volkspartei) Anfang Juli einer möglichen parlamentarischen Mehrheit beraubt, wenn er sich im Kampf um die Behauptung seiner Stellung je auf sie stützen wollte bzw. nach seinen Verfassungsvorstellungen es überhaupt konnte.

Sein Sturz ging aus von der OHL, indem sie die Unzufriedenheit der Parlamentarier von rechts und links raffiniert benutzte und sich dafür seines alten Gegners, des Kronprinzen, als Werkzeug bediente. Bethmann Hollweg sah keine Möglichkeit mehr, sich gegen den Widerstand der Generale, die mehrfach mit ihrem Rücktritt drohten, und der Mehrheit des Reichstags zu behaupten, und bat am 13. Juli 1917 um seine Entlassung. Er begründete sein Gesuch allein mit der parlamentarischen Lage und erwähnte, um den Kaiser zu schonen, die Intrigen der Generale nicht. Der Kaiser, der den Juli-Erlaß ohnehin nur widerwillig unterzeichnet hatte und der fürchtete, die beiden Generale zu verlieren, stimmte dem Entlassungsgesuch am gleichen Tag zu.

Nach der Entlassung

Bethmann Hollweg war im Unglück größer als im Glück. Er verließ sein Amt mit Würde, überzeugt, „auf dem rechten Wege gewesen zu sein". Er scheiterte in seiner Politik an der Stärke der ihm entgegenstehenden Kräfte und an den Grenzen und Abhängigkeiten, die die Verfassung des Bismarckreiches, zumal unter diesem Monarchen, ihm aufzwang. Er trug aber selbst zu diesem Scheitern bei durch persönliche Entscheidungen an wichtigen Eckpunkten der politischen Entwicklung: 1911, als er in der Agadirkrise Kiderlen-Wächter freie Hand ließ und die Welt noch mißtrauischer gegen Deutschland machte; im Februar 1912, als er sich dem Kaiser und Tirpitz unterwarf, die mit ihrer Flottenpolitik seine Englandpolitik durchkreuzten; im Juli 1914, als er das Risiko – um das Mindeste zu sagen – eines Weltkriegs einging, von Illusionen verführt, obwohl er an eine „Lokalisierung" der „Aktion" gegen Serbien nicht glaubte; im Dezember 1914, als er das Volk nicht über die Bedeutung der Niederlage an der Marne aufklärte und zu große Konzessionen an die Annexionisten machte; im August 1916, als er trotz seiner Abneigung gegen die „annexionswütige Soldateska" Hindenburg und Ludendorff an die Spitze der OHL brachte, in der Hoffnung, sie würden ihn unterstützen, maßvolle Kriegsziele vor dem Volk zu vertreten; an der Jahreswende 1916/17, als er durch sein dubioses „Friedensangebot" und sein Verhalten gegenüber der Vermittlungspolitik Wilsons die vielleicht letzte Chance eines „Friedens ohne Sieg" zerstörte; im Januar 1917, als er erneut den Argumenten des Kaisers und des Militärs nachgab, trotz ernster Bedenken wegen des Kriegseintritts Amerikas; im Juli 1917, als er durch die Ablehnung der „Friedensresolution" der neu gebildeten Reformmehrheit des Reichstags, die die chauvinistische Kriegszielmehrheit abgelöst hatte, sich eine mögliche parlamentarische Unterstützung entzog und so zu seinem Sturz beitrug.

Gewiß war Bethmann Hollweg in seiner Gründlichkeit und Bedenklichkeit seinen bedenkenlosen und fanatischen Gegnern unterlegen. Es war aber doch nicht in erster Linie Mangel an Willenskraft, wenn er sich nicht durchsetzen konnte, sondern dazu trug seine politische Überzeugung und sein Weltbild entscheidend bei. Er war viel konservativer, als er sich bewußt war, und deshalb gar nicht in der Lage, mit einer „liberalen Mehrheit" gegen den Monarchen und die konservativen Kräfte bis zum Äußersten anzukämpfen. Wozu noch seine geschichtsphilosophische Anschauung über die Zwangsläufigkeit historischer Prozesse beitragen mochte, daß eine evolutionäre Entwicklung der sozialen Verhältnisse auf lange Sicht unaufhaltsam war.

In der Einsamkeit von Hohenfinow, in die er sich zurückgezogen hatte, wurde er sich der „Schuld", oder doch „großen Mitschuld" Deutschlands an diesem furchtbaren Krieg wohl bewußt, ein Gedanke, der ihn nicht mehr losließ. Aber dennoch bleibt er (so in Briefen an Max von Baden und vor dem Untersuchungsausschuß des Reichstags) bei seiner These vom „Verteidigungskrieg" und schiebt die Hauptschuld den Regierungen von Rußland, Frankreich und England zu. In der inneren Entwicklung sah er im Januarstreik 1918 nicht die Erbitterung über die Wiederaufnahme des Krieges im Osten, sondern nur „eine unerhörte Dummheit und ein Verbrechen" und das Versagen der Sozialdemokratie und der Gewerkschaften, aber auch des Kanzlers Hertling. In der Novemberrevolution fürchtete er vor allem eine noch kommende sozialistische Revolution, hoffte aber auf die gemäßigten Sozialdemokraten als Retter vor dem sozialen Umsturz.

In seinen *Betrachtungen zum Weltkrieg*, deren erster Teil im Mai 1919 abgeschlossen war, versucht er eine Rechtfertigung des Kaiserreichs und seiner eigenen Politik. Obwohl Ludendorff und Tirpitz in ihren Memoiren ihn bereits heftig angegriffen hatten, verzichtete er auf Polemik, so daß die Kräfte, denen er unterlegen war, nicht deutlich wurden. Auch schonte er aus monarchischer Loyalität den Kaiser. Hindenburg und Ludendorff honorierten seine Zurückhaltung nicht. In der Sitzung des Untersuchungsausschusses vom 18. November 1919 – ein schwarze Tag in der deutschen Geschichte – lehnten die beiden Generäle alle Schuld an Krieg und Zusammenbruch ab und warfen der zivilen Reichsleitung „Versagen und Schwäche" vor: „Die Regierung habe [...] gegen die Sozialdemokratie nicht durchgegriffen". Die deutsche Armee sei von hinten erdolcht worden. Bethmann Hollweg, auf den das vor allem zielte, war empört. Doch das Stichwort war gefallen, das sein Bild für die nächsten Jahrzehnte in der öffentlichen Meinung und der Geschichtsschreibung bestimmen sollte.

Zermürbt von den Auseinandersetzungen der vorausgegangenen Monate, von dem Grübeln über der Schuldfrage, starb er am 1. Januar 1921, kurz nach seinem 64. Geburtstag.

Bethmann Hollweg war der wohl bedeutendste Kanzler des Kaiserreichs unter den sieben Nachfolgern Bismarcks, wenn ihm auch dessen „Dämonie der Macht" fehlte. Au fond konservativ, war er doch liberal und weitblickend genug, um zu erkennen, daß es gelingen mußte, die Arbeiterschaft in den Staat zu integrieren, sollte das deutsche Regierungs- und Gesellschaftssystem erhalten bleiben, das er voll bejahte. Der Weg dahin sollte keinesfalls die Einführung des Parlamentarismus nach westlichem Muster sein, sondern Sozialgesetzgebung und Entwicklung eines modifizierten, am Ende eines gleichen Wahlrechts in Preußen. Doch hiermit stieß er auf den harten Widerstand der preußischen Aristokratie, der Ostelbier, die ihre politische und soziale Herrschaftsstellung in eben diesem Wahlrecht, das er verändern wollte, verteidigten; und die zugleich verbunden waren mit den konservativen Kräften des Industrie- und Bildungsbürgertums. Da Bethmann Hollweg sich auf die Sozialdemokratie offen nicht stützen konnte, blieb die kleine Gruppe der sog. „liberalen Imperialisten", Männer aus der Finanz- und Handelswelt, z.T. vertreten durch die Fortschrittspartei, eine in sich nicht einheitliche und im Parlament und im Staatsgefüge unzureichende Stütze. Mit ihnen teilte er die Zielsetzung einer vornehmlich ökonomisch bestimmten Vormachtstellung Deutschlands in „Mitteleuropa", durch Einflußzonen in Süd- und Nahost, und in „Mittelafrika". Keines dieser Ziele hat er als starre Bedingung für einen Sonderfrieden oder Allgemeinfrieden angesehen, doch möglichst viel davon durch militärische Erfolge oder, wenn es dazu kommen sollte, am Verhandlungstisch zu erreichen erstrebt. Daß es zu solchen Verhandlungen kommen könnte, hat er in seiner Regierungszeit, ja bis zum Ende des Krieges für möglich gehalten. Das alles aber war der „Kriegszielmehrheit" der deutschen Nation, besonders den Militärs, nicht genug, die vor allem auch den Krieg nicht durchhalten wollten, damit am Ende ein anderes Deutschland mit einem Aufstieg der breiten Volksschichten ins Leben träte.

Bethmann Hollweg hat mit der Integrität seiner Persönlichkeit die Nation in den Krieg geführt und sie mit seiner Unerschütterlichkeit und seinem vertrauenerweckenden Ernst im Krieg zusammengehalten. Dabei hat er den Expansions- und Herrschaftswillen der Oberschichten gedeckt, ja in Wahrheit ihm gedient, was sie ihm nicht dankten. Daß er, von einem kurzen Moment abgesehen, auch nach seinem Sturz jene Machtverhältnisse im Kaiserreich, den Monarchen eingeschlossen, in seinen Memoiren nicht aufdeckte, zeigt, wie sehr er selbst als Monarchist in diesem Besitz- und Machtgefüge gefangen war, und ist ohne Zweifel eine Unterlassung, die sich in der inneren und äußeren Geschichte der Weimarer Republik und der Entwicklung, die zum Zweiten Weltkrieg führte, rächen sollte. Ein Mensch in seinen Widersprüchen – „der rätselhafte Kanzler" –, auch wenn er Sympathie und Achtung verdient.

Hitler war kein Betriebsunfall

Nach der Meinung eines angesehenen Hitler-Forschers (Eberhard Jäckel) bestand Hitlers „Weltanschauung" aus zwei unveränderlichen Zielen: der Vernichtung der Juden und dem Krieg gegen Rußland zum Zwecke der Eroberung von „Lebensraum". Beides konnte er in seiner Propaganda in den Wahlfeldzügen von 1930 bis 1933 nicht als seine Ziele verkünden; es waren andere Ziele, die die Massen gewannen, wie das Versprechen von Arbeit und Brot, eines Führerstaates statt der „Parteienrepublik". Doch mit der Judenfeindschaft und dem Krieg um „Lebensraum" erweist sich Hitler als nicht originell und als Kind einer breiten Strömung in der deutschen wie der österreichischen Gesellschaft vor dem Ersten Weltkrieg.

Im ganzen 19. Jahrhundert gab es in Deutschland eine Gegenbewegung gegen die Emanzipation der Juden, wie sie ein Gesetz in Preußen 1812 aussprach. Die Reaktion dagegen nährte sich zum Teil aus dem antiaufklärerischen und antirevolutionären Schrifttum französischer konservativer Emigranten, die die Französische Revolution zurückführten auf die „Verschwörung" von Philosophen, Freimaurern, Juden, Liberalen und Sozialisten gegen die Sozialordnung, das heißt gegen die ständische Ordnung von Kirche und Adel.

Die Juden wurden von christlich-konservativer Seite als Nutznießer der Revolution abgewertet, die die Christen wirtschaftlich ruinierten. Hier liegen Wurzeln der rechtsradikalen These des 20. Jahrhunderts vom Bestehen einer jüdisch-freimaurerischen Weltverschwörung, deren leidenschaftlicher Verkünder der Demagoge Adolf Hitler wird. In Verbindung mit jahrhundertealten kirchlichen antijüdischen Traditionen lebten Ängste und Überzeugungen fort und antworteten immer wieder auf den Aufstieg des Liberalismus und der Industriegesellschaft; so etwa im protestantischen Raum die religiös begründete Judenfeindschaft des Hofpredigers Stöcker in Berlin während der Wirtschaftskrise in den siebziger Jahren des vorigen Jahrhunderts, die sich gegen die Juden als Hauptvertreter des Wirtschaftsliberalismus wandte. Sie schlug bereits im folgenden Jahrzehnt in biologisch-rassistisch begründete Judengegnerschaft (Marr) um. Doktrinen, die später von völkischen Gruppen und von Hitler aufgenommen wurden.

Die aufsehenerregende Antisemitenpetition von 1880/81, die sich gegen die rechtliche Gleichstellung der Juden richtete, enthielt schon Elemente der späteren Hitlerbewegung. Der Haupteffekt der Petition war, daß sie zum Ausgangspunkt wurde für die Gründung der Vereine deutscher Studenten von 1881 an und ihrer aggressiv antisemitischen Agitation, die den Antisemitismus unter den Gebildeten weit verbreitete, den Ärzten, Juristen, Lehrern, Theologen, in Abwehr der behaupteten, jedenfalls gefürchteten, jüdischen Konkurrenz.

Der Antisemitismus verlieh Stimmungen Ausdruck, die in Deutschland vor 1914 grassierten, nicht nur unter Bauern und im Mittelstand, sondern, wie gezeigt, auch unter den Gebildeten, unter dem Grundadel (Bund der Landwirte!) und in Industriekreisen, im Offizierkorps und bis zum Hofe, wo jeder, wie Wilhelm II., seine Renommierjuden hatte, Albert Ballin, Walter Rathenau, Carl Fürstenberg. Im allgemeinen aber dachten sie über die Juden wie H. St. Chamberlain, von dem S. M. begeistert war, und wie der Bayreuther Kreis oder, noch schlimmer, wie Wilhelm II., der kurz nach dem Kriege davon sprechen konnte, die Juden müßten ausgerottet werden wie Ungeziefer.

Nicht nur aus Dreigroschenheften, sondern in dem weitverbreiteten alldeutschen Schrifttum fand Hitler den Antisemitismus vor; und dort ist die Forderung nach Ausschaltung der Juden aus Staat, Wirtschaft und Gesellschaft schon mehrfach, wie etwa 1899 in Hamburg, bis zur Forderung nach ihrer Beseitigung gesteigert worden. In dem Buch des alldeutschen Führers Claß (unter dem Pseudonym Frymann) ist das Ziel der Ausschaltung der Juden systematisch dargelegt und wurde zum Teil wörtlich in das Programm der NSDAP übernommen.

Als Soldat wird Hitler von der vom Preußischen Kriegsminister unter dem Druck „aus dem Volke“ im Oktober 1916 angeordneten Zählung der Juden in der Armee erfahren haben, deren Durchführung allein schon alle Verdächtigungen zu bestätigen schien, was in Wahrheit nicht der Fall war. Und natürlich hat er die Parole des gleichen Claß erfahren, die dieser im Oktober 1918 ausgab: „Man muß die Enttäuschung der Massen auf die Juden ablenken“ – was Hitler dann reichlich praktizierte.

Schon von seiner Kindheit in Wien her angst- und haßerfüllt über die Anwesenheit vieler Juden in der Metropole der Donaumonarchie, erregte ihn der Zustrom neuer Juden nach 1917/18, die auf der Flucht vor der Russischen Revolution waren. In München erlebte er im Frühjahr 1919 die Versuche einer „Räterepublik“, an der auch Juden beteiligt waren: Judentum und „Bolschewismus“ wurden in seinem Kopf eins; so wie die Ermordung von Rosa Luxemburg (dem „Flintenweib“), von Kurt Eisner, wie später von Walther Rathenau, einen Brei von Antisemitismus und Antimarxismus ergaben, in dem Gewalttätigkeit steckte, die zuerst an Individuen, dann aber auch schon im großen Stil im weißen Terror der Freikorps verübt wurde. Vom Sommer 1919 an, nach der leidenschaftlichen Erregung über den Versailler Vertrag, erfolgte in München, wie gleichzeitig in Berlin, jene Rechtswendung, in der monarchistisch-konservative und völkisch-großdeutsche Gruppen neben- und miteinander lebten, darunter die über ganz Deutschland verbreitete Geheimgesellschaft „Thule“, und wo der Volksredner Hitler samt seinen paramilitärischen Verbänden gedieh bis zu seiner Katastrophe am 9. November 1923.

Die dort versenkten Keime, samt einem tiefsitzenden Antisemitismus, überdauerten die nur oberflächlich stabilen fünf Jahre Scheinprosperität der Weimarer Republik und machten den Neuaufstieg Hitlers unter dem Druck der einsetzenden Weltwirtschaftskrise möglich. Sie sprossen im Zwielicht einiger Skandale, die die Republik erschütterten, wie Barmat, Kutisker, Sklarek, die auch die etablierten Mitte- und Linksparteien in Mitleidenschaft zogen und, weil „Ostjuden“ beteiligt waren, unerschöpflichen Agitationsstoff für den wiedererstandenen Hitler lieferten. Das mag erklären, weshalb die Verdrängung der Juden, darunter Koryphäen der Wissenschaft wie Albert Einstein, aus den deutschen Universitäten seit 1933 und das „Blutschande"Gesetz von 1935 ohne spürbare Gegenaktion hingenommen wurden. Die Öffentlichkeit und die Kirchen schwiegen auch noch, als in der „Reichskristallnacht" am 9./10. November 1938, die Synagogen brannten, Juden mißhandelt und getötet wurden.

Es besteht eine Kontinuität von den Antisemiten des Kaiserreichs, die zeitweise 16 Abgeordnete in den Reichstag entsandten, bis zu Hitlers Denken und Handeln.

Hitler hat in „Mein Kampf" den Wilhelminismus getadelt, weil dessen Ziele ganz auf Übersee ausgerichtet gewesen seien, was von 1895 bis 1909 gelten mochte. Er verkündete, daß er Deutschlands Ziele in der Eroberung und Kolonisation des Ostens sehe. Dabei hat Hitler übersehen, daß diese Expansionsrichtung schon seit 1909, spätestens seit 1912/13 in der Parole vom „unvermeidlichen Existenz- und Endkampf" zwischen Slawen und Germanen offizielle Zielsetzung des Deutschen Reiches geworden war.

Der Kampf gegen die Übermacht des Slawentums, gegen das Moskowitertum führte zum Ersten Weltkrieg. Zwei Tage nach seinem Beginn als Weltkrieg, am 6. August 1914, nannte der deutsche Reichskanzler als Kriegsziel die Zurückwerfung der russischen Grenze auf Moskau und die Bildung einer Reihe von Pufferstaaten (Finnland, Polen, die Ukraine, Georgien) zwischen Deutschland, beziehungsweise Österreich-Ungarn, und Rußland. Und im vieldiskutierten Septemberprogramm des Kanzlers vier Wochen später heißt es, daß Rußland so weit als möglich von der deutschen Ostgrenze zurückgeworfen und seine Herrschaft über die nicht-russischen Völker gebrochen werden muß.

Die deutsche Ostpolitik nach der Oktoberrevolution 1917 ist eine Fortsetzung und Verwirklichung der Ziele von 1914. Der Friede von Brest-Litowsk (März 1918) war ein Friede des Deutschen Reichs mit Sowjetrußland und einem selbständigen Staat

Ukraine, nachdem Polen und Finnland schon vorher zu selbständigen Staaten gemacht worden waren. In den Zusatzverträgen vom August 1918 wurden auch noch Estland und Georgien von Rußland abgetrennt.

Neben raumpolitisch-strategischen waren es vor allem wirtschaftliche Interessen (die Ukraine als Kornkammer und Lieferant von Erzen), die das Motiv dieser Politik bildeten. Rußland war auf die Grenzen zurückgeworfen, wie es sie im 16. Jahrhundert gehabt hatte. Dazu sollte es noch sechs Milliarden Goldmark Kriegsentschädigung zahlen. Es führt eine gerade Linie von diesem Frieden zu dem Milieu Adolf Hitlers in München. Dort sammelten sich nach Kriegsende neben Ludendorff und entlassenen deutschen Offizieren baltendeutsche, russische und ukrainische Emigranten: unter ihnen der von den Deutschen eingesetzte „Hetman" des deutschen Vasallenstaates Ukraine, Skoropadsky, ein Mitbegründer des „Völkischen Beobachters". Er konnte die Zielsetzungen vom Frühjahr 1918 unmittelbar an Hitler weitergeben und so tauchten sie 1925 in „Mein Kampf" als ureigene Idee Hitlers wieder auf und bildeten die zweite Säule seiner Weltanschauung.

Die offizielle antisowjetrussische Linie lebte im Vertrag mit Polen 1933/34 wieder auf, steigerte sich 1936/37 mit wilden Propagandaaktionen gegen den Bolschewismus und die Sowjetunion, endete dann nach dem Zwischenspiel des Hitler-Stalin-Paktes im Angriff auf die Sowjetunion, einem rein imperialistischen Eroberungskrieg, der in der Verbindung von Antislawismus und Antisemitismus der Vorweltkriegszeit ins Brutal-Unmenschliche ausartete.

Neu, der Person Hitlers allein zuzuschreiben, ist die Übersteigerung dieser Politik ins Kriminelle: die Behandlung der polnischen und russischen Bevölkerung als Heloten; das Verhungernlassen von Millionen russischer Kriegsgefangener, woran auch die Wehrmacht eine große Mitschuld trägt. Wohl Hitler allein zuzuschreiben ist die Ermordung von Millionen europäischer Juden. Wobei auch hier, außer den Gefolgsleuten Hitlers, staatliche und private Gruppen (Polizei, Eisenbahn, Bauunternehmer, Chemiewerke), sei es aus Antisemitismus, sei es aus preußisch-deutscher Gehorsamstradition oder aus gedanken- und bedenkenloser Gewinnsucht beteiligt waren.

Die geopolitisch-strategische und ökonomische Zielsetzung („Nach Ostland wollen wir reiten!") ist Kontinuität des wilhelminisch-alldeutschen Expansionismus.

Es gibt neben Antisemitismus und „Lebensraum"-Phantasie (der Begriff erscheint 1916 in einer Kundgebung der Universität München) in der Gedankenwelt Hitlers, sofern sie für den Aufstieg oder vielleicht für die Machtübertragung an Hitler im Januar 1933 und die Festigung seiner Macht entscheidend waren, noch eine Reihe weiterer Erbstücke. Sie stammen aus dem Bismarckreich (die Reichsgründung „von oben"), aus dem Wilhelminismus (die Verachtung des Parlamentarismus und der Parlamentarier), aus dem Alldeutschtum und speziell aus der „Vaterlandspartei", die 1917 als überparteiliche Sammlungs-„Bewegung" die Friedensresolution der Schwarz-Rot-Goldenen, der Katholiken, der Sozialdemokraten und der Demokraten bekämpfte.

Es fehlt Hitler jedes Verständnis dafür, daß es 1918/19 keine Alternative zur Republik gab. Er spricht verächtlich von den „Novemberverbrechern", ähnlich wie die Rechtsparteien (die Deutschnationale Volkspartei, die früheren Konservativen und die Deutsche Volkspartei, die früheren Nationalliberalen) und die Deutsch-Völkischen aller Schattierungen. Mit der Ablehnung der „westlichen" Demokratie, die von der großen Mehrheit der deutschen Universitätshistoriker geteilt wird, verbindet sich bei Hitler ein extremer Haß gegen den „Marxismus" (wobei er Sozialdemokraten und Kommunisten unter diesem Begriff subsumiert) als Zerstörer der natürlichen Einheit des Volkes, von Staat, Gesellschaft und Wirtschaft. Das Reizwort dafür ist der „Bolschewismus". Diesen Schreckenspopanz teilt Hitler mit einem großen Teil der damaligen deutschen Bourgeoisie bis hin zum rechten Flügel und der Mitte der Sozialdemokratie. Von Karl Marx bis Rosa Luxemburg ist für Hitler der „Marxismus" in jeder Spielart seiner Führung identisch mit dem „zersetzenden" Judentum, dessen Ausschaltung auch und gerade um dieser Verbindung willen unabdingbar für ihn wurde.

Wie er als Heranwachsender in Wien Abscheu empfand vor den „Kaftanjuden", so empfand er (nach seinem eigenen Zeugnis) Schrecken vor den Massenumzügen der Sozialdemokraten. Als Sohn eines uniformierten mittleren Staatsbeamten, später auch als „freier Künstler" zählte er sich zum Bürgertum, nie empfand er sich – entgegen dem Namen seiner Partei – der „Arbeiterschaft" zugehörig, und sei es auch nur aus sozialem Empfinden. Er ist Machtmensch, Imperialist; die Massen, ihrer sozialistischen oder katholischen Führer beraubt, müssen domestiziert, diszipliniert und fanatisiert werden durch den Führerkult.

Nach der Machtübergabe durch die Konservativen – den Reichspräsidenten, Papen, Deutschnationale, Stahlhelm (unter Mithilfe von Schwerindustrie und Großagrariern) – an ihn am 30. Januar 1933 (mit einem Kabinett von acht konservativen Ministern, darunter vier Adeligen) und nach dem Abschluß der Gleichschaltung aller Institutionen im Sommer 1933 enttäuschte Hitler die Erwartungen seiner Massenanhängerschaft, den Mittelstand und seine sozialrevolutionär gesonnenen Gefolgsleute (SA). Er verbündete sich, gedeckt durch die SS, mit den Säulen der Gesellschaft und Wirtschaft des Wilhelminischen Deutschland:

- der Preußisch-Deutschen Armee (Reichswehr) mit ihrem weitgehend adeligen Offizierskorps;
- der Schwerindustrie (Thyssen, Krupp, Klöckner, Vögler usw.), die allein die von Hitler geplante Aufrüstung einer modernen Angriffsarmee ermöglichen konnte;
- dem Großgrundbesitz, den alten Ostelbiern, weil sie im Kriegsfall die Ernährung sicherstellen konnten – mehr als kleine oder mittlere Bauern oder Siedler;
- der Beamtenschaft und der Justiz, die willfährig waren gegenüber der Staatsleitung, wobei die Justiz bereits seit 1919 von sich aus in zahlreichen Prozessen die Linke mit Schärfe und die Rechte mit Milde behandelt hatte;

- der katholischen Kirche, weil sie ihm durch das Reichskonkordat die erste internationale Anerkennung verschaffte und zugleich die Zweidrittel-Mehrheit im Reichstag für das „Ermächtigungsgesetz“ (durch ein „Ja“ des Zentrums) sicherte. Dabei war der folgende tagtägliche Kleinkrieg mit den Pfarrern um die Auslegung des Konkordats sekundär neben den großen Vorteilen, die der Vertrag mit dem Heiligen Stuhl bot.

Der oft als Asozialer oder Bohemien bezeichnete Hitler – das war er auch – stand in extremem Gegensatz zum nationalen oder nationalistischen Kleinbürger. Er biederte sich beim Großbürgertum an, den Eliten in Gesellschaft und Wirtschaft und erreichte das Bündnis mit ihnen; mit den Eliten, die ihn ihrerseits als Trommler und Bollwerk gegen den „Bolschewismus“ und „Marxismus“, gegen sozialistische Parteien und Gewerkschaften glaubten benutzen zu können, zumal ihrer beider nationale Ziele, einer Wiederherstellung deutscher Macht und Größe, gleich zu sein schienen. Zu spät erkannten sie, daß seine Rassenvernichtungspolitik den deutschen Namen befleckte und die Uferlosigkeit seiner Kriegspolitik die Nation in den Untergang führen würde.

Dieser Vulkan an Energie, Willen und Leidenschaft ist dennoch ohne die gesellschaftlich-sozialen wie die ideellen Bedingungen Deutschlands im Kaiserreich und in der Weimarer Republik nicht denkbar. Jedenfalls kam Hitler nicht aus der Hölle oder vom Himmel und war kein „Betriebsunfall“. Er gehört, gemessen an den Voraussetzungen, die sein Wirken und sein Auftreten ermöglichten, wie an seiner Gedankenwelt, tief in die deutsche Geschichte des 19. und 20. Jahrhunderts hinein.

Die Kirchen in Deutschland und die beiden Weltkriege

Es soll in diesem Beitrag nicht um das gehen, was die Geistlichen beider Konfessionen in den Kriegen an geistlicher Hilfe geleistet haben: an Beistand für die Sterbenden und die Verwundeten, für die trauernden Hinterbliebenen; an Stärkung durch die Gottesdienste im Felde und daheim, damit die Menschen die schweren Belastungen ertragen konnten. Diese Hilfe ist unbestritten. Unser Thema sind die Kirchenführungen, die hohe Geistlichkeit, die Ordinariate und Konsistorien, die Lehrer der Kirchen, die Theologen beider Konfessionen: Wie haben sie die Kriege verstanden, und wie haben sie sich zu den Kriegen amtlich geäußert?

Durch die Friedensbewegung der letzten Jahre hat sich die Frage gestellt, wie sich eigentlich die Kirchen zu den großen Kriegen verhalten haben. Man muß heute freilich die Frage nach dem Verhalten der Kirchen zu den Kriegen in allen an ihnen beteiligten Nationen prüfen: im Ersten Weltkrieg etwa in *Rußland*: da war seit Peter dem Großen die Kirche Staatskirche. Für die Millionen analphabetischer Bauern war wohl die Tatsache, daß die Kirche den Krieg bejahte, wichtiger als der Befehl des Zaren. Oder in *England:* da ist die anglikanische Kirche seit Heinrich VIII. Staatskirche, die Bischöfe sitzen im Oberhaus, der König bzw. die Königin ist Oberhaupt der Kirche, und einen Konflikt zwischen Politik des Staates und Politik der Kirche im Hinblick auf Fragen des Krieges konnte es schlechterdings nicht geben. Oder in *Frankreich*: da war es 1905 als Folge des Dreyfus-Prozesses, in dem die Kirche ganz auf seiten der Armee gegen die Liberalen gestanden hatte, zur Trennung von Staat und Kirche gekommen; dennoch hat die katholische Kirche, haben alle ihre Bischöfe sich bei Kriegsausbruch 1914 sofort auf die Seite des laizistischen Staates gestellt. Die jahrhundertealte Verbindung von Staat und Kirche in der Zeit der Monarchie erwies sich als stärker als der kurz zurückliegende „Kirchenkampf“. (Die Stärke der katholischen Kirche in Frankreich sieht man noch jetzt etwa an der großen Beteiligung an den Protestmärschen gegen den Versuch, die katholischen Privatschulen abzuschaffen.) Oder in *Italien*, das ja erst 1915 in den Krieg eingetreten ist. Dort war der König formell noch exkommuniziert bis zu den Lateranverträgen von 1929, als durch Mussolini der Vatikanstaat in bescheidenem Umfang wiederhergestellt wurde, der 1870 durch das Königreich Italien besetzt worden war; doch auch hier trat die Kirche 1915 sofort auf die Seite des Staates. Um noch weiter auszugreifen, in den *USA*, wo seit Gründung des Staates 1776/88 die Trennung von Kirche und Staat verfassungsrechtlich festgelegt war – eine Bestimmung, die strikt durchgehalten wurde –, haben doch die Kirchen, insbesondere die protestantischen, sich sofort nach der Kriegserklärung an Deutschland im April 1917 auf seiten des Staates gestellt. Der Krieg wurde bejaht, ja sogar aus puritanischer Tradition heraus als ein Kreuzzug gegen das kaiserliche Deutschland interpretiert (das wiederholte sich im Zweiten Weltkrieg); dementsprechend haben deutsche Theologen später rückschauend den Weltkrieg als Krieg und Sieg Calvins über Luther verstehen wollen. *Österreich-Ungarn* schließlich war der katholische Staat in Europa schlechthin; die katholische Kirche war in der Donaumonarchie neben der Armee und der Beamtenschaft die Klammer des Vielvölkerstaates. Pius X. wie der 1914 zum Papst erwählte Benedikt XV. standen in ihren Sympathien auf seiten Österreich-Ungarns gegen das griechisch-orthodoxe Serbien.

Im *Deutschen Kaiserreich* waren seit der Reformation die Fürsten die weltlichen Oberhäupter der evangelischen Kirchen. So war auch der König von Preußen das Oberhaupt der protestantischen Kirchen in seinem Staat, besonders unmittelbar in der Kirche der altpreußischen Union (1817 vom König durch Vereinigung der Lutheraner und Reformierten geschaffen); ja sogar die katholischen Fürsten, wie etwa der König von Bayern, waren formell das Oberhaupt auch der protestantischen Kirche in ihrem Lande. Es war in Deutschland, vor allem auch in Preußen, zu einem engen Bündnis von Thron und Altar gekommen. Wilhelm II. hat sich bewußt und betont als Christ und Protestant empfunden; und er war auch der Beschützer der katholischen Kirche in Deutschland, ungeachtet mancher von ihm getaner Äußerungen der Kritik etwa am Marienkult der katholischen Kirche. Er war regelmäßiger Gottesdienstbesucher und hielt sogar selbst Gottesdienste ab, etwa auf seiner Yacht „Hohenzollern". Es ist kein Zweifel, daß er subjektiv ein aufrichtiger protestantischer Gläubiger war. In der Frage, die wir hier behandeln wollen, hat Wilhelm II. zwar durch seine unvorsichtigen, provozierenden Reden die deutsche Politik schwer belastet, und er hat durch seine Äußerungen, die er nach Sarajewo tat und die in der Reichsführung als Befehl betrachtet wurden, die Julikrise verschärft, doch die unmittelbare Verantwortung für den deutschen Anteil an der Auslösung des Krieges tragen die drei oder vier Leute, die verfassungsrechtlich für die Außenpolitik zuständig waren, das sind der Reichskanzler und das Auswärtige Amt, die gedrängt wurden vom Militär.

Nach dem Ersten Weltkrieg, 1919, hat der große Theologe und Philosoph Ernst Troeltsch rückschauend auf die vorrevolutionäre Zeit geschrieben, der landeskirchliche Protestantismus sei der Vertreter der monarchischen Gesinnung, der militärischen Gesellschaftsordnung, der hierarchisch-ständischen Gesellschaft, der Herrschaft der Rittergüter, besonders im ostelbischen Preußen, gewesen und mit seiner Dogmatik und Ethik diesen Ordnungen so eng verbunden, daß er als der geistliche Zwilling des konservativen politischen Systems gelten könne und sich auch mit Stolz als solcher fühle; übrigens auch noch über die Zäsur von 1918/19 hinaus.

Ich will mich hier auf die Rolle der deutschen Kirchen beschränken, muß aber darauf hinweisen, daß es von seiten der Kirchen seit Jahrhunderten gewisse Kriterien gab, wann der Staat einen Krieg für den Schutz und die Interessen seiner Untertanen bzw. Bürger führen dürfe. Katholische Theologen haben durch eineinhalbtausend Jahre eine Naturrechtslehre entwickelt, wann ein Krieg gerecht sei; das ist die Lehre vom *bel-*

lum justum, die auch in den beiden Weltkriegen noch eine Rolle gespielt hat. Ein Krieg ist gerecht, besagt die Lehre, wenn er erstens von der legitimen Obrigkeit erklärt wird; wenn es sich zweitens um eine gerechte Sache handelt, (Wer aber entscheidet, was gerecht ist?); drittens darf der Krieg nur als letztes Mittel in einem Konflikt benutzt werden, d.h. es müssen ihm Verhandlungen vorausgehen, so daß also der Krieg nur als ultima ratio eingesetzt werden darf; alle Maßnahmen gegen den Feind müssen viertens mit dem Naturrecht und mit dem geltenden Völkerrecht (seit 1907 mit der Haager Landkriegsordnung und ihren Ergänzungen zur Luftkriegsführung) übereinstimmen; es muß fünftens eine Relation zwischen Mittel und Zweck bestehen: man darf keinen Krieg führen, wenn man voraussichtlich gar nichts dadurch erreicht; vielmehr darf man ihn nur führen, wenn man in der Lage ist, einen besseren Rechtszustand durch den Krieg erreichen zu können.

Komplizierter ist die Sache auf der Seite der protestantischen Theologen, weil hier zu den Bedingungen für einen gerechten Krieg noch die Vorstellung hinzukommt, daß Gott, der Herr der Geschichte, im Auf und Ab der Staatenbeziehungen ein Aufsteigen und Absteigen der Staaten kennt und die Staaten berechtigt, ja verpflichtet sind, ihre staatlich-politische und nötigenfalls auch ihre kulturelle Tradition zu verteidigen. Wir werden auf diese Vorstellungswelt zurückkommen.

Wenn so die Gedankenwelt der im kirchlichen Raum wie in der politischen Welt Führenden sich aus Theorien, Traditionen und natürlich Interessen verständlich machen läßt, so ist das 1914 in allen am Krieg beteiligten Staaten gleiche Phänomen der Emotionen und der Begeisterung der Masse der Bevölkerung – weit über den Kreis des Bildungsbürgertums hinaus – schwerer zu erklären. Doch muß man sich vergegenwärtigen, daß für die Unterschichten in Stadt und Land in der frühen Neuzeit und bis über die Mitte des 19. Jahrhunderts hinaus das tägliche Leben mühselig und schwer war, religiös verstanden ein „Jammertal“, mit häufigen Hungersnöten, Epidemien, Arbeitslosigkeit, geringer Entlohnung, Wohnungsnot, Kinderüberfluß; daß aber etwa seit den 80er Jahren des vorigen Jahrhunderts, die Industrialisierung nach schweren Anfangsjahren greifbare Verbesserungen für die breiten Schichten mit sich brachte, ergänzt durch eine Sozialgesetzgebung des Staates, was sich dann auch an der Gedankenwelt und der praktischen Verhaltensweise der Arbeiterparteien ablesen läßt. Diese Veränderung der materiellen Situation der Massen brachte eine Identifizierung mit dem eigenen Staat, mit der eigenen Nation hervor, die weit hinausging über den Gehorsam des Untertanen, so daß in Zeiten äußerer Gefahr oder eines Krieges die Massen sich (mehr oder minder nach Schichten und Regionen) zur Verteidigung des Vaterlandes bereit fanden. Die allgemeine Wehrpflicht in Preußen-Deutschland trug dazu ebenso bei wie eine geschickte Politik der Führung, die dem Gegner die Kriegsschuld zuschob, und der Aufbau von „Feindbildern" durch Propaganda, die etwa die sozialpolitische Rückständigkeit in den Gegnerstaaten hervorhob. Wie wir sehen werden, gingen in der inneren Erregung der Massen politische und religiöse Emotionen ineinander über.

Der Erste Weltkrieg

1915 schrieb der damalige Bischof von Speyer, der spätere Kardinal von München Faulhaber: „Wenn die Toten dieses Krieges daheimgeblieben wären, etwa aus Verachtung des Patriotismus und Militarismus, dann ständen wir nicht vor dem Triumph der sittlichen Weltordnung, sondern vor dem Triumph der Moral des Teufels. Dann hätte die gottesfeindliche Staatsidee aus Frankreich [Trennung von Staat und Kirche! Demokratie!] ungestraft durch die Welt fortwuchern können. So aber kämpfen und starben unsere Soldaten als Hüter und Rächer der göttlichen Weltordnung, weil es ein Krieg ist, in dem uns aufgegeben ist, Rache für den Mord von Sarajewo zu nehmen". Faulhaber hat später auch noch gesagt, daß dieser Krieg das Musterbeispiel für einen „gerechten" Krieg sei. Der Erzbischof von Cambrai aber sagte in einem Hirtenbrief: „Die französischen Soldaten fühlen mehr oder weniger stark und deutlich, daß sie Soldaten Christi und Marias sind, Verteidiger des Glaubens, und daß französisch sterben christlich sterben heißt. Es ist Christus, der die Franzosen liebt". (Daraus ergäbe sich die Frage der Theodizee, wie kann Gott Krieg zwischen Christen zulassen?)

Die Erregung, die der Krieg auslöste, war eine ungeheure, in allen Ländern, nicht nur in Deutschland. Sie setzte schon ein mit dem Bruch zwischen Österreich-Ungarn und Serbien (25. Juli 1914) und steigerte sich bis zur Mobilmachung und der deutschen Kriegserklärung an Rußland (1. August 1914). Diese Erregung wurde von den Kirchen in Deutschland als eine Offenbarung des göttlichen Geistes verstanden, auch weil diese Kirchen sich seit etwa acht Jahren einer Kirchenaustrittsbewegung gegenübersahen, als 10–20000 Menschen pro Jahr die Kirche verließen als Antwort auf das Preußische Volksschulgesetz von 1906; aber auch wegen der fortgehenden Pressionen gegen die Sozialdemokratie, die als reichsfeindlich behandelt wurde, obwohl sie längst reformistisch und also staatsbejahend geworden war. (Diese Kirchenaustrittsbewegung war noch recht gemäßigt im Vergleich zu dem, was nach dem Kriege geschah: als Antwort auf die Stellung der Kirchen im Krieg sind 1919 700000 Menschen aus der Kirche ausgetreten, 1920 noch 56000, also ein Vielfaches im Vergleich zu den Zahlen der Vorkriegszeit.) Die Theologen, besonders die Gemeindepfarrer, waren 1914 überrascht, daß die Erregung bei Kriegsbeginn umschlug in eine tiefe Gottesfürchtigkeit und in die Bitte, daß Gott den Deutschen helfen möge. Bald kam die Rede vom „Deutschen Gott" auf.

Ein Vorgänger auf meinem Hamburger Lehrstuhl, Max Lenz, erst in Berlin, dann in Hamburg, hat damals im August 1914 einen Aufsatz geschrieben, „Der deutsche Gott". Er war damals bekannt als der Verfasser eines bedeutenden Buches über Luther. Er schrieb: „Jauchzend, als ginge es zum Fest, stellt sich unsere Jugend dem Gottesurteil der Schlachten. Emporgereckt hat sich der Siegfriedsgeist unseres Volkes, in dem die Kerngedanken jeder echten Religiosität sich zeigen: Demut, Treue, Gehorsam, Pflichterfüllung bis aufs Äußerste und der vorwärtsdrängende Glaube an den Sieg der gerechten Sache". Und nun folgt eine Seligpreisung: „Selig aber preisen wir uns, daß wir auch diese Zeit noch sehen durften. Selig auch dann, wenn alles vergeblich wäre, wenn der Schwall der Feinde unserer mächtig werden sollte, die deutsche Nation ausgelöscht werden sollte [das spiegelt die Besorgnisse der Hamburger Kaufmannschaft nach dem 4. August, als England in den Krieg eintrat; denn bis dahin war nur der Krieg mit Rußland und Frankreich vorgesehen, F. F.], auch dann noch wäre unser letzter Seufzer ein Dank gegen Gott; denn Gott würde uns dann dargestellt haben als ein ewiges Beispiel für das, was Treue ist, eine Predigt würde unser Todeskampf sein, die durch die Jahrtausende hallen würde. Aber wir brauchen uns ja nicht zu ängstigen, wir werden ja siegen, weil wir siegen müssen, weil Gott die Seinen nicht verlassen kann". Das sagte ein hochangesehener deutscher Universitätsprofessor und Vertreter des deutschen Protestantismus.

Das „Augusterlebnis" wurde verstanden als eine Mobilmachung der Herzen, als „eine Erweckung des Geistes" und als „ein Gotteserlebnis, wie es im Vaterlande noch nie gesehen worden sei"; als „eine Sturmflut des Geistes", als „ein Wunder Gottes", ja „wie ein paar Tage Reich Gottes auf Erden". Hermann Bezzel, ein Repräsentant des deutschen Luthertums, Präsident des Oberkonsistoriums in München, sprach damals vom „heiligen Krieg" (das war noch mehr als ein „gerechter Krieg"); und Otto Dibelius, damals noch Pfarrer in Pommern, kurz darauf in Berlin, ein Mann von großem persönlichen Einfluß, sprach von der „großen Schicksalsstunde" der Deutschen: niemals wieder werde Gott ihnen so nahe sein wie in diesen Monaten, nie wieder werde er seine Gnade und seine Forderungen an sie so streng richten wie jetzt, und wenn sie sich ihm jetzt nicht ganz hingäben, dann hätten sie auch keine Hoffnung und würden niemals den Glauben finden.

Viele dieser religiösen Gedanken berühren sich mit den „Ideen von 1914", wie sie der Nationalökonom Plenge in Münster formuliert hat und wie sie von nahezu allen deutschen Nationalökonomen, Juristen und Historikern aufgenommen wurden. Der deutsche Idealismus kämpft da gegen den materialistischen Amerikanismus, die Volksgemeinschaft in einer ständischen

Ordnung gegen die Demokratie des Stimmzettels, gegen Westeuropa; man ist antidemokratisch, antiparlamentarisch. Thomas Mann hat während des Ersten Weltkriegs zwei Bücher geschrieben, das erste 1915, „Friedrich und die Große Koalition“, worin er den Bruch der belgischen Neutralität durch Deutschland verteidigt, und das andere Buch 1918, „Betrachtungen eines Unpolitischen“, mit der Idee, wir verteidigten die deutsche „Kultur“ gegen die westliche „Zivilisation“.

Damals führten die Deutschen Krieg gegen „Westeuropa“ (und das „moskowitische“ Rußland). Welche Ideale verteidigten sie? Ordnung, Unterordnung, Einordnung, Disziplin, Gehorsam (das Wort Gehorsam kommt damals in jeder Predigt vor), Pflichterfüllung, Treue. Ihr Glaube ist der Glaube an die Überlegenheit der guten und gerechten Sache. Wenn das Erlebnis des August 1914 als Selbstoffenbarung Gottes verstanden wird, so gilt es zugleich als der Höhepunkt des Geschichtsprozesses, als das Ende einer Kette göttlicher Fügungen und Führungen in der deutschen Geschichte. Im ganzen Krieg, um hier vorzugreifen, sahen es die Theologen als ihre Hauptaufgabe an, den Geist von 1914 zu bewahren. Bruno Doehring, Prediger am Dom zu Berlin, kann sagen, der Frühlingssturm des Geistes müsse zur Reife und Blüte gebracht werden; wenn dieser Geist nicht festgehalten werde, hätten die Deutschen kein Anrecht zu siegen: nur wer den Geist von 1914 festhalte, werde siegen in diesem Krieg. Manchmal sagte er auch: „Wir kämpfen für den Protestantismus“ – bei einem Drittel katholischer Mitbürger!

Die „Greuel“ in Belgien

Während des Vormarsches der deutschen Armeen durch Belgien kam es zu den sog. „Greueln“, wie die andere Seite sie nannte; diese sehr bedauerns- und beklagenswerten Vorgänge sind heute durch die Zusammenarbeit belgischer und deutscher Historiker weitestgehend geklärt, und es ist möglich geworden, ohne Emotionen darüber zu sprechen. Deutsche Soldaten glaubten in den belgischen Milizsoldaten „Franktireure “ (in

Erinnerung an 1870/71) vor sich zu haben, sie glaubten auch, daß die belgischen und französischen Truppen bei der Verteidigung von Dörfern durch bewaffnete Einwohner unterstützt worden seien; es hatten bei Nachtgefechten aber auch deutsche Einheiten aufeinander geschossen – jedenfalls kam es zu extremen Reaktionen, Niederbrennen von Dörfern auf Befehl, Erschießungen von Einwohnern, darunter auch Frauen und Kinder und Priester. Die Nachrichten darüber erregten die gesamte Welt gegen Deutschland. Die Deutschen antworteten darauf mit drei Kundgebungen: 1. Am 4. Oktober erschien der Aufruf an die Kulturwelt, unterschrieben von 93 bekannten Vertretern deutscher Wissenschaft und Literatur (die freilich nicht nachgeprüft hatten, was etwa an den Anschuldigungen richtig war!); 2. Am 16. Oktober folgte die Erklärung der Hochschullehrer des Deutschen Reichs, diese ist schon von 4400 Namen unterschrieben worden; 3. Schließlich folgte am 17. Oktober die Kundgebung der deutschen Universitäten an die Universitäten des Auslands. Was war der Inhalt dieser drei Kundgebungen? Es gehe nicht, sagen sie, wie ihr draußen es wollt, daß man Weimar und Potsdam unterscheide; wir bekennen uns zum deutschen „Militarismus". Darunter verstanden die Deutschen Manneszucht, Disziplin, Opferbereitschaft, die in der deutschen Armee herrschen würden und die es unmöglich machten, daß von ihr Gewalttaten gegen Zivilisten begangen werden könnten, wie sie ihr jetzt vorgeworfen würden. Das Ausland aber verstand unter „militarism", zumal als „prussian militarism" etwas Böses – und nun bekannten sich die Vertreter des Geistes in Deutschland zu diesem Militarismus! In diesem Moment stand Deutschland völlig isoliert in der Welt, wie nie zuvor und wie kaum mehr später.

Die Franzosen antworteten nun mit einem großen Werk „La Guerre Allemande et le Catholicisme", sie warfen den deutschen Katholiken, deren Namen ja auch unter den Aufrufen standen, vor, einen Vernichtungskrieg gegen Katholizismus und Christentum zu führen. Der das Buch begleitende Aufruf war unterschrieben von zwei französischen Kardinälen, darunter dem Erzbischof von Paris. Darauf reagierten die deutschen

Katholiken mit einem großen Werk „Der deutsche Katholizismus antwortet Frankreich!“, worin sie das Recht und die Notwendigkeit dieses Krieges und auch das Recht und die Notwendigkeit des Bruches der belgischen Neutralität verteidigten. Sie bestritten auch ausdrücklich die Beschuldigungen, deutsche Truppen schändeten französische Gotteshäuser. Die deutschen Bischöfe wandten sich auch an den Papst und schickten ein Ergebenheitstelegramm an den deutschen Kaiser. Papst Benedikt XV. antwortete, auch im Krieg sollten beide Seiten freundlich und duldsam miteinander sein, und er sagte, daß derjenige weit vom Glauben abirre, der sich das Recht nähme, über die Handlungen anderer Katholiken zu urteilen und sie herabzusetzen, und er mahnte alle Katholiken, diesen Streit aufzugeben. Aber alles half nichts. Bereits nach vier Wochen Krieg war eine tiefe Kluft zwischen zwei Nachbarvölkern aufgebrochen, jedenfalls zwischen deutschen Katholiken und französischen Katholiken.

Die Predigt und das Geschichtsbild im Krieg

Damals hat man Hunderte von Kriegspredigten veröffentlicht, als Zeugnisse des deutschen Geistes und Glaubens, die auch nach dem Krieg gelten und wirken sollten. Immer wieder heißt es darin, daß die Durchhaltekraft nur bestehen wird, wenn der Geist von 1914 lebendig bleibt. Mit diesen Vorstellungen verband sich die Meinung, daß Deutschland das auserwählte Volk sei. In zahllosen Predigten wurde Deutschland als das Volk Gottes dargestellt, weil Gott ihm die Aufgabe übertragen habe, mit diesem Krieg die Welt auf einen höheren Kulturzustand zu heben. Es heißt dann: Gott hat uns das Angebot gemacht, auch äußerlich siegreich und mächtig zu werden; wir müssen dieses Angebot annehmen, denn Gott hat das Heil der Deutschen im Auge. Damit verband sich nun ein förmliches Geschichtsbild; denn außer Luther werden auch die großen Geister des Befreiungskrieges gegen Napoleon beschworen, auch Kant und Fichte, häufig auch die brandenburgisch-preußischen Fürsten, etwa der Große Kurfürst oder von den preußischen Königen Friedrich Wilhelm I., der Vater Friedrichs des Großen, als das Vorbild eines frommen Mannes. Drei große Gedächtnisfeiern werden abgehalten: der Geburtstag von Bismarck im April 1915; der Jahrestag der 400jährigen Herrschaft der Hohenzollern in der Mark Brandenburg 1915; und der Thesenanschlag Luthers am 30. Oktober 1917. Der Weg von Luther bis Wilhelm II. wurde eine nationale Heilsgeschichte. So konnte der Generalsuperintendent Lahusem (der aus Bremen stammte, jetzt aber in Berlin und Brandenburg wirkte) sagen: „Wir sind hohenzollerisch bis auf die Knochen und waren es immer". Bei einer Huldigung für Wilhelm II. heißt es: „wenn irgendwo in der Weltgeschichte, so greifen wir in unserer Geschichte die göttliche Vorsehung mit Händen. Gott ist uns begegnet, im Weltgeschehen waltet Gottes Wille. Einssein mit unserer Geschichte heißt Einssein mit Gott". So kann auch der Oberhofprediger Dryander sagen: Gott macht die Geschichte durch die großen Männer, die er uns geschickt hat, und diese großen Männer sind ausgezeichnet durch rastlose Arbeit, durch den soldatischen Zug, durch haushälterische Treue; und er segnet den Kaiser, der vor ihm kniet anläßlich dieses Tages (so wie der Oberhofprediger Kögel 1871 nach der Rückkehr Kaiser Wilhelms I. aus dem Felde diesen im Berliner Dom gesegnet hatte im ersten Gottesdienst nach der Rückkehr). Hier wird die enge Verbindung von Kirche und Monarchie offensichtlich.

Sehr oft ist dann vom deutschen Volk als Gottes Werkzeug die Rede. Es heißt oft, wir glauben an den Weltberuf unseres Volkes. Otto Dibelius kann sagen: ein Volk, dem das Vaterland „ein ewig heiliges Gut" bedeutet, kann niemals zerbrechen. Als 1916 Verdun, die Sommeschlacht, Flandern schwere Opfer fordern, heißt es, wir müssen durchhalten; denn Gott hat mit unserem Volke noch vieles vor. Die Schlachten und Siege dieses Kriegs, der bisherige Kriegsverlauf, sind der Beweis dafür, daß Gott mit dem deutschen Volk noch Großes vorhat. Dryander sagt: „Ein Volk, das der Feindschaft der halben Welt gegenüber sich behauptet, ist siegreich, es ist das Volk der Kraft und des Geistes, der geborene Führer der Nationen", und es werde diese große Mission auch noch im Frieden ausrichten. Als im Januar 1918 in Berlin der große Munitionsarbeiterstreik ausbricht, fragt derselbe Dryander, ob Gott etwa den Glauben an ihn getäuscht hat? Aber es ist ihm unmöglich, diesen Gedanken auch nur zu denken. Er sagt, er wage das Wort, daß in dieser furchtbarsten politischen Krise alle gehalten und getragen würden von dem Gedanken, daß Gott in der Höhe noch Großes vorhabe mit dem deutschen Volk, und das ist ihm die Versicherung, daß Deutschland nicht verlieren könne. Der Gedanke, daß Gott auch die Niederlage für Deutschland wollen könne, wird nicht ausgesprochen, wohl kaum gedacht. Er kommt nur einmal vor, als die Theologische Fakultät von Marburg erklärt, daß die Deutschen in der Vorkriegszeit sehr unchristlich gewesen seien, weil die Familien keine Kinder mehr gehabt hätten. Früher hätten sie fünf bis sieben, jetzt nur noch zwei bis drei Kinder gehabt, und das sei eine große Verirrung. Das ist wohl das einzige Mal, daß der Krieg als Strafe für Sünde gesehen wird. Ein Geistlicher aus Baden sagte, daß Gott Deutschland nicht vier Jahre lang durch alle Nöte des Krieges geführt habe, um es am Ende fallen zu lassen. Hier klingt immerhin der Gedanke an, der Krieg könnte ungünstig für das Reich ausgehen.

Das Bild der gegnerischen Nationen

Mit der Vorstellung vom deutschen Volk als dem auserwählten Volk, dem Heilsvolk, und von der Mission Deutschlands verbindet sich die Vorstellung, daß die anderen böse und am Krieg schuld sind. Manche gehen so weit, die Teufel des Lutherliedes mit den Feinden zu identifizieren. Da sind die „Feindbilder": die *Franzosen* (ich zitiere nur die Worte, die in Predigten vorkommen) sind „oberflächlich", „rational", „atheistisch", „frivol" (wegen der Pariser Nachtclubs), „eitel", von „Ruhm- und Herrschsucht" gepeinigt, beherrscht von „Rachsucht" und „Ruhmgier", voll eitler „Redesucht", eine Nation, die „von Revolution zu Revolution taumelt". Die *Russen* sind ausgezeichnet durch „Barbarei", „Gewalttätigkeit" und „Unmoral", von ihnen wird gesagt, sie seien eine „wilde, halbbarbarische Rasse", geführt von einer „gottlosen, sittenlosen, gewissenlosen, beutelüsternen Herrenpartei, welche unser glücklich geordnetes Land in eine Wüstenei verwandeln will". Und das Schlimmste: die *Engländer*. Mit ihnen hatte man nicht gerechnet. Auch Adolf von Harnack sagte, daß er es nie verwunden habe, als er am 4. August von dem englischen Ultimatum erfuhr, demzufolge England sich im Kriegszustand mit Deutschland befände, falls nicht bis Mitternacht Belgien geräumt würde. Gerade mit den englischen Kirchen waren ja vor dem Kriege enge Beziehungen angeknüpft worden, um auf diese Weise den Frieden zwischen Deutschland und England zu festigen. Und nun stand England auf der anderen Seite! Der Gruß für die ersten Monate des Krieges hieß deshalb: „Gott strafe England!" Es bildete sich ein massiver Englandhaß heraus. Ein Volk, mit dem wir rassisch, sprachlich, kulturell, religiös verwandt sind, so die damalige Leseart, habe Verrat begangen am Brudervolk; neidverblendet gönne es Deutschland seinen Aufstieg nicht, gehe statt dessen in das Lager der slawischen Königsmörder, auf die Seite der kulturlosen Russen; England handle aus den niedrigsten Motiven, die Engländer seien nur Geschäftemacher. Daraus entstanden Vorstellungen, wie sie etwa Wilhelm II. im Herbst 1917 vor den Krupparbeitern ausgesprochen hat: Entweder solle in diesem Kriege die preußisch-deutsche germanische Weltanschauung, d.h. Recht, Freiheit und Sitte in Ehre, siegen oder die angelsächsische, und das bedeutet, der Herrschaft des Geldes zu verfallen. An den Kaiser anknüpfend hat dann Bruno Doehring in Berlin im Dom im Juni 1918 eine Predigt gehalten über Matth. 26 „Der Sieg der deutschen Weltanschauung". Dort warnte er, daß ein Sieg der Angelsachsen seiner Ansicht nach die Moral Europas katastrophal verändern würde, Gold, Macht und Brutalität würden als Weltanschauungsprinzip herrschen, und die Welt würde ein ekelhaftes Kaufhaus werden, die Menschen würden nichts anderes sein als Maschinen zum Geldverdienen und der Schwächere würde erbarmungslos die Beute des Stärkeren werden. So ausschließlich negativ sah das Bild von Demokratie aus, das die Deutschen und ihre Pfarrer 1918 hatten.

Man ist sehr weit gegangen, um Christentum und christlichen Glauben mit dem Krieg und dem Kampf zu verbinden. Vor dem Krieg sei Deutschland untüchtig gewesen, „aber jetzt", so Generalsuperintendent Lahusen in Berlin, „sind die höllischen Gewalten unter Gottes Hand, und in den Heeren des Krieges kommen Gottes himmlische Engel und im Donner der Kanonen und in den Stimmen des Jammers redet die Stimme des Vaters; der grausige Krieg wird zur Gabe des Vaters." Das könnte wohl heute ein Theologe kaum mehr aussprechen! Paul Althaus, ein damals hochangesehener Theologe, hat im Krieg folgendermaßen gepredigt: „Gewiß, jeder von uns, mit tiefem Ernst sprechend, hat den Satz auf den Lippen: Und vergib uns unsere Schuld; und doch, so ernst uns dieser Gedanke auch ist, unerschütterlich tönt die innere Stimme weiter: Gott will es, uns ruft Gott, wir stehen mit Gott in diesem Krieg als seine Diener, zum Tun seines Willens gerufen und gedrungen. Darum ist es ein heiliger Krieg [was Bezzel 1914 schon gesagt hatte F.F.], und deshalb ist für jeden, der ihn mit reinem Herzen tut, dieser Krieg Gottesdienst. Weil der Weltkrieg dem Menschen Gelegenheit gibt zur Bewährung seines Mannestums, seiner Manneskraft, und zur Bewährung seines Sinnes für die Herrlichkeit des Vaterlandes und das Wachsen des inneren Menschen". Althaus spricht dann, sich dabei auf Luther beziehend, von der heiligen Notwendigkeit, mit der Deutschland diesen Krieg führe, und sagt: „dieser Krieg ist heilig, weil in ihm Gott kommt". Ja, er geht weiter und erklärt, daß Deutschland für die Welt kämpfe, für den Weltfrieden und für den Segen der Welt: „Weil wir so beten, *wollen* wir diesen Krieg, und wir sind gewiß, ihn als Gottesdienst zu führen, als das Volk, das zum Segen berufen ist". Auch Imanuel Hirsch ist noch zu zitieren, Professor in Göttingen, der nach dem Krieg gesagt hat, er wolle seine Kinder im Haß gegen Frankreich erziehen, so enttäuscht war er über den Vertrag von Versailles. Hirsch konnte im Krieg erklären, Gott zwinge das deutsche Volk in diese Schrecken des

Krieges, alles zu wagen für eine Sache, deren Ausgang verborgen ist. Durch solche Opfer solle es Gott beweisen, daß es noch wert sei, ein einiges Reich zu bleiben, und ob es die Kraft habe, Mitträger der großen Pläne Gottes zu sein. Versage es, lasse es sich besiegen, so könne Gott auch ohne das deutsche Volk auskommen. Schließlich ist auch darauf hinzuweisen, daß dem Tod der gefallenen Soldaten eine sühnende Kraft zugesprochen und der Soldatentod mit dem Kreuzestod Christi verglichen wurde. (Würden Theologen das heute noch tun?)

Die Durchhalteparolen der Kirchen im Krieg

Als der Krieg immer länger dauerte, der doch nur Monate dauern sollte, da wurde immer mehr vom Durchhalten gesprochen. Die Kirchenleitungen erließen Appelle zum Durchhalten, der Evangelische Oberkirchenrat in Berlin z.B. und die Evangelisch-Lutherische Kirche in Bayern zweimal, im März 1916 und im März 1917. Darin hieß es ausdrücklich, die Kirche müsse dazu beitragen, daß das Volk nicht ermüde, daß es aushalte in Geduld; ja die Kriegsmüdigkeit sei geradezu gefährlich, wenn sie sich mit religiösen Vorstellungen verbände, etwa derart, daß der christliche Sinn das Blutvergießen nicht länger gutheißen könne; daß außerdem die christliche Selbstlosigkeit es erlaube, wenn nicht sogar fordere, auf die volle Sühne des an uns begangenen Unrechts zu verzichten. Das Unrecht des Mordes in Sarajewo wurde jetzt sogar zu dem Zwang, den Krieg so lange fortzusetzen, bis die Feinde bestraft waren. Noch weiter ging der zweite Aufruf aus München, der sich ausdrücklich gegen die Friedenserklärung des Deutschen Reichstags richtete. In ihm hieß es, es sei nicht nur Unvernunft, sondern Unglaube, womit alles zuschanden gemacht werde, was der Glaube 1914 zu Beginn des Krieges bekannt habe.

Ich will noch hinweisen auf die schrecklichen Äußerungen im März 1918 zum Frieden von Brest-Litowsk. Dieser Friede hat immerhin Rußland ein Drittel seiner Bewohner genommen, ein Drittel seiner Eisenbahnen, drei Viertel seines Erzes, neun

Zehntel seiner Kohlevorräte – und doch wurde er als der wahre Gottesfriede gefeiert in der ‚Evangelisch-Lutherischen Kirchenzeitung', die in München erschien. In der gleichen Zeitung wurde die Frage aufgeworfen, wie es nun weitergehe, nachdem Rußland aus dem Krieg ausgeschieden sei. Und die Antwort hieß: "Was Gott angefangen hat, pflegt er auch zu vollenden, er tut nichts halb. Mit Zuversicht sehen wir auf die Vollendung [des deutschen Sieges, F.F.] im Westen, und es dünkt uns eine Schändung Gottes, ihm diese Vollendung nicht zuzutrauen. Wenn in England noch klarsehende Christen wären, so müßten sie jetzt aufstehen, sich auflehnen und ihrer Regierung zurufen: ‚Genug, der Herr streitet für Deutschland!'" Auch für den neuen, im Frühjahr 1918 beginnenden Angriff im Westen, der am Ende die Kräfte Deutschlands überforderte, nahmen also die Deutschen Gott für sich in Anspruch. Der Pfarrer Otto Dibelius ging so weit bei der Frage eines Friedens im Sommer 1918, daß er nicht Verzicht und Verständigung, sondern Ausnutzung der deutschen Macht bis zum Äußersten als die Forderung des Christentums bezeichnete.

Die Entstehung der Dolchstoßlegende

Nicht die Front, die Heimat hatte für die Theologen versagt, sie habe den Glauben von 1914 an den Auftrag Gottes an die Deutschen aufgegeben, sie sei ungläubig geworden. Diese Theologen wußten wenig von der Welt. Nirgends sagten sie, daß Amerika jetzt aktiv in den Krieg eingetreten war als eine neue, unerschöpfte, ja – an Europa gemessen – unerschöpfliche Macht, die drei Millionen ausgebildeter Soldaten hatte, von denen jeden Monat 20000 nach Frankreich kamen. Die Theologen sagten auch nicht im Oktober 1918: die Türkei ist zusammengebrochen, Bulgarien ist zusammengebrochen, Österreich-Ungarn ist zusammengebrochen, eine Front von Tiflis bis Innsbruck ist entstanden, für die wir keinen Mann übrig haben. Die Theologen sprachen nur von der Glaubensschwäche der Deutschen – und wenn das so sei, so habe Gott das Recht, seine Hand von

Deutschland abzuziehen. Es sei nicht etwa die Übermacht der Feinde, die Länge des Krieges, die ungeheuren Verluste, die Not in den großen Städten, die Deutschland besiegt habe, sondern nur die Schwäche des Geistes im Innern.

Diese Denkweise begann schon während des oben genannten Streiks im Januar 1918. In vielen Predigten hieß es da (der Streik wurde nach wenigen Tagen abgebrochen): diese Leute haben der kämpfenden Front das Messer in den Rücken gestoßen; es ist der große Verrat. Der Gedanke wird vom Januar bis Oktober 1918 in immer neuen Variationen ausgesprochen: Deutschland ist selbst schuld, wenn es den Krieg verliert. Daß in dieser Geistesverfassung der schwere Waffenstillstand und der noch schwerer erscheinende Vertrag von Versailles nicht angenommen werden, das ist der Moment, wo der oben genannte Ernst Troeltsch sagte, die Protestantische Kirche sei so eng mit dem untergegangenen System verbunden, daß sie mit der Niederlage nicht fertig werde, nicht fertig werden könne.

Nach der Novemberrevolution wurde der neue Staat von den Kirchen zunächst mit großer Sorge betrachtet; man hatte Angst vor einer Trennung von Staat und Kirche. Doch diese geschah keineswegs radikal, die Kirchen konnten vielmehr relativ günstige Verträge mit dem Staat für sich aushandeln, sie blieben nach wie vor in enger institutioneller Verbindung mit dem Staat. Otto Dibelius (seit 1925 Generalsuperintendent in der Kurmark) konnte 1926 ein Buch schreiben: “Das Jahrhundert der Kirche“. Er sah die Veränderungen also positiv, die Kirche sei jetzt erst frei und fähig, sich selbständig im politischen Kräftespiel zu behaupten und Sozialisten, Juden und besonders den Bolschewismus zu bekämpfen. Doch daß Dibelius in diesem Buch einige gute Züge am Weimarer Staat fand, zumal ja inzwischen der kaiserliche Generalfeldmarschall Hindenburg (dem die Kirchen während des Krieges so nahe standen) 1925 zum Reichspräsidenten gewählt worden war, war das schon zuviel für die deutschnationalen Anhänger von Dibelius. 1930 schrieb er ein zweites Buch, an das wir uns heute sehr ungern erinnern: „Der Christ und der Krieg“. Darin erklärte er, daß es Kriege immer gegeben habe und geben werde: „Alles, was wir Kultur nennen, ist bestimmt worden durch die großen Entscheidungen, die auf den Schlachtfeldern gefallen sind [...] der Krieg ist eine natürliche Lebensordnung der Völker"; auch die Religion, auch das Christentum sei nicht prinzipiell gegen den Krieg, der Pazifismus sei eine schlechte Sache. Man muß sich vergegenwärtigen, daß die Grenzen der Ortsgruppen der Deutschnationalen (DNVP) fast identisch waren mit denen der protestantischen Kirchengemeinden.

Die katholische Kirche, der Krieg und die Republik

Die katholische Kirche hat 1914/18 in allen Dingen im Verhältnis zum Krieg fast die gleiche Linie vertreten wie die protestantische, ja sie ging vielfach noch weiter, weil sie das Bedürfnis empfand zu beweisen, daß Katholiken – im „protestantischen" Kaiserreich – ebenso gute Patrioten sind wie die Protestanten. Die Republik war ihnen zunächst genauso fremd und unbehaglich wie den Protestanten, obwohl sie ja im Reich zusammen mit den Demokraten und den Sozialdemokraten die Republik begründet haben (die „Weimarer Koalition" von Schwarz-Rot-Gold), auch später im Reich noch zeitweise mit jenen zusammengingen und in Preußen sogar über zwölf Jahre eine recht stabile Regierung mit trugen. Aber erst mit der Berufung von Brüning 1930 zum Reichskanzler, der die Periode einer „autoritären Demokratie" begann, fühlte sich die katholische Kirche einigermaßen in der Republik zu Hause.

Sehr früh schon, früher als die Protestanten, haben die Katholiken im Nationalsozialismus eine Gefahr gesehen, und die Bischöfe, wenn auch nicht ganz einheitlich und in verschiedener Strenge, haben bestimmt, daß ein Katholik nicht Mitglied der NSDAP sein dürfe; anderenfalls würde er nicht zur Kommunion zugelassen. Dieses Verbot war immer mit der Einschränkung verbunden, daß es nur gelte, solange und soweit die NSDAP neuheidnische Anschauungen, wie etwa Alfred Rosenbergs „Mythos des 20. Jahrhunderts", vertrete. Es wurde für die katholische Kirche jedoch immer schwieriger, als in den Septemberwahlen 1930 die Zahl der nationalsozialistischen Abgeordneten im Reichstag von 12 auf 107 anstieg, dem Druck auf Änderung des Verbots standzuhalten; es wurde immer dringlicher, die bisher abgelehnte Partei dahin zu bringen, das Christentum anzuerkennen. Das geschah mit dem 30. Januar 1933. Es war ja nicht eine „Machtergreifung", wie es heute noch vielfach heißt, sondern eine „Machtübertragung" an Hitler. Es war ein „Kabinett der nationalen Erhebung", mit acht Konservativen aus den Kabinetten Brüning, Papen, Schleicher, und zunächst nur zwei Nationalsozialisten, Hitler und Frick (Hermann Göring wurde Minister ohne Geschäftsbereich und zugleich kommissarischer Innenminister in Preußen, damit Inhaber einer Machtposition, deren Bedeutung von der Öffentlichkeit nicht sofort erkannt wurde). Jedenfalls erschien Hitler, den die Konservativen glaubten, kontrollieren zu können, nach außen hin als der Chef einer national-konservativen Regierung. Schon zu diesem Zeitpunkt hat er Reden gehalten, in denen das Christentum zur Grundlage des neuen Staates erklärt wurde. Er wäre gewiß auch am „Tag von Potsdam" (21. März 1933) zusammen mit Goebbels in den katholischen Gottesdienst gegangen, wenn die Bischöfe jenes Verdikt rechtzeitig widerrufen hätten. Einen Tag später hielt Hitler im Reichstag eine Rede, in der er wiederholte, daß das Christentum das Fundament für die deutsche Kultur und den deutschen Staat sein werde. Diese Grundsatzerklärung Hitlers hat dann das Zentrum veranlaßt, am 23. März 1933 für das Ermächtigungsgesetz zu stimmen – wenn auch unter großen Vorbehalten. Damit war Hitler legaler Staatsführer, ein Reichskanzler, der für vier Jahre mit weitestgehenden Vollmachten ausgestattet war.

Und noch im März wurde über ein Reichskonkordat verhandelt, wobei der Katholik Papen eine große Rolle spielte. Am 20. Juli wurde das Konkordat abgeschlossen, was für Hitler einen einzigartigen Vorteil brachte: der Vatikan, eine hohe moralische Instanz im Staatenleben, hatte als erster europäischer Staat sein Regime anerkannt. Die Bischöfe leisteten den Treueid auf Hitler als Führer des Deutschen Reiches; die Kirche stimmte zu, daß die christlichen Gewerkschaften ebenso wie die Zentrumspartei aufgelöst wurden und daß Priester nicht mehr politisch tätig sein dürften; in einem geheimen Zusatzprotokoll wurde festgelegt, daß, wenn Deutschland sich zur Wiederaufrüstung durch Wiedereinführung der allgemeinen Wehrpflicht entschließen sollte, dann zwischen Kirche und Staat ein Militärseelsorgevertrag abgeschlossen werden würde. Im Sommer 1933 nahm man also schon mit Gewißheit an, daß eine deutsche Wiederaufrüstung kommen werde.

Die nächsten Jahre waren erfüllt vom Kampf um die Auslegung des Konkordats, es gab unendlich viele Streitigkeiten mit der NSDAP, die in der berühmten Enzyklika des Papstes „mit brennender Sorge“ (1937) gipfelten, in der die vielen Übergriffe des Staates und seine Verfehlungen gegen das Konkordat angeprangert wurden. Aber fünf Tage später hat Papst Pius XI. eine große Enzyklika gegen den Bolschewismus herausgegeben. Seit dem Beginn des Spanischen Bürgerkriegs kam es zu einer Art Bündnis zwischen der katholischen Kirche und dem Staat Hitlers, ebenso wie zwischen den lutherischen, nicht zerstörten Kirchen und dem Regime. Ein Kronzeuge für dieses Zusammengehen der katholischen Kirche mit dem nationalsozialistischen Staat ist der Katholik Heinrich Brüning. Am 6. August 1936 notierte der frühere Reichskanzler verbittert: „Die katholische Kirche hat sich mit dem Faschismus versippt und ihm in Deutschland die Steigbügel gehalten. Deshalb wird sie zwangsläufig zur Partnerin aller Greuel und religiösen Unterdrückung und verliert bei all denen, die sich leidenschaftlich dagegen wehren [...]“. Vorgreifend sei auch mitgeteilt, daß am 22. Juni 1941, am Tag des deutschen Überfalls auf Rußland, Brüning in seinem Tagebuch festhielt: „Der Vatikan muß passiv bleiben, aber innerlich für Hitler sein“. Wir kommen auf dieses Datum zurück.

Jetzt, im Jahre 1937, schickte Italien Divisionen, Deutschland die Legion „Condor“ nach Spanien in den Kampf gegen den Bolschewismus. In vielen Reden, auch Hitlers, wurde das christliche Europa beschworen. Im März 1938 folgte der Anschluß Österreichs, eines Landes von Katholiken, im September/Oktober 1938 der Anschluß der Sudetengebiete an das

Reich – obschon diese Krise bis an den Rand des Kriegs führte, wurde Hitler nach dem Münchner Abkommen erneut als Friedensstifter, als ein Friedensfürst gefeiert (so wie in England Premierminister Neville Chamberlain). Im März 1939 nahmen die Kirchen die Besetzung Prags, d.h. die Zerschlagung der Rest-Tschechoslowakei (unter Bruch des Münchner Vertrags) hin. Der neue Papst Pius XII., der bisherige Nuntius Pacelli, der das Konkordat abgeschlossen hatte, zeigte als erstem ausländischen Staatsmann Hitler seine Thronerhebung an; dann schickte er Hitler zu dessen 50. Geburtstag am 20. April 1939 ein Glückwunschtelegramm; das gleiche taten alle Bischöfe. An diesem 20. April fand die größte Militärparade des „Dritten Reiches" statt, vielleicht die größte, die je auf den Paradestraßen Berlins stattfand. Hitler war der gefeierte Führer des Deutschen Reichs, was es an Negativem gab, das wurde kaum wahrgenommen. Die katholische Kirche hatte geschwiegen zu dem Boykott jüdischer Geschäfte 1933, zu den Rassegesetzen im September 1935, zur – und das wiegt schwerer, denn es waren offene Gewalttaten – sog. „Reichskristallnacht" am 9. und 10. November 1938; sie verhielt sich so, um nicht den Staat in irgendeiner Weise bloßzustellen, den sie als solchen bejahte, und weil sie die Hoffnung hatte, daß sich der Staat größerer Eingriffe in das innere Leben der Kirche enthalten werde. Das war auch der Sinn und die Grenze des protestantischen „Kirchenkampfes"; denn auch die Protestanten enthielten sich jeder Stellungnahme zur Verfolgung der Juden.

Die Kirchen und der Zweite Weltkrieg

Wie verhielten sich nun die Kirchen, als im September 1939 der große Krieg erneut ausbrach? Als Deutschland Polen angriff, hat z.B. der katholische Militärbischof Rakowski geschrieben, dies sei ein Krieg um die deutschen Lebensrechte (für die norddeutschen Protestanten war es wesentlich ein Krieg für die Befreiung der „Volksdeutschen" in Polen vom „polnischen Joch", so wie man den Anschluß Österreichs und die Befreiung der

Sudetendeutschen vom „tschechischen Joch“ erreicht hatte.) Erinnern wir uns an die Naturrechtsforderungen für einen „gerechten“ Krieg: Es war bis zuletzt verhandelt worden, niemand konnte damals klar sehen, auf welcher Seite die Schuld am Scheitern der Verhandlungen lag, auf englischer oder deutscher Seite; es war ein Krieg, erklärt durch die Obrigkeit, und es war ein Krieg um eine „gerechte“ Sache – man bezog sich dabei auf ein Wort von Lloyd George, der während der Pariser Friedensverhandlungen gesagt hatte, daß wegen des Korridors noch einmal ein Krieg ausbrechen würde. (Man darf nicht vergessen, daß vor allem in Norddeutschland – trotz eines sehr unpopulären Freundschaftsvertrages Hitlers mit Polen im Januar 1934 – ein tiefsitzender Haß gegen Polen seit 1919/20 weiterschwelte). Daß England, von dem man ja behauptet hatte oder glaubte, daß es ein Verbündeter Deutschlands sei, am 3. September 1939 auf die Seite Polens trat, hat nicht verhindert, daß man den Krieg als Krieg um die Lebensrechte Deutschlands verstand, und daß dieser Krieg anfangs, nach dem Salto mortale des Hitler-Stalinpaktes im August 1939, im Bündnis mit der Sowjetunion geführt wurde, hat die au fond antibolschewistischen Kirchen kaum berührt. Der Militärbischof Rakowski, der vom Kampf um die natürlichen Lebensrechte der Nation sprach, und davon, daß Deutschland aufgebrochen sei, diese Lebensrechte mit dem Schwert zu verteidigen, sprach nach dem Polenfeldzug von der Dankbarkeit gegen Gott, der den aufgezwungenen Waffengang gegen Polen sichtlich gesegnet habe. Die Kirchenglocken läuteten acht Tage lang nach dem Sieg, ebenso nach dem Frankreichfeldzug im Mai/Juni 1940. Ein Jahr nach dem Kriegsausbruch, am 1. September 1940, befand Rakowski, Gott wisse, daß dies ein gerechter Krieg sei, entstanden aus der Notwendigkeit völkischer Notwehr; die Feinde gönnten Deutschland den „Platz an der Sonne“ nicht (eine Erinnerung an die Zeit Wilhelms II. und seine Rede von 1898) und wollten es für alle Zeiten vernichten, ein Volk von Heloten aus den Deutschen machen.

Nach dem Angriff Hitler-Deutschlands im Juni 1941 auf die Sowjetunion nannte Rakowski Hitler den Retter und Vorkämpfer Europas; und er fügte hinzu, daß dieser Krieg ein Kreuzzug sei für Europa, ähnlich wie ihn die deutschen Ritter vor Zeiten geführt hatten. Nun könnte man sagen, gut, das ist ein Militärbischof. Doch werden wir sehen, daß diese Meinung von der ganzen Kirche geteilt wurde. So kam es zu folgendem Vorgang: Als Ernst Frhr. v. Weizsäcker, der Vater des Bundespräsidenten und des Professors, Staatssekretär im Auswärtigen Amt unter Hitler, den Versuch machte, am 21. Juni über den Nuntius Orsenigo und den deutschen Botschafter in Moskau, Graf von der Schulenburg, diesen Krieg mit der Sowjetunion zu vermeiden (und vielleicht mit dem Westen zu einem Friedensschluß zu kommen), da antwortete der Nuntius: „Wer jetzt noch von Vermittlung spricht, ist ein Bolschewist". Nun, bei Beginn des Feldzugs gegen die Sowjetunion, verfaßte die Fuldaer Bischofskonferenz ein gemeinsames Wort an die Gemeinden, das noch einmal die Gläubigen ermahnte, ihre Pflicht als Soldaten zu erfüllen. Damit war aber der Reichsminister für kirchliche Angelegenheiten, Kerrl, nicht zufrieden, woraufhin die Bischöfe alle einzeln Aufrufe verfaßten und von den Kanzeln verlesen ließen, in denen sie erklärten, daß es sich hier um einen Krieg gegen das bolschewistische Rußland handle. Die Kirche hat sich nicht damit begnügt zu betonen, daß der Soldat seine Gehorsamspflicht erfüllen muß, sondern sie hat ihr Verhalten zum Krieg auch noch inhaltlich begründet. So hat etwa Bischof Rackl von Eichstätt in seinem von den Kanzeln verlesenen Hirtenbrief gesagt, dies sei ein Kreuzzug, ein heiliger Krieg für Heimat und Volk, für den Glauben und die Kirche, für Christus und sein hochheiliges Kreuz. Und der neue Erzbischof von Paderborn, Lorenz Jäger, ein jüngerer Geistlicher, sprach vom Kampf um die Bewahrung des Christentums in unserem Vaterlande, für die Errettung der Kirche aus der Bedrohung durch den antichristlichen Bolschewismus. Der Bischof Kumpfmüller von Augsburg verglich die Bolschewistengefahr mit der Türkengefahr in früheren Jahrhunderten und hoffte auf einen endgültigen Sieg über die Feinde unseres Glaubens. Kardinal Faulhaber von München gab einen Erlaß heraus, in dem es hieß, für das teuere Vaterland wollen wir auch dieses Opfer bringen, wenn es nun notwendig geworden ist für einen glücklichen Ausgang des Krieges und die Überwindung des Bolschewismus; hier klingt eine gewisse Enttäuschung an, daß es nach allen vorausgegangenen auch diesen Feldzug noch geben mußte. Und auch Graf Galen, Bischof von Münster, der ein überzeugter Patriot war (doch in seinem Gewissen sich veranlaßt sah, gegen die Tötung geisteskranker Kinder aufzutreten), hat immer wieder geschrieben von der Hoffnung auf einen deutschen Sieg. Ein Hirtenbrief des Erzbischofs Gröber von Freiburg hat am Volkstrauertag 1942, also nach dem so verlustreichen Rückschlag vor Moskau im Dezember 1941, die siegreichen deutschen Soldaten gepriesen, daß der Kampf ein Kreuzzug gegen den Bolschewismus sei, mit dem sie Europa vor der roten Flut bewahrten; dieser Hirtenbrief hat Bischof Galen von Münster so beeindruckt, daß er ihn für seine Diözese übernahm. Das Ordinariat des Erzbischofs Bertram von Breslau hat in einem neuen Gebet vom Mai 1942 Gottes Segen erfleht für den deutschen Soldaten, damit dessen Waffen siegreich seien im Kampf gegen den gottlosen Bolschewismus. Ein anderer Bischof ging noch weiter – ich will seinen Namen nicht nennen, er hat später Abbitte für seine Worte getan – und sagte, daß Deutschland einen Krieg führe gegen die slawischen Untermenschen, gegen Rußland, ein Land, dessen Menschen durch Gottfeindlichkeit und Haß gegen Christus fast zu Tieren entartet seien (!). Das werden die nationalsozialistischen Propagandaleute gerne gehört haben.

Als nun aber der Krieg, entgegen der im Sommer 1941 von führenden Militärs gehegten Hoffnung, daß er bald zu Ende ginge, immer länger dauerte, da redete man nicht mehr von dem baldigen Sieg, den Deutschland erringen werde, sondern davon, daß die Abwehr des Bolschewismus gelingen möge und könnte. So sagte etwa Kardinal Faulhaber im Oktober 1943, daß niemand in seinem Inneren einen unglücklichen Ausgang des Krieges wünschen könne, denn jeder vernünftige Mensch wisse, daß in diesem Fall Staat und Kirche, überhaupt jede Ordnung vom russischen Chaos umgeworfen würde. Aus Furcht vor einem russischen Sieg ermahnten die Bischöfe weiterhin die Gläubigen, ihre Vaterlandspflicht zu erfüllen. Noch Anfang 1945 rief Erzbischof Jäger zu dieser Pflichterfüllung auf und sagte (er hat später diese Äußerungen bereut), daß die Katholiken einen Beitrag leisteten gegen die beiden Feinde Deutschlands, den Liberalismus und Individualismus auf der einen Seite, den Kollektivismus auf der anderen Seite. Alle diese Aufrufe waren gekoppelt mit der Bitte um Einsicht in die Bedeutung der Kirche und mit der Bitte, die Arbeit der Kirchen nicht zu behelligen und nicht Gemeindepfarrer einzusperren (etwa 300 waren eingesperrt); es gab oft Streit mit einem Gauleiter oder einem Ortsgruppenleiter der NSDAP darüber, ob man einen Umzug um die Kirche machen dürfe oder nicht. So könnte man mit Recht sagen, ein Teil jener Äußerungen zum Sinn des Krieges sei Kalkül gewesen. Doch stärker waren wohl die Überzeugung, daß die Regierung legal zur Macht gekommen sei und über Krieg und Frieden entscheide, und der patriotische Wunsch, daß Deutschland sich in diesem Krieg behaupten möge. Das, was heute so stark im Vordergrund steht bei der Rückschau auf den Krieg seit 1939 bzw. 1941: die Behandlung der Juden, der Polen, der russischen Kriegsgefangenen, das erscheint hier gar nicht. Die Frage war nur, ob der Krieg abgelehnt oder bejaht wurde. Die Konfessionen sagten, er müsse bejaht werden, denn er sei ein legaler und gerechter Krieg, ein bellum justum.

Was haben speziell die Protestanten dazu gesagt? Sie waren, wie schon berührt wurde, sehr reserviert gegenüber dem Weimarer Staat. Zu ihren Ehren muß man sagen, daß im Zweiten Weltkrieg ihre Predigten (das gilt auch für die katholischen Geistlichen) nicht so exaltiert, nicht so überstiegen waren wie im Ersten Weltkrieg. Vielleicht war doch der Krieg noch zu nahe, war das Bewußtsein wach, daß Krieg etwas Schlimmes ist, daß er entsetzlich viel Leid mit sich bringt. Ein Grund dafür war gewiß auch, daß seit 1935 die Kirche bewußt aus dem öffentlichen Leben verdrängt worden war; es gab keine kirchlichen Rundfunkübertragungen mehr, 1941 schließlich wurde die ganze kirchliche Presse verboten. Eine Entfremdung gegenüber dem nationalsozialistischen Staat trat ein; auch bei „Heldengedenkfeiern“, bei Volkstrauertagen, durften Geistliche nicht mehr reden. Der evangelisch-lutherische Bischof Meiser in München, aus einer sog. intakten Landeskirche, hatte zwar Hitler als Mehrer des Reiches gefeiert, ermahnte aber jetzt im Krieg seine Geistlichen, das Evangelium unverkürzt zu verkünden und darauf zu verweisen, daß Krieg eine Strafe Gottes sein könne, jedenfalls eine Prüfung Gottes. „Tut Buße", sagte er, „dann erhaltet Ihr vielleicht Gnade". Er beendete aber jeden dieser Aufrufe mit dem Gedanken, daß, wenn der Christ Gnade empfange, er dann um so stärker in der Lage sein werde, seine Pflichten treu zu erfüllen, bereit zum Opfer, zur Geduld im Leid, zur Standhaftigkeit im Entbehren, zur Getrostheit im Mut, und er dann in der Lage sein werde, die Lasten zu ertragen, die Gott ihm auferlegt habe. In diesen Aufrufen und Predigten herrschte zweifellos eine andere Sprache als im Ersten Weltkrieg, wenngleich die enge Verbindung von Staat und Kirche geblieben war.

Etwas anders klingen die Äußerungen der freien protestantischen Verbände, wie etwa die des Gustav-Adolf-Vereins. Dieser sagte 1939, das Bemühen des Führers, das im Diktat von Versailles geschmiedete Verhängnis durch friedliche Mittel auch für den Osten zu überwinden, nachdem es im Süden (Österreich) aufgelöst worden sei, sei durch den Unverstand, den Haß und die Mißgunst Polens und Englands zum Scheitern gebracht worden. Den deutschen Brüdern jenseits der Grenze im Osten sollte jetzt das deutsche Schwert die Befreiung bringen. Sie bäten um Fürbitte, mit der die Gläubigen die deutschen Heere begleiten sollten. Der Evangelische Bund erklärte, daß das deutsche Volk seinen Kampf um der Not der Brüder willen führe, die wider alles Recht von uns gerissen worden seien und unter brutaler Fremdherrschaft schmachten müßten. Die deutschen Protestanten pflegten vor allem die Erinnerung an den „Korridor" und an den Sonderstatus Danzigs, die durch das innerlich nie angenommene ‚Diktat' von Versailles geschaffen worden waren. Dies war eine wichtige Voraussetzung dafür, den Krieg von 1939 als bellum justum zu erklären; dazu kamen die Bekanntmachungen, drei Tage nach Kriegsausbruch, über die Greuel in Bromberg, wo etwa 6000 Deutsche erschlagen worden sein sollen. Diese Meldungen wurden benutzt, um die Kriegsleidenschaften anzustacheln, und sie haben dazu beigetragen, die Menschen von der Notwendigkeit des Krieges gegen Polen zu überzeugen. Der Aufruf des Evangelischen Bundes bat dann auch Gott, den Deutschen in diesem Kampfe bis zum Sieg beizustehen.

Man muß sich erinnern, daß es drei Gruppen des deutschen Protestantismus 1933 bis 1945 gab. Die eine war der Dahlemer Kreis der Bruderräte, der entstanden ist, als der NS-Staat in die Kirche eingreifen und eine „Nationalkirche“ schaffen wollte; da befürchteten die Brüderräte mit Recht, daß ihre Glaubenslehre ersetzt werden sollte durch eine Lehre von Blut und Boden, und es kam zum „Kirchenkampf“ vor allem in der unierten Kirche Preußens. Die Bruderräte waren zunächst eine Minderheit, am Ende aber wohl die Mehrheit (etwa 7000 Mitglieder). Sie machten ganz streng einen Unterschied zwischen der Fürbitte für den Führer und die Armee im Krieg als den Repräsentanten der deutschen Macht, und der Abgrenzung der Kirche im kirchlichen Raum gegenüber Übergriffen staatlicher und parteilicher Instanzen in den kirchlichen Raum.

Eine zweite Gruppe waren die intakten lutherischen Landeskirchen von Bayern, Württemberg, Hannover, Braunschweig, Hamburg, Schleswig-Holstein und Baden unter den Bischöfen Meiser, Wurms und Maharens, die von Hitler 1934 empfangen worden waren, so wie er im November 1936 – zur Zeit der spanischen Krise – auch Kardinal Faulhaber empfangen hatte, wobei er übrigens sehr den gläubigen Katholiken herauskehrte und gesagt haben soll, ein Soldat ohne Gottesglauben sei gar kein Soldat. Das hat den Feldgeistlichen des Ersten Weltkriegs, Faulhaber, sehr beeindruckt. Er hat gewiß gehofft, Hitler würde anerkennen, daß die Kirchen eine staatstragende Institution seien. Hitler aber wollte nach dem Kriege die Kirchen völlig ausschalten. In dem Zwist zwischen den intakten lutherischen Landeskirchen, die eine Art Pakt mit dem Staat gemacht haben, und den Bruderräten spielte die Figur des Schweizer Theologen Karl Barth eine Rolle, der in der Sudetenkrise für die Tschechen Partei nahm, was ihm sofort die Kritik der intakten Kirchen wie der Bruderräte einbrachte; das sei ein reformierter Gedankengang, bekam er zu hören. Der Erlanger Professor Künneth, der Nachfolger von Althaus, etwa erklärte, nirgends in der Bibel stehe etwas von demokratischem Rechtsstaat; alle Obrigkeit sei von Gott, die Obrigkeit im Römischen Reich konnte sogar ein Nero sein, und selbst diesem müsse man gehorsam sein. So jedenfalls verstand Künneth Rm 13.

Nun gab es noch eine dritte vermittelnde Gruppe im deutschen Protestantismus. Nachdem der Reichsbischof Müller zurückgetreten war, spielte Bodelschwingh-Bethel eine gewisse Rolle, später Generalsuperintendent Zöllner, der, wie etwa auch Bischof Theodor Heckel (der die Gemeinden im Ausland betreute) zwischen der Bekenntniskirche, den Bruderräten der Preußischen Union und den süd- und westdeutschen Kirchen eine mittlere Linie einnehmen wollte. Aber darin waren sich alle drei Gruppen einig, und das ist zentral für unsere Untersuchung, daß die Vaterlandsverteidigung bejaht werden müsse. In der Stunde der Not wollte man zum eigenen Vaterland und zur Nation stehen, aber die Kriegsbegeisterung von 1914 war das nicht mehr.

Nach dem Zweiten Weltkrieg

Nach dem Krieg herrschte in Deutschland zunächst große Not. Teils um aus materiellen Nöten herauszukommen (z.B. Hilfe aus der Schweiz über die gesamtprotestantischen Organisationen erhalten zu können), teils aber auch um überhaupt mit dem Ausland wieder ins Gespräch kommen zu können, haben die 28 deutschen protestantischen Landeskirchen sich zuerst in Treysa, dann in Stuttgart versammelt und dort eine Erklärung beschlossen, die man ein Schuldbekenntnis nennen kann. Dabei muß gesagt werden, daß der wichtigste Satz bereits in dem Schuldbekenntnis der katholischen Bischöfe von 1945 stand, nämlich das Zugeständnis, daß die Deutschen in den besetzten Ländern viel Unrecht getan und ihnen Schweres angetan hätte. Der in der Stuttgarter Erklärung der Aussage der katholischen

Bischöfe am nächsten kommende Satz ist von Pastor Martin Niemöller formuliert worden, der lange im KZ inhaftiert gewesen und erst 1945 von den Amerikanern aus Dachau befreit worden war und der jetzt als eine Art Aushängeschild für die deutschen Protestanten galt, weil alle Welt ihn kannte.

Der genannte Satz in der Erklärung von Oktober 1945 heißt: „Mit großem Schmerz sagen wir, durch uns ist unendlich viel Leid über Länder und Völker gebracht worden. Was wir unseren Gemeinden oft bezeugt haben, das sprechen wir jetzt im Namen der ganzen Kirche aus. Wohl haben wir jahrelang im Namen Jesu Christi gegen den Geist gekämpft, der in dem nationalsozialistischen Gewaltregiment seinen furchtbaren Ausdruck gefunden hat; aber wir klagen uns an, daß wir nicht mutiger bekannt, nicht treuer gebetet, nicht fröhlicher geglaubt, nicht brennender geliebt haben"; und die protestantischen Kirchenvertreter bitten darum, daß nun doch dem Geist der Gewalt und der Vergeltung in aller Welt gesteuert werden möge. (Man denkt an die Vertreibung der Deutschen aus dem Osten.)

Die moralische Wirkung dieses Wortes im Ausland war groß. Es öffnete der evangelischen Kirche den Zugang zur Ökumene und ermöglichte sehr bald auch die Mitgliedschaft im Ökumenischen Weltrat der Kirchen. Die befreiende Wirkung jedoch, die das Wort von Stuttgart im ökumenischem Raum entfalten konnte, blieb in der innerdeutschen und in der innerkirchlichen Diskussion aus vielerlei Gründen aus. Der naheliegendste Grund war wohl, daß der Rat dieses Wort weder an die Landeskirchen noch an die Gemeinden weitergab, obwohl es der Presse seit dem 27. Oktober 1945 bekannt war. Lediglich durch einen „ärgerlichen Zufall" – so der hannoversche Landesbischof Lilje später – sei es an die Öffentlichkeit gedrungen. Welches obrigkeitlich-institutionelle Selbstverständnis der evangelischen Kirche darin liegt, gegenüber Dritten zu erklären, die Kirche wisse sich „mit unserem Volk nicht nur in einer großen Schicksalsgemeinschaft der Leiden", sondern auch „in einer Solidarität der Schuld", diese Nachricht aber eben diesem Volk vorzuenthalten, mag offen bleiben. Ein weiterer Grund für das spätere zwielichtige Schicksal der Stuttgarter Erklärung liegt in ihrer

Ambivalenz: Die einen, Niemöller, Gustav Heinemann, betonten das klare Schuldbekenntnis „Mit großem Schmerz sagen wir ..."; die anderen, die Bischöfe Wurm, Meiser, Lilje, Dibelius, hoben die Behauptung hervor, gegen den „Geist des nationalsozialistischen Gewaltregimes" gekämpft zu haben – womit zugleich jede wesentliche Mitschuld der Kirchen am Entstehen des Nationalsozialismus geleugnet wurde.

Ja, die genannten führenden Repräsentanten der evangelischen Kirchen, zu denen auch Asmussen gehörte, waren überzeugt, daß „die Schuldfrage vollkommen in die dämonische und apokalyptische Situation hineingehört". Da gibt es keine individuelle Schuld mehr von Personen oder Nationen; denn die Apokalypse liegt in der „Abkehr von Gott". Dazu sagte Otto Dibelius: „Alle Staaten der Welt sind dem großen Säkularisierungsprozeß erlegen, der über das Abendland dahingegangen ist". Dibelius ging in der Dämonologie noch weiter, wenn er sagte: „Die Führer mögen den Krieg gar nicht mit Bewußtsein wollen ... Sie werden hineingetrieben durch die Dämonie, die im Wesen des Staates selbst sitzt ... Die Staatsmänner sind der Dämonie, die im Wesen des Staates sitzt, im Jahre 1914 nicht Herr geworden. Sie sind ihr in den Jahren, die zum Zweiten Weltkrieg geführt haben, nicht Herr geworden". Die Ursachen für den Weg Deutschlands wurden also nicht in spezifischen Verantwortlichkeiten der politischen Führung oder des Volkes oder gar der Kirchen gesehen, sondern in der Eigengesetzlichkeit von Staat und Geschichte.

Die Bruderräte hatten sich schon vor Treysa in Frankfurt a.M. getroffen, um sich abzusprechen. Asmussen sprach über die „Dämonologie" und „das Tier aus dem Abgrund". 1946 gab es noch eine Kontroverse zu dieser Frage zwischen Karl Barth und Helmut Thielicke. Thielicke kritisierte, daß Barth über seiner Kritik vergessen habe, daß die Deutschen im „Dritten Reich" dem „Dämon" ins Auge geschaut hätten. Es war zynisch, aber erhellend, daß Barth (in Schwyzerdütsch) dazu sagte: „Da wird sich aber der Dämon erschrocken haben!" – Da das Unglück der Welt und besonders der Deutschen mit dem Abfall vom Glauben, mit dem Säkularisierungsprozeß begonnen habe, der alles Unheil möglich gemacht habe, so hieß die Gegenparole nun, nach 1945: Rechristianisierung der Welt als Aufgabe der Kirche und der noch verbliebenen Christen!

Es ist sehr auffallend, daß in der Stuttgarter Erklärung das Wort Jude nicht vorkommt. Nichts wird gesagt über die Unterdrückung, Entwürdigung, Entrechtung, über die wirtschaftliche Ausplünderung, über die Existenzvernichtung der Juden, nichts über die Deportationen und Auschwitz. Dabei hatten sich in einer der Denkschriften des „Freiburger Kreises" – der sich der „Bekennenden Kirche" wie auch dem politischen ‚Widerstand' im Sinne des Kreisauer Kreises zugehörig verstand – über die künftige „Politische Gemeinschaftsordnung" (beendet 1943, mit einem Vorwort des Historikers Gerhard Ritter von 1945) die Verfasser in einem Anhang über die Judenfrage durchaus von den Gewalttaten an den Juden – „Diese Verfolgungen waren unverkennbar von zentraler Stelle gewollt" – distanziert und in den Vorschlägen für eine „Lösung der Judenfrage in Deutschland" eine Wiedergutmachung geschehenen Unrechts gefordert: „Es müssen für die Juden angemessene und gerechte Lebensbedingungen gesichert werden". Die Verfasser (es ist umstritten, wieweit Dietrich Bonhoeffer beteiligt war) gingen aber von der Vorstellung aus, daß das jüdische Volk unter dem „Zorn Gottes" lebte, daß es „seine entscheidende Schuld ist, daß es der Offenbarung Gottes in Jesus Christus bis zum heutigen Tag widerstrebt", weshalb – fern von allen Menschenrechtsgedanken – bei einer eventuellen internationalen Regelung der Judenfrage die Juden in allen Staaten, in denen sie leben, die Stellung von Ausländern haben sollten.

Das Wort Jude erscheint zum ersten Mal in einer öffentlichen Erklärung im Jahre 1950 einer Synode der Bekennenden Kirche in Berlin-Weißensee, und zwar in einem Eingeständnis der Schuld der Kirche gegenüber den Juden.

Das Zweite Vatikanische Konzil hat in einer Enzyklika des Papstes Johannes XXIII. das Wort von den „perfiden Juden", die die Kreuzigung Christi verschuldet hätten, aus der Meßliturgie herausgenommen. Damit begann eine neue Epoche des Verhältnisses der katholischen Kirche zu den Juden. Freilich hat noch Ende der 80er Jahre ein engster geistlicher Mitarbeiter des Bischofs von Münster, Graf Galen, auf die Frage, warum Graf Galen nicht auch gegen die Verfolgung der Juden aufgetreten sei, geantwortet: „Daran haben wir nicht gedacht!"

Um abschließend noch einmal auf die Stuttgarter Erklärung zurückzukommen: Diese Erklärung wurde ein paar Tage später – das war der „ärgerliche Zufall" – in Zeitungen der Britischen Zone unter der Überschrift bekanntgemacht: „Die evangelische Kirche bekennt sich zu Deutschlands Kriegsschuld". Das war entsetzlich, die Kirchenführer hatten ja gerade vermeiden wollen, sich über das „Warum der Krieg 1939 ausgebrochen ist" zu äußern. Man hatte ja 20 Jahre lang um die Kriegsschuldfrage von 1914 gestritten ... Der aufsehenerregende Artikel des Journalisten (vielleicht im Einverständnis mit der Militärregierung) führte dazu, daß ein großer Teil der Kirchenführer sich von dem Stuttgarter Bekenntnis distanzierte, darunter Bischof Wurm von Stuttgart. Es kamen viele Zuschriften: Was habt Ihr da gemacht; unsere Städte sind ausgebombt, und es gibt Zehntausende von Vertriebenen. So ist das Stuttgarter „Schuldbekenntnis" aus dem Bewußtsein verdrängt worden.

Auch mit den nach 1945 aus dem Westen kommenden neuen Staatsideen hat sich die Evangelische Kirche schwer getan. 1948 schrieb der Bischof von Berlin und Ratsvorsitzende der EKD Otto Dibelius „Prolegomena zu einer Neugestaltung der Staatsidee", veröffentlicht in der Beilage seines Amtsblattes: ein demokratischer Staat besitze nicht die Würde, Autorität zu sein, weshalb Dibelius einen starken Staat forderte (wie immer der aussehen möge). Damit traf der Bischof auf heftige Kritik in der Kirche. Die antidemokratische Haltung war nicht mehr konstitutiv für den deutschen Protestantismus.

Immerhin hat sich die Evangelische Kirche mit der Demokratie als Staatsform erst 41 Jahre nach Kriegsende, 1986, abgefunden. Wenn sie auch als Institution und durch ihre Mitglieder als Bürger der Bundesrepublik Deutschland seit 1949 am politischen Leben praktisch teilnahm, so hat sie theologisch-staatsrechtlich doch erst durch eine von ihr veranlaßte und dann offiziell angenommene Denkschrift von Trutz Rendtorf, Professor der Theologie in Münster, und seinen Mitarbeitern eine tiefgreifende Korrektur ihrer bisherigen Staatsanschauung vollzogen: zum ersten Mal anerkannte sie eine durch den Beschluß der Mehrheit einer Volksvertretung an eine Regierung auf Zeit verliehene Autorität als gültige Autorität an. Sie löste sich damit von Luther und seiner Obrigkeitslehre und ebenso vom Nationalprotestantismus des 19. Jahrhunderts. Sie sagte nun, wir müssen nicht nur für unsere Mitchristen eintreten, sondern für alle Verfolgten in der Welt, entsprechend den Natur- und Menschenrechten. Das war ein doppelter Schritt: einmal die Anerkennung der Staatslehre des Westens, damit der Grundlagen der Verfassung der Bundesrepublik; zum anderen die Anerkennung der Werte des Naturrechts. Damit ist ein langer Weg von den deutschen Protestanten (wie in ihrer Weise von den deutschen Katholiken) durchschritten worden, und dies vor allem vor dem Hintergrund der Erfahrungen und Erschütterungen der beiden Weltkriege.

(Abgeschlossen Oktober 1987)

Deutschland – Rußland – Polen vom Wiener Kongreß bis zur Gegenwart

Die Beziehungen von Staaten und Nationen werden nicht allein durch machtpolitische und ökonomische Faktoren bestimmt, sondern auch durch die Bilder und die Meinungen, die die Völker voneinander haben. Diese emotionalen und vorrationalen Züge können sich als tiefer und wirkungsmächtiger erweisen als Fakten und Zahlen.

Im frühen Mittelalter war das Rußland der Kiewer Periode auf Grund kommerzieller, kirchlicher und dynastischer Beziehungen in Deutschland bekannt. Der Tatareneinfall hat Rußland zwar für zweieinhalb Jahrhunderte vom Westen weitgehend isoliert; aber über Nowgorod, das von den Tataren nicht erobert wurde und in dem der mächtige Bund der Hanse eine Niederlassung hatte, gab es weiterhin Kontakte mit dem Westen. Es hat lange gedauert, bis mit den „Rerum Moscoviticarum Commentarii" des kaiserlichen Gesandten Herberstein 1549 die erste, alle Erscheinungen des politischen und kulturellen Lebens umfassende Darstellung Rußlands erschien. Dennoch bleibt Rußland im 16. und 17. Jahrhundert den Europäern fremd. Man sieht in Rußland wegen der Zarenherrschaft eine Despotie und wegen seines griechisch-orthodoxen Glaubens ein ketzerisches Land. Hatte Leibniz anfangs noch, wie allgemein üblich, in Rußland den „Türken des Nordens" gesehen, der außerhalb Europas lebte – galt doch das römisch-katholische Polen als „Vormauer der Christenheit" –, so änderte der deutsche Philosoph seine Meinung vollständig unter dem Eindruck der aufklärerischen Reform Peters des Großen. Leibniz sah in Rußland nun eine „tabula rasa" für seine Utopie einer neuen besseren menschlichen Gesellschaft.

Als Ende des 18. Jahrhunderts Rußland eine europäische Großmacht wurde und sich an den polnischen Teilungen beteiligte, breitete sich die Angst aus, Rußland würde sich immer weiter gegen den Westen ausdehnen. Doch man ahnte damals schon, daß hinter der nach außen drohenden Macht keine entsprechende Kraft im Innern stehen würde. Das Wort von Rußland als dem „Koloß auf tönernen Füßen" ging in Europa um.

Mit dem Auftreten Rußlands im Krieg gegen Napoleon und der deutsch-russischen Waffenbrüderschaft kam es wiederum zu einem Umschwung der Meinungen. Nun wurde gefolgert, ein Zusammengehen mit Rußland sei für Deutschland immer förderlich gewesen.

Einem deutschen Rußlandbild steht ein russisches Deutschlandbild gegenüber, das vom Verhältnis zum Westen überhaupt bestimmt wird. In Rußland hatte sich ein tiefes Mißtrauen gegen die „Ketzerkirche" des Westens entwickelt, das dann später und säkularisiert auf die westeuropäische Kultur übertragen wurde. Diesen Konflikt beendete, zumindest formal, die Revolution von oben, durch die Peter der Große Rußland total dem Westen öffnete. Wenn es schon im 16. Jahrhundert eine „Ausländer-Vorstadt" Moskaus gab, in der vorwiegend Deutsche wohnten, so beginnt doch tatsächlich erst durch Peter den Großen eine Entwicklung, die den Deutschen zum Ausländer schlechthin machte. Ende des 19. Jahrhunderts waren rund die Hälfte der Kommandostellen in der Armee, im Kriegs- und Außenministerium in den Händen Deutschsprachiger, vor allem des baltendeutschen Adels, der besonders zarentreu war (wogegen eine Russifizierungswelle entstand); hinzu kamen noch die Deutschen, die als Siedler zu Tausenden unter Katharina II. ins Land kamen.

Es war eine Mischung von Bewunderung und Ressentiment, die den Deutschen entgegengebracht wurde, zumal diese den Russen vielfach in der Rolle des Schulmeisters erschienen. Da Deutschland, vor allem in den Augen der russischen Oberschicht, ein Volk des Mittelstandes war, und da Rußland einen solchen von politischer Bedeutung nie besessen hatte, blieben bürgerliche Tugenden und bürgerliche soziale Ideale für die Russen etwas völlig Fremdartiges. Dennoch überwog bis in unsere Tage hinein der Respekt vor dem deutschen Geistesleben und der deutschen wirtschaftlichen und kulturellen Leistung.

Nun noch ein kurzer Blick auf den nächsten Nachbarn der Deutschen im Osten: Polen. Das riesige polnisch-litauische Reich – seit 1386 europäische Großmacht – hatte sich gegenüber dem Deutschen Orden (1410, 1466), Schweden und Moskau weit nach Norden, Osten und in die Ukraine ausgedehnt, war aber längst von seiner Großmachtstellung abgesunken, bevor es in den drei Teilungen, die von Rußland, Preußen und Österreich aus kühlen machtpolitischen Überlegungen, unberührt von nationalen Gedanken, 1772, 1793, 1795 durchgeführt wurden, verkleinert wurde und am Ende als selbständiger Staat von der Landkarte verschwand. Das geschah nicht ohne eigene Mitschuld: durch seine Verfassung als Adelsrepublik mit einem Wahlkönigtum (seit 1574), vor allem das berüchtigte „Liberum Veto" von über 100000 Kleinadelsfamilien im Reichstag, war Polen gelähmt, dazu noch zerrissen durch ausländische Einflüsse auf die führenden Magnatenfamilien des Landes. Gleichwohl blieb auch nach der nationalen Katastrophe der aristokratische Lebensstil das gesellschaftliche Vorbild, was in starkem Gegensatz zu den tatsächlichen Lebensverhältnissen stand und den Deutschen, soweit sie in Kontakt mit Polen kamen, als hochfahrend und ineffizient erschien; während wiederum die Polen die wirtschaftliche Tüchtigkeit der Deutschen teils anerkannten, teils fürchteten. Die Zeit der Aufteilung und des Lebens unter fremder Herrschaft wurde zugleich die Zeit der Bildung eines polnischen Nationalbewußtseins mit einem unzerbrechlichen Selbstbehauptungswillens durch mehr als 100 Jahre hindurch . – Für die Grenzziehung von 1815 ist es ferner wichtig sich zu erinnern, daß Preußen 1772 Westpreußen (den späteren „Korridor"), das Bistum Ermland und den Netzedistrikt, 1793 Danzig und Thorn, Posen und Südpreußen, und 1795 Masowien mit Warschau erhielt, wodurch es für ein Jahrzehnt ein halbpolnischer Staat wurde, Überbordungen seiner Ausdehnung, die 1815 wieder abgestoßen wurden.

Das ist der Hintergrund, der das Verhältnis zwischen diesen drei Ländern bestimmte und vor dem die nachfolgende Darstellung der letzten zweihundert Jahre – von Deutschland aus – gesehen werden muß.

Rußland, Preußen, Österreich und die Polen

Rußland und Preußen sind fast gleichzeitig in der zweiten Hälfte des 18. Jahrhunderts zu europäischen Großmächten aufgestiegen. Gemeinsam war beiden, daß sie vorwiegend agrarische Länder waren; diesen Charakter hatte Preußen auch mit der älteren zweiten deutschen Großmacht Österreich gemeinsam. Dennoch bestand – von der territorialen Ausdehnung einmal ganz abgesehen – ein großer Unterschied zwischen diesen drei Staaten: nur Preußen und Österreich besaßen ein Bürgertum, das zwar politisch ohnmächtig war, aber kulturell und wirtschaftlich bedeutsam; ein solches Bürgertum fehlte in Rußland gänzlich. Der Grund-, Offiziers- und Beamtenadel und die schmale Schicht der „Intelligenzija" dort ersetzten diesen Mangel nicht. Die Masse der Bevölkerung aber bildeten leibeigene, analphabetische Bauern, die auch nach dem Gesetz von 1861 über die „Bauernbefreiung" in Armut und Elend verblieben bis zum Anfang des 20. Jahrhunderts, während ein Bürgertum nach westlichem Muster auch dann noch immer sehr schwach entwickelt war.

Während Preußen und Österreich in ihrem Bürgertum von den Ideen der Französischen Revolution berührt wurden und gewisse Reformen durchführten (wobei in Preußen die sog. „Bauernbefreiung" in erster Linie dem Grundadel zugute kam), blieb Rußland davon unberührt. Die Regierungen dieser drei Großmächte standen seit 1792 im Abwehrkampf gegen das revolutionär-expansive Frankreich, und sie nahmen diese Tendenz nach dem Sturz des Usurpators Napoleon gemeinsam wieder auf, wobei für alle drei die Niederhaltung der Polen ein gemeinsames Interesse war.

Der Wiener Kongreß von 1814/15, der nach dem Ende der napoleonischen Ära die Grenzen und die Beziehungen der europäischen Staaten neu ordnete, führte zu einer vierten Teilung Polens, und zwar für 100 Jahre. Der größte Teil der polnischen Bevölkerung fiel als ein Königreich Polen, als „Kongreßpolen", an das Zarenreich. Dieses Gebilde erhielt von Zar Alexander I. eine liberale Verfassung, wie er sie seinen Russen nicht entfernt gewähren wollte oder konnte; ein Geschenk, das die Polen dem Zarenreich aber nicht dankten. Der Teil Polens, der an Österreich fiel, Galizien mit Lemberg (Krakau kam erst 1846 hinzu), hatte es relativ gut; die dortigen Polen stellten für den Gesamtstaat Minister und hohe Beamte. Am schwierigsten war, wie sich zeigen sollte, die Lage der Polen, die preußische Untertanen wurden, auch wenn sie dort an dem allgemeinen wirtschaftlichen Aufschwung teilhatten und sogar im 1814 gegründeten „Großherzogtum Posen" (das 1846 wieder aufgehoben wurde) verfassungsrechtlich als kulturelle Minderheit geschützt waren; Bestimmungen, die nie vollständig aufgehoben wurden. Die „preußischen Bürger polnischer Nationalität" wurden unter strenger, wenn auch lange Zeit hindurch gerechter Aufsicht gehalten, weil das von ihnen zu einem Drittel (1900 und 1910: Deutsche mit Juden 65%, Polen und Kassuben 35%) bewohnte Westpreußen ein Verbindungsglied des Preußischen Staates darstellte, das Pommern mit Ostpreußen verband; ebenso wie das von ihnen mehrheitlich (1860 55%, 1910 62% Polen) bewohnte Posen das preußische Kernland Brandenburg mit Schlesien verband. Und noch war die größere Osthälfte des Staates Preußen, „Ostelbien", politisch wichtiger als die auf englisches Drängen hin 1815 an Preußen gegebenen westlichen Provinzen Rheinland und Westfalen, wo die preußische Armee Wacht halten sollte gegen die Wiederkehr eines Napoleon.

Polenbegeisterung in Süddeutschland und Westeuropa im 19. Jahrhundert

Das von Alexander I. mit einer Verfassung sowie einer eigenen polnischen Armee und Verwaltung ausgestattete Kongreßpolen wagte – auf Nachrichten von der Julirevolution in Paris 1830 hin – November 1830/Januar 1831 einen Aufstand gegen das Zarenreich, der in den folgenden Monaten blutig niedergeschlagen wurde. Die Verfassung wurde aufgehoben. Die Bevölkerung in Deutschland und Westeuropa (in Frankreich, der Schweiz), die nur wenig von den tatsächlichen Verhältnissen in Kongreßpolen wußte, erging sich in Mitleid und Hilfsmaßnahmen für die zu Tausenden durchziehenden polnischen Flüchtlinge. So kam es, daß auf dem Hambacher Fest (1832) neben den schwarz-rot-goldenen zahlreiche weiß-rote polnische Fahnen wehten. Auch 1848/49 sah man im Südwesten Deutschlands noch viele weiß-rote Fahnen, obwohl während der Nationalversammlung in der Paulskirche wie in der gleichzeitig tagenden Preußischen Nationalversammlung in Berlin auch schon kritische Töne vom Nordosten Deutschlands gegen die Polen gehört wurden. Mitleid und Bewunderung aber wallten nochmals für die Polen auf, als diese 1863 einen neuen Aufstand gegen das Zarenreich wagten, der freilich erneut niedergeschlagen und dieses Mal weit härter bestraft wurde als der von 1831, nämlich durch Deportationen Tausender, vornehmlich aus der „Slachta", dem niederen Adel, nach Sibirien. Das despotische Zarenreich wurde nun für die westlichen Demokraten zum Erbfeind. Doch bleibt festzuhalten, daß die weitverbreitete Polenbegeisterung in Deutschland im wesentlichen ein Ventil war, um Unlust und Unzufriedenheit mit den Zuständen im eigenen Land zu artikulieren.

Während des Krimkriegs gab es in Preußen eine Bewegung, die nach ihrer Zeitschrift sog. „Wochenblattpartei" unter Führung von Moritz August Bethmann Hollweg, dem Großvater des Reichskanzlers, der 1851 dem preußischen König mit der Anklage entgegengetreten war, die von ihm eben beschworene Verfassung durch die Wiederherstellung der reaktionären Provinziallandtage verletzt zu haben. Diese Partei agitierte dahin, daß Preußen an die Seite der Türkei, Englands (Palmerstons), Frankreichs (Napoleons III.) und Piemonts (Cavours) treten sollte im Krieg gegen Rußland, dessen Vordringen nach Konstantinopel aufgehalten werden sollte. Die Agitation der „Wochenblattpartei" scheiterte aber an der Gegenwirkung des Preußischen Gesandten beim Deutschen Bundestag, Otto von Bismarck, Preußen blieb neutral, während Österreich – von Rußland aus gesehen: „undankbar – eine unfreundliche Haltung gegenüber Rußland einnahm.

Dies wurde von Rußland als „undankbar“ empfunden, denn während der Revolution von 1848/49 hatte Zar Nikoloaus I., der schon 1825 den Dekabristenaufstand im eigenen Lande niedergeworfen hatte, durch militärische Intervention den Aufstand der Ungarn gegen Habsburg niedergeschlagen, wodurch er dieses Reich für sieben Jahrzehnte wiederherstellte.

Auf Seiten der „Wochenblattpartei“ hat der damalige preußische Gesandte in London, Bunsen, in einem Memorandum zum ersten Mal die Idee vertreten, daß ein selbständiges Polen, losgelöst von Rußland, wiederhergestellt werden sollte. Dies wiederum war in den Augen Bismarcks die Gefahr für die Preußischen Ostprovinzen schlechthin. Bismarck hat durch sein Eintreten für die preußische Neutralität im Krimkrieg seine spätere enge Verbindung mit Rußland vorbereitet, die die Voraussetzung für seine Politik einer Erweiterung der Preußischen Macht durch Deutschland wurde.

Bismarck nach 1862: prorussisch und antipolnisch

Eine einschneidende Änderung der deutsch-russischen wie deutsch-polnischen Beziehungen vollzog sich mit der Berufung Bismarcks zum Preußischen Ministerpräsidenten im September 1862. Wenige Wochen nach seinem Amtsantritt schloß er im Februar 1863 – gegenüber dem inzwischen ausgebrochenen zweiten polnischen Aufstand – die sog. Alvenslebensche Konvention mit Rußland, die eine Zusammenarbeit bei der Bekämpfung der Aufständischen vorsah. Praktisch hatte das kaum Folgen, aber es war Bismarck durch diesen Schachzug gelungen, eine profranzösische Richtung in Petersburg auszuschalten und den einflußreichen Außenminister Gortschakow ganz auf die enge Verbindung mit Preußen festzulegen. Der empörte Aufschrei in Westeuropa und im liberalen Deutschland über die

Konvention irritierte Bismarck nicht, hatte er doch soeben im Heeres- bzw. dem sich daraus entwickelnden Verfassungskonflikt in einer berühmten Rede den provozierenden Ausspruch getan, daß die großen Aufgaben der Zeit nicht durch Parlamentsbeschlüsse, sondern durch „Blut und Eisen" entschieden würden. Nur durch die Rückendeckung Rußlands, die durch Gortschakow aufrechterhaltene Neutralität des Zarenreichs, konnte Bismarck die drei sog. „Einigungskriege" führen, 1864 gegen Dänemark (noch im Bündnis mit Österreich), 1866 gegen den Deutschen Bund und Österreich (im Bündnis mit Italien) und 1870/71 gegen Frankreich (nun im Bündnis mit den mittel- und süddeutschen Staaten). Noch während des Krieges mit Frankreich begann Bismarck die Erneuerung des Bundes der drei Ostmächte: er schuf das Dreikaiserbündnis von 1872, das 1881 und 1884 erneuert wurde. Doch haben der russisch-türkische Krieg von 1877/78 und dann der Protest Englands und Österreichs gegen den Frieden von San Stefano zum „Berliner Kongreß" geführt, wo Rußlands Träumen von einer Vorherrschaft auf dem Balkan Einhalt geboten wurde; aber freilich auch das gute Verhältnis Rußlands zu Preußen-Deutschland zerbrach. Es war Bismarck selbst, der erst durch die Option für ein Bündnis mit Österreich-Ungarn und dann durch sein Eintreten für das England Disraelis gegen die Interessen Rußlands, während des Berliner Kongresses 1878, sich Rußland entfremdete, da Gortschakow dies Verhalten als eine große Undankbarkeit Preußen-Deutschlands empfand. In den 80er Jahren kam noch der wirtschaftliche Konflikt hinzu, als Bismarck, selbst ein „Junker", dem Drängen der ostelbischen Großgrundbesitzer auf eine Erhöhung der Getreideeinfuhrzölle nachgab, durch die der Import russischen Getreides nach Deutschland abgewehrt werden sollte, obwohl die Getreideausfuhr für Rußland zur Bezahlung seiner Eisenbahnbauten und seiner Industrialisierung lebensnotwendig war.

Dennoch kann man vereinfachend sagen: Bismarck machte eine prorussische, besser: eine Politik mit Rußland, und eine antipolnische, speziell eine auf eine strikte Kontrolle der Polen in Preußen gerichtete Politik. Noch als preußischer Gesandter in St. Petersburg schrieb er in einem Privatbrief an seine Schwester Malwine die furchtbaren Sätze: „Haut doch die Polen, daß sie am Leben verzagen; ich habe alles Mitgefühl für ihre Lage, aber wir [der Staat Preußen! F.F.] können, wenn wir bestehen wollen, nichts andres thun, als sie ausrotten; der Wolf kann auch nicht dafür, daß er von Gott geschaffen ist, und man schießt ihn doch dafür todt, wenn man kann". 1867 und 1871 protestierten die polnischen Abgeordneten dagegen, in den Norddeutschen Bund bzw. in das Deutsche Reich eingegliedert zu werden; sie wollten Preußen mit bestimmten Rechten bleiben, aber nicht Deutsche werden.

Bismarck hat in seiner Beurteilung der polnischen Untertanen Preußens Fehler gemacht: er war und blieb überzeugt, daß nur der polnische Adel und die polnische Geistlichkeit eine nationalpolnische Gesinnung hätten und auf einen polnischen Staat hofften, daß aber das breite Volk, besonders die Bauern, loyale Untertanen des preußischen Staates seien. Doch schon die im Zusammenhang mit dem Kulturkampf (Bismarck sagt in „Erinnerung und Gedanke": „Der Beginn des Kulturkampfes war für mich überwiegend bestimmt durch seine polnische Seite") in den 70er Jahren ergriffenen Maßnahmen: Verhaftung des Erzbischofs von Gnesen-Posen Graf Ledochowski, ebenso von 35 von 40 Dekanen und die Vakanz von 100 Pfarrstellen, wie die Gesetze zur Zivilehe, zur staatlichen Schulaufsicht, zu Deutsch als alleiniger Unterrichtssprache usw., führten die bis dahin relativ unpolitische polnische Bauernbevölkerung an die Seite ihrer Geistlichkeit und ihres Adels. Die Gründung polnischer bäuerlicher Genossenschaften – die meisten wurden von Priestern geleitet – war eine erfolgreiche Abwehr gegen alle, wie die Polen es sahen, „Germanisierungsbestrebungen".

Die Zuwanderung Tausender von Polen, sog. „Überläufer" aus dem russischen Kongreßpolen, führte 1885 zu ihrer Ausweisung aus Preußen und im Jahr darauf zu langen Debatten im Reichstag über diese Maßnahme. Bismarck sprach dazu in einer großen Rede am 28. Januar 1886: „Wir wollen die fremden Polen los sein, weil wir an unseren eigenen genug haben!". Und er antwortete mit dem Ansiedlungsgesetz vom 26. April 1886, mit der Gründung einer Ansiedlungskommission, ausgestattet mit der für die damalige Zeit Riesensumme von 100 Millionen Mark, die polnischen Großgrundbesitz aufkaufen und deutsche Siedler in den Ostprovinzen ansetzen sollte. In den folgenden 30 Jahren wurden etwa 20000 solche Siedlerstellen neu geschaffen, doch das war Sand gegen den Wind. In der gleichen Zeit verließen viel mehr Deutsche, vor allem Landarbeiter, die preußischen Ostprovinzen, um nach Berlin und in die westlichen Industriegebiete zu ziehen; sie wurden durch polnische Wanderarbeiter aus Kongreßpolen ersetzt, die jeden Winter wieder nach Hause gehen mußten. Vor und nach der Jahrhundertwende agitierten deutsche und polnische Vereine und Zeitungen immer rabiater gegeneinander, besonders nachdem 1904 und 1907 das preußische Ansiedlungsgesetz noch durch einen Enteignungsparagraphen in bestimmten Fällen novelliert worden war. Praktisch wurde die Novelle kaum angewendet, aber für das Verhältnis von Polen und Deutschen in Preußen wirkte sie verheerend. Polnische Stimmen gingen damals soweit, die Ehe von Polen mit deutschen Mädchen als „Todsünde" zu bezeichnen.

Russisch-deutscher Kulturaustausch in Literatur und Philosophie

Was nun die deutsch-russischen Beziehungen betrifft, so würde sich ein ganz unzureichendes Bild ergeben, würden wir nur die machtpolitisch-diplomatischen und die ökonomischen Faktoren vor Augen haben. Vielmehr ist es notwendig, sich zu vergegenwärtigen, daß von den 70er und 80er Jahren des vorigen Jahrhunderts bis heute, also über 100 Jahre lang, die große russische Literatur in der deutschen Bildungsschicht eine tiefe emotionale und geistige Verbindung mit der russischen Welt schuf, die beständig blieb über allen Wechsel der Regierungen und ihrer Beziehungen, selbst über Kriege und Revolutionen hinweg. Umgekehrt waren die Deutschen die Lehrer, denen Generationen von jungen russischen Intellektuellen nacheiferten. Puschkin, der Schöpfer der neueren russischen Literatursprache, läßt in seinem Versepos „Eugen Onégin“ (das in Deutschland vor allem durch die gleichnamige Oper Tschaikowskis bekannt wurde) einen Lenski auftreten, von dem es heißt, er habe in Deutschland studiert, sei ein Bewunderer Kants und als Dichter unter der Sonne Schillers und Goethes aufgewachsen. Aus dem fernen Deutschland habe er die Früchte der Gelehrsamkeit mitgebracht, die Träume von der Freiheit, einen brennenden forschenden Geist, eine leidenschaftliche Sprache und lange, dunkle Locken. Gogol, der tiefreligiöse Grübler, war von dem deutschen Romantiker E.T.A. Hoffmann beeinflußt, münzte aber dessen Phantastik in bitterböse Satire um, wie in seinem Roman „Die toten Seelen“ und in seine noch heute gespielten Komödie „Der Revisor“, einer zeitlosen Karikatur der Bürokratie. Der mit Theodor Storm befreundete Turgenjew war der erste russische Dichter, der den Westen Europas für sich gewann und dadurch auch für seine Landsleute bahnbrechend wirkte. Sein Roman „Väter und Söhne“ (1862), der den Konflikt der idealistisch-humanistischen Generation der Väter mit der rebellierenden, illusionslosen Jugend schildert, hat bis heute nichts von seiner Aktualität auch außerhalb seines Schauplatzes verloren.

In die deutsche Geisteswelt wirkte am tiefsten Dostojewski ein, dessen in den 60er und 70er Jahren entstandenen großen Romane innerste Regungen und Abgründe der menschlichen Seele bloßlegen und gegen den westlichen Rationalismus die Erlösung des Menschen durch Liebe und Leiden verkünden: „Schuld und Sühne“ (1866), „Der Idiot“ (1868), „Die Dämonen“ (1872) „Die Brüder Karamasow“ (1879/80). Tolstoi, der mit „Krieg und Frieden“ (1864–69) ein Geschichtsepos der napoleonischen Zeit und mit „Anna Karenina“ (1873–76) einen Ehe- und Gesellschaftsroman schrieb, um dann in „Kreuzersonate“ (1886) und „Auferstehung“ (1899) die Befolgung der Lehren der Bergpredigt gegen die herrschende Gesellschaftsordnung, soziale Ungerechtigkeit und Kriegsdienst zu setzen, wurde ein Begründer der Friedensbewegung, in der er bis heute fortwirkt. Vor allem ist hier auch Tschechow zu nennen, der lange als der Dichter der Schwermut, der Schwäche und Hoffnungslosigkeit galt. Inzwischen wird er als eine der modernsten Dramatiker seiner Zeit betrachtet, nicht nur, weil er statt von Helden von Alltagsmenschen handelt, sondern auch weil man erkannte, daß hier ein Arzt seine Diagnose als Dichtung schreibt. Auch der als erster aus proletarischem Milieu stammende Maxim Gorki mit seinem Drama „Nachtasyl" (1902) und dem Roman „Mutter" (1907) wurde früh beachtet.

Im Jahre 1957 konnte Boris Pasternak, der Übersetzer von Goethe, Kleist, Rilke, gleich bedeutend als Lyriker und als Romancier, sein Werk „Dr. Schiwago" in Italien veröffentlichen, für das er 1958 den Nobelpreis für Literatur erhielt – den er aber nicht annehmen durfte. Die deutsche Übersetzung und die Verfilmung des Werkes haben für diese dramatische Schilderung des russischen Bürgerkriegs und seiner Leiden, verbunden mit einer innigen Beziehung dreier Menschen, das Herz der Leser und Zuschauer in Deutschland gewonnen. Der russische Schriftsteller Alexander Solschenizyn hat in seiner aufsehenerregenden Erzählung „Ein Tag im Leben des Iwan Denissowitsch" (1962) einen authentischen Bericht über die Konzentrationslager unter Stalin gegeben und kämpfte für freie literarische Meinungsäußerung. Er erhielt 1970 den Nobelpreis für Literatur, durfte ihn aber – wie Pasternak – nicht annehmen, ja er wurde 1974 aus der UdSSR ausgewiesen. Durch weitere Werke wie „Der erste Kreis der Hölle" (1968), „Krebsstation" (1968/69), und „Archipel Gulag" (1972) hat er die Deutschen in ihrem Abscheu vor der (ja selbst erlebten) Diktatur bestärkt. Im Exil in den USA schrieb Solschenizyn „August 1914" und lehrte die Deutschen jenen Krieg und seine Leiden auch von der Seite des Gegners aus zu betrachten. In die Nationalitätenfrage der heutigen Sowjetunion schließlich hat er eingegriffen mit einem Appell, die drei Republiken Rußland, Weißrußland, die Ukraine sollten sich enger zusammenschließen und die übrigen zwölf Republiken der Föderation weitgehend freigeben – ein Ratschlag, den der Führer der „Reformer" Boris Jelzin im Jahre 1991 aufgenommen hat. Unter vielen könnte man noch hinweisen auf den Lyriker Jewtuschenko, dessen Rezitationen, u.a.

das berühmte Gedicht „Babi Jar", in Deutschland große Beachtung fanden, oder auf den Kirgisen Tschingis Aitmatow, dessen Menschen- und Naturschilderungen archaische Züge tragen.

Die Begeisterung Dostojewskis für Schiller und vieler Russen für Goethe, die auch von Dichtern anderer osteuropäischer Völker geteilt wurde, steht an Bedeutung die Verehrung für Johann Gottfried Herder nicht nach, dessen berühmtes „Slawenkapitel" in seinen „Ideen zur Philosophie der Geschichte der Menschheit" das Selbstverständnis der Russen, aber auch der Polen und der Südslawen, als Träger eigener Kultur innerhalb der indogermanischen Welt geweckt und bis heute geprägt hat.

Neben der großen Literatur gibt es eine Komponente deutscher Geistigkeit, die seit der Mitte, vor allem aber seit den 80er Jahren des vorigen Jahrhunderts mit wahrhaft weltgeschichtlicher Bedeutung auf Rußland einwirkte: das ist die Ideenwelt von Hegel und Marx. Da die griechisch-orthodoxe Kirche keinerlei Ideen zur sozialen Gestaltung im heraufkommenden Industriezeitalter entwickelt hatte (denn der Bettler und der Kranke stehen nach ihrer Vorstellung dem Himmel näher als der Gesunde und der Wohlhabende), bestand in Rußland ein gewaltiges Vakuum und ein Hunger nach Ideen für die Erlösung aus irdischen Nöten, ein Verlangen nach einer sozialen Utopie: eben dieses Verlangen wurde durch die Ideen von Hegel und Marx gestillt. Es war besonders der Einfluß der Linkshegelianer, die der russischen Sozialkritik die ihr eigene materialistische Begründung gaben. Und es war vor allem das „Kommunistische Manifest" von 1848, das in Rußland früh bekannt wurde, und Marx' „Kapital", dessen russische Übersetzung überhaupt die erste dieses Werkes war. Da aber die tatsächliche industrielle Entwicklung in Rußland gegenüber Westeuropa noch weit zurücklag, kam es dort zu einer folgenreichen doppelten oder dreifachen Umbildung des Marxismus: a) man konnte nicht abwarten, bis die Entwicklung des Kapitalismus (Nach Marx' Vorstellungen) so weit gekommen wäre, daß er fast automatisch in die Revolution umschlägt, sondern man – d.h. die Bolschewiki – wird die Revolution machen müssen, um durch sie in das gelobte Land der sozialen Gerechtigkeit zu gelangen – daher die steigende Verachtung für die deutsche Sozialdemokratie, die größte sozialistische Partei Europas, die attentistisch jene Entwicklung abwarten wollte, und für die ihr nahestehenden Menschewisten Plechanows; b) da aber die Arbeiterschaft in Rußland weithin analphabetisch war, und da es weder eine geschriebene Verfassung (bis 1906) noch Parteien noch Gewerkschaften gab, so entwickelte sich zwangsläufig der Gedanke, daß eine Elite, eine Minderheit von Berufsrevolutionären, Vordenker und führender Aktivist der revolutionären Bewegung werden müsse, stellvertretend handelnd für die Massen; c) von den Nihilisten her kam noch der Gedanke, daß Gewaltanwendung, auch Terror zur Erringung der Macht und zur Erhaltung der Macht durchaus bejaht werden müsse. Daraus entstand das leninistische, später das stalinistische Rußland, das „bolschewistische" (nach dem Namen der aktivistischen Gruppe seit der Spaltung der Sozialisten von 1903), mit Zwang und Indoktrination im Innern, mit Machtentfaltung und Expansion nach außen, von der Weltrevolution auch in Asien und Afrika, zum „Sozialismus in einem Lande". Die ökonomischen Leistungen dieses Systems und auch die in Rußland in kürzester Zeit erreichte Abschaffung des Analphabetismus waren beachtlich, doch, bei einem starken Vorwiegen des industriell-militärischen Komplexes, von einem gewissen Entwicklungsstand an stagnierend und sowohl für die Versorgung wie für die weitergehenden Bedürfnisse der Bevölkerung unzureichend, so daß der Ruf nach Freiheit zusammen mit materiellen Erwartungen heute zu einer tiefen Erschütterung dieses Systems und der mit ihm verbundenen Utopie geführt hat.

Gegen die „slawische Gefahr" von Caprivi bis Bethmann Hollweg

Die ca. 30 Jahre, die durch Bismarcks Namen bestimmt sind, lassen sich als eine Zeit prorussischer und antipolnischer Politik charakterisieren. Unter seinem Nachfolger als Reichskanzler,

General v. Caprivi (1890–94), erfolgte ein jäher Umschlag. Caprivi war ein Anhänger jener Schule, die schon in den letzten Jahren Bismarcks diesem entgegengearbeitet hatte und mit Entschiedenheit die Meinung vertrat, das Deutsche Reich müsse in Kürze einen Präventivkrieg gegen das militärisch und wirtschaftlich erstarkte Rußland führen, um dessen weiteren Machtzuwachs zu stoppen. Starke Unterstützung fand Caprivi bei dem älteren Moltke und bei dessen Nachfolger als Generalstabschef, Graf Waldersee, der allerdings bereits 1892 abgelöst wurde, um einem Günstling Wilhelms II., dem Grafen Schlieffen, Platz zu machen. Für den beabsichtigten Präventivkrieg gegen Rußland mußte die preußisch-deutsche Armee vergrößert werden; um diese Heeresvermehrung im Reichstag durchzubringen, brauchte Caprivi u.a. die Stimmen der polnischen Fraktion im Parlament. Deshalb wurde die Ausweisungspolitik gemildert, polnischer Privatunterricht in Schulräumen erlaubt und das polnische Genossenschaftswesen von Kontrollen befreit. Der Grundtenor der Politik war jetzt antirussisch und propolnisch, sehr zum Mißfallen Bismarcks, der eine solche Politik von seinem Alterssitz Friedrichsruh aus tadelte.

Caprivi, „der Mann ohne Aar und Halm", so Bismarck, stürzte freilich, weil seine auf Mitteleuropa bezogene Handelsvertragspolitik eine Minderung der Getreidezölle mit sich brachte, während die politisch stärkste Gruppe, die Konservativen mit den einflußreichen ostelbischen Großgrundbesitzern an der Spitze eine Erhaltung, möglichst aber eine Anhebung der Getreideimportzölle forderte. Das richtete sich gegen die USA, Kanada, Rumänien, vor allem aber, wie schon zu Bismarcks Zeit, gegen Rußland. Gegen die vorsichtigen Liberalisierungstendenzen Caprivis in der Innenpolitik wandte sich zudem schroff der 1894 gegründete „Verein zur Förderung des Deutschtums in den Ostmarken", kurz der „Ostmarkenverein" (nach den Namen seiner drei Vorsitzenden, v. Hansemann, Kennemann, v. Tiedemann auch die „Hakatisten" genannt), der antipolnische Agitation betrieb.

In der Außenpolitik freilich lag die weittragendste Entscheidung Caprivis in der Nichterneuerung des sog. „Rückversicherungsvertrags", den Bismarck (ohne Österreich) 1887 mit Rußland abgeschlossen hatte. Diese Entscheidung enttäuschte Rußland und führte es mit Frankreich zusammen. Diese beiden in ihrem Innern so verschiedenen Mächte schlossen zuerst 1892 einen Militärvertrag, dann 1894 einen förmlichen Allianzvertrag ab, der den automatischen Beistand des anderen zusicherte, falls der eine Partner von einer dritten Macht angegriffen würde. Damit hatte sich die strategische Lage Deutschlands im Hinblick auf einen möglichen Zweifrontenkrieg fundamental verändert.

Trotz dieser Entwicklung entschloß sich Wilhelm II., beraten von dem neuen Statssekretär der Marine v. Tirpitz und dem neuen Staatssekretär des Äußern v. Bülow, 1897 zu ‚Weltpolitik' und Flottenbau, und damit zur Herausforderung Englands, der führenden Seemacht der Epoche – und das, worauf in einer jüngst erschienenen Untersuchung hingewiesen worden ist, ohne im Geringsten von irgend jemand bedroht zu sein. Der Kaiser benutzte die sog. „Sammlungspolitik" des Preußischen Finanzministers v. Miquel zur Einigung aller bürgerlichen Parteien gegen die Sozialdemokratie, wobei die Flotte als Vehikel für die Sammlungspolitik diente. Kolonial- und Flottenverein, dazu eine Phalanx von ‚Flottenprofessoren', die Neo-Rankeaner, unterstützten den Kaiser. Sie hielten an dem Ziel einer Überrundung Großbritanniens als Weltmacht auch noch fest, als dieses sich unter dem Eindruck der deutschen Bedrohung nacheinander mit seinen früheren Weltgegnern Frankreich (1904) und Rußland (1907) in Ententen aussöhnte.

Erstaunlicherweise wurde während der ganzen Zeit Bülows als Staatssekretär des Äußern (1897–1900) und als Reichskanzler (1900–1909) das bestehende russisch-französische Bündnisverhältnis kaum wahrgenommen, jedenfalls im Bewußtsein verdrängt. Die Russen hatten sich, sehr zur Enttäuschung der Franzosen, seit 1894 in Ostasien, besonders in der Mandschurei, stark engagiert, was 1904 zum russisch-japanischen Krieg führte, zur Niederlage und zur Revolution.

Im Jahre 1909 aber führte eine internationale Krise zu einer erneuten Feindschaft mit Rußland. Anlaß war – mit Berlin nicht abgesprochen – die Politik Wiens. Im Oktober 1908 verkündete der österreichische Kanzler Aehrenthal die Annexion von Bosnien und Herzegowina, Provinzen, die seit dem Berliner Kongreß von 1878 von Österreich-Ungarn verwaltet und entwickelt worden waren. Er reagierte damit auf den Umsturz der Jungtürken im gleichen Jahr, die die ehemals türkischen Gebiete zurückforderten. Doch das stammverwandte Serbien und das hinter ihm stehende Rußland wollte diese Annexion nicht hinnehmen. Der Konflikt war noch nicht endgültig entschieden, da trat im März 1909 noch unter Bülow – der willensstarke, zu Aktionen neigende v. Kiderlen-Wächter, den viele Deutsche für einen neuen Bismarck hielten, leitete zu dieser Zeit vertretungsweise das Auswärtige Amt – Berlin mit einem Quasi-Ultimatum an Petersburg hinter Wien; Wilhelm II. nannte das den Einsatz der „Schimmernden Wehr". Sofort entlud sich aller Zorn der Russen nunmehr auf die Deutschen.

Der neue Reichskanzler hieß seit Juni 1909 Theobald von Bethmann Hollweg. Er war ein Mann, der in tiefsitzenden Ängsten vor Rußland lebte. Eine Reise durch das Zarenreich im Frühjahr 1912 hatte ihn in seinen Sorgen vor der Naturkraft Rußlands noch bestärkt. Während der Balkankriege und in den Jahren 1913/14 hat er immer einen entschieden antirussischen Kurs eingehalten, entschiedener als der Kaiser, den er erst zu diesem Kurs bekehren mußte. Er verband sich dabei mit Moltke; bei der neuen großen Heeresvermehrung 1913/14 wurde neben dem „Erbfeind" Frankreich jetzt mit großem Propagandaaufwand der neue Feind, das bedrohlich wachsende Rußland herausgestellt. Der Slogan vom ‚Entscheidungs-' oder gar vom ‚Endkampf' der Germanen gegen die Slawen (gemeint waren damit die Russen, nicht etwa Polen oder Tschechen) wurde weit verbreitet und vom Kaiser, den Militärs und vom Reichskanzler benutzt. Merkwürdigerweise wurde Rußland auch als eine künftige Wirtschaftsmacht gefürchtet, weil es ihm durch die Reformen Stolypins (seit 1906) gelungen war, den Getreideanbau und den Getreideexport außerordentlich zu steigern. 20 Jahre nach Bismarcks Entlassung wurden jetzt die Russen der Feind Nr. 1 – neben der Weltmacht England, die man aber aus dem bevorstehenden Krieg mit Rußland und Frankreich herauszuhalten hoffte. Wilhelm II., der zu dieser neuen Weltsicht bekehrt worden war, äußerte jetzt, er sei in seiner Jugend in der Überzeugung aufgewachsen, daß die Verbindung der Häuser Hohenzollern und Romanow ewigen Frieden zwischen beiden Ländern garantieren würde. Doch das habe sich völlig geändert: das neue bürgerlich-industrielle Rußland sei eine Deutschland gegenüber feindselige, neidische Macht, die es hasse und vernichten wolle. Darum müsse Deutschland rüsten und dürfe den Kampf nicht scheuen.

Rußland als Hauptfeind, zumal wenn es sich um eine Balkanangelegenheit handelte und anders als in den Marokko-Krisen, sicherte das Mitgehen Österreich-Ungarns in diesem Krieg, ohne das wiederum ein Zweifrontenkrieg gar nicht durchführbar gewesen wäre; mußte doch die österreichisch-ungarische Armee fünf russische Armeen (zwei weitere griffen Ostpreußen an) aufhalten, bis die Hauptmasse der deutschen Armee Frankreich besiegt haben würde und dann an die russische Front gebracht werden könnte. Der Kriegsverlauf war freilich völlig anders, als die deutschen Militärs in ihrer Siegeszuversicht erwartet hatten.

Erster Expansionskrieg gegen Rußland; Werben um Polen 1914/18

Der Weltkrieg hatte im Westen das Ziel, Frankreich, das Deutschland so oft und an so vielen Schauplätzen entgegengetreten war, als Großmacht für immer oder für lange Zeit auszuschalten; Annexionen waren dabei sekundär. Der Hauptgegner aber war das wegen seiner Größe, seines bevölkerungsmäßigen und selbst wegen seines wirtschaftlichen Wachstums als Bedrohung gefürchtete Rußland, das weit nach Osten zurückgedrängt werden sollte. Das war ein Gedanke, der nicht etwa erst in dem vielzitierten sog. Septemberprogramm (9. 9. 14) Bethmann Hollwegs auftauchte, sondern das war das Kriegsziel, das bereits zwei Tage nach der Reichstagsrede des Kanzler und dem

Kriegseintritt Englands, nämlich am 6. August 1914 und wieder am 11. August und fortan in den Vorbereitungen für die Revolutionierung der westlichen Randvölker Rußlands und in den Verhandlungen mit Wien über die Kriegsziele in den vom Reichskanzler und vom Staatssekretär des Auswärtigen Amtes, Jagow, gezeichneten Regierungsakten zu finden ist. Darin sind eine Kette von Pufferstaaten zwischen Deutschland bzw. Österreich-Ungarn und Rußland, die vom Zarenreich abgetrennt werden sollten, vorgesehen; genannt werden Finnland, das Baltikum, Polen, die Ukraine, die Krim, Georgien. So konnte etwa der große Rußlandgegner, der Baltendeutsche Professor Theodor Schiemann, den Führer der „Alldeutschen" Heinrich Claß Anfang August 1914 darüber beruhigen, daß der von den Rechtskreisen als „flau" angesehene Reichskanzler im Hinblick auf die dauernde Zurückdrängung und Schwächung Rußlands durchaus zuverlässig sei.

Der Weltkrieg, speziell der deutsch-russische Krieg, eröffnete Vorteile für die Polen. Sie wurden von beiden Kontrahenten umworben. Der Zar erließ bei Kriegsbeginn eine Proklamation an die Polen durch den Oberkommandierenden Nikolai Nikolaijewitsch und machte ihnen bei Wohlverhalten Versprechungen. Die Deutschen, nachdem sie 1915 große Teile von Polen besetzt hatten, warben um Sympathien im Lande, etwa durch die Wiedereröffnung der Universität Warschau als eine polnisch-sprechende Universität. Ludendorff erließ sogar eine jiddisch verfaßte Kundgebung an die Juden in Kongreßpolen, daß sie Deutschland unterstützen sollten; die tatsächliche Haltung der deutschen Verwaltung enttäuschte die Juden in Polen jedoch. Jagow schrieb 1915 an den Kaiser, daß Polen und Juden mit harter Hand regiert werden müßten!

Die deutsche Regierung zögerte aber lange mit Erlassen zur Wiederherstellung Polens als selbständigem Staat, um die Möglichkeit eines Sonderfriedens mit Petersburg nicht zu gefährden. Schließlich wurde von den Mittelmächten ein „Königreich Polen" proklamiert, über dessen König – ob ein Habsburger oder ob ein süddeutscher katholischer Hohenzoller – Wien und Berlin sich nicht einigen konnten. Der Streit, ob das neue Polen als ein dritter Bestandteil der Doppelmonarchie angegliedert werden sollte – die deutschen Militärs waren kompromißlos dagegen und sogar zu einem Krieg mit Österreich-Ungarn bereit, um das zu verhindern – oder ob es politisch-militärisch-wirtschaftlich an Preußen-Deutschland angelehnt sein sollte, dauerte bis zum Kriegsende. Dazu kam der Streit, auch innerhalb der deutschen Instanzen, um die Breite des sog. polnischen „Grenzstreifens", in dem Polen und Juden möglichst ausgesiedelt werden sollten, um die Polen in Preußen völlig vom neuen Polen zu trennen.

Gegenüber den Russen kam es bereits im ersten Monat des Krieges, im August 1914, gegen die von Süden her Ostpreußen angreifende zweite russische Armee zu einer siegreichen Abwehrschlacht, die sich zu einer Einkesselungs- und Vernichtungsschlacht entwickelte und den Ruhm der Generäle Hindenburg und Ludendorff für die Dauer des ganzen Krieges begründete. Der Glanz dieses Sieges hat dazu beigetragen, daß die deutsche Bevölkerung den 14 Tage später erfolgten wohl kriegsentscheidenden Rückschlag an der Marne gar nicht in seiner Bedeutung erkannte.

Es soll hier weder der Kriegsverlauf weiter verfolgt werden, noch kann auf die Ursachen der beiden russischen Revolutionen von 1917 eingegangen werden. Der Hinweis muß genügen, daß die „Provisorische Regierung" in Rußland vom Februar bis Oktober 1917, halb menschewistisch-sozialistisch im Sowjet, halb linksbürgerlich-liberal in der Regierung, sich von den Agenten und dem Geld der Westmächte dazu drängen ließ, trotz großer Not und Kriegsmüdigkeit im Lande den Krieg gegen Deutschland fortzusetzen. Als Gegenmaßnahme hatten die Deutschen Mitte April Lenin im „plombierten" Zug nach Petersburg geschickt. An der Entscheidung für diesen Schritt waren der Reichskanzler und das Auswärtige Amt, Diplomaten im Außendienst und Parteiführer, nicht zuletzt die Oberste Heeresleitung beteiligt. Niemand dachte an weltrevolutionäre Folgen, auch nicht an mögliche innenpolitische Folgen für Deutschland; das alleinige Motiv für die Sendung war, daß man von Lenin ein Ausscheiden Rußlands aus dem Kriege und einen

Sonderfrieden erhoffte, was dann den Endsieg über die Westmächte ermöglichen würde.

Tatsächlich schloß die Regierung der Bolschewiki, die seit November 1917 an der Macht war, mit der deutschen einen Waffenstillstand – brach also das Bündnis mit ihren Alliierten – und begann Friedensverhandlungen, die sich wegen der harten Bedingungen der Deutschen bis zum März 1918 hinzogen. Deutsche Truppen und Polizeieinheiten besetzten in diesen Wochen Finnland, die baltischen Provinzen, Polen, die Ukraine mit der Krim und Teile des Kaukasus. Es war ein ungemein harter Frieden, der Rußland ein Drittel seiner Bevölkerung nahm und ein Gebiet, das doppelt so groß war wie das Deutsche Reich, dazu 75% seiner Erzlager, 89% seiner Kohlenlager und wertvolle landwirtschaftliche Flächen. Dieser harte Friede veranlaßte den amerikanischen Präsidenten Wilson, der sich bis dahin mehr als Vermittler denn als Verbündeter (er war auch nur „Assoziierter"!) betrachtet hatte, gegen Deutschland auszurufen: „Gewalt! Gewalt bis zum Äußersten!"

In der Ukraine stürzten die Deutschen die „Rada", eine menschewistische Gruppe, die mit Sozialisierungsideen umging, und setzten einen Großgrundbesitzer namens Skoropadski als Hetman der Ukraine als ihren Statthalter ein. Der Gegensatz zwischen dem monarchisch-konservativen Süden Rußlands und dem bolschewistischen Rest-Rußland im Norden sollte die Teilung und Schwächung Rußlands auf ewige Zeit gewährleisten. Die deutschen Militärs wiederum drängten über die in Brest-Litowsk festgelegten Grenzen hinaus in den Kaukasus, in einem Vordringen, das die Russen nur unter neuen Opfern in einem Zusatzvertrag im August 1918 aufhalten konnten.

Das Ausscheiden Rußlands aus dem Krieg 1917/18 hatte die Offensive Deutschlands gegen die Westmächte im Frühjahr 1918 möglich gemacht. Doch das war eine Überforderung der noch verbliebenen deutschen Kräfte, zumal von Mitte Juli 1918 an die frischen Truppen der Amerikaner in den Kampf eintraten. Anfang Oktober 1918 mußte die Reichsregierung um sofortigen Waffenstillstand und um Frieden nachsuchen, den nun der amerikanische Präsident Wilson vermitteln sollte. Der Waffenstillstand trat am 11. November 1918 in Kraft.

Rapallo-Politik und Haß gegen Polen in der Weimarer Republik

Der Zusatzvertrag zum Frieden von Brest-Litowsk vom August 1918 vereinbarte die Zahlung von sechs Milliarden Goldmark an Berlin und die endgültige Abtretung Estlands und Georgiens an die deutsche Herrschaftszone, enthielt aber vor allem auch die bindende Zusage Berlins, nicht über die in Brest-Litowsk festgesetzten Grenzen militärisch hinauszugehen, d.h. die Erhaltung des Nordkaukasus bei Rußland nicht in Frage zu stellen. Das war vielleicht schon der erste Schritt zu einer Verbindung Deutschlands mit der von den Westmächten verfemten Sowjetunion Lenins für die Zeit nach dem vorhersehbaren Ende des Krieges. Erste Kontakte gab es über die Frage eines Austausches der gegenseitigen Kriegsgefangenen.

Die Enttäuschung über den harten Waffenstillstand mit dem Westen, dann über den Vertrag von Versailles, weiter über die trotz mehrfacher Reparationskonferenzen ungelöste Frage der Höhe der Reparationen, und vor allem der Wunsch, gegenüber den Westmächten wieder eine gewisse diplomatische Handlungsfreiheit zu gewinnen, führte während der Konferenz von Genua zum Vertrag von Rapallo (1922), einem Freundschafts- und Wirtschaftsvertrag, der u.a. den gegenseitigen Verzicht auf Reparationen und auf Entschädigung für private Ansprüche etwa im Zusammenhang der Sozialisierung vorsah. War es die Stimme des Reichskanzlers Wirth, eines Mannes der katholischen Zentrumspartei, oder die Stimme des dem Westen gegenüber zögerlichen Außenministers Walter Rathenau, oder waren es die Routiniers des Auswärtigen Amtes, die „Bismarckianer" Maltzan, Nadolny u.a., die den Ausschlag gaben? Die gleiche „Realpolitik" betrieb der neue deutsche Botschafter in Moskau, Graf Brockdorff-Rantzau. Der Vertrag machte jedenfalls ungeheures Aufsehen in der Welt, ja weckte Erbitterung in den

Hauptstädten des Westens, und er veränderte die Stellung Deutschlands im Staatensystem. Wenn auch der neue Reichskanzler bzw. Außenminister Gustav Stresemann (1923–29) mit dem Dawesplan und dem Locarnovertrag (1925) durch Verzichtleistung auf Elsaß-Lothringen einen Ausgleich mit Frankreich erreichte – zwei Verträge, die er freilich stets nur als Waffenstillstand betrachtete –, so hat derselbe Stresemann doch ein Jahr darauf den Berliner Vertrag mit der Sowjetunion geschlossen (1926), einen Neutralitäts-, Freundschafts- und Wirtschaftsvertrag, der die Rapallo-Politik sichtbar fortsetzte. Dieser Vertrag sollte mit dem nun ansteigenden Handelsaustausch für die deutsche Republik in den Jahren der großen Wirtschaftskrise, als der Westen nichts mehr kaufen konnte, sehr wichtig werden; zumindest für einige Branchen wie den deutschen Maschinenbau und seinen Export zur Zeit der beginnenden forcierten Industrialisierung Rußlands unter Stalin seit 1929.

Vier Jahre nach der auf die Dauer angelegten Schwächung Rußlands, wie sie der Vertrag von Brest-Litowsk beabsichtigte, war in einem überraschenden Umschlag ein freundschaftliches Verhältnis zu Rußland wiederhergestellt, das an die Bismarckzeit erinnerte. Es war aber freilich nicht mehr das Rußland der Zaren, sondern das kommunistische Rußland Lenins und seiner Nachfolger, die den Anspruch auf Weltrevolution erhoben und der Anwalt der „werktätigen Massen“ über alle Grenzen hinweg sein wollten. So war das neue Verhältnis nur möglich geworden durch eine strikte Trennung von Innen- und Außenpolitik: Im Innern Deutschlands wurden Linksradikale, Spartakisten, Kommunisten, die alle von sowjetischen Emissären gestützt worden waren, mit harter Hand niedergeworfen, sehr oft so hart, daß viele gemäßigt gesinnte Arbeiter zur kommunistischen Partei geführt wurden.

Gleichzeitig bestanden seit 1919 illegale, weil gegen die Bestimmungen des Versailler Vertrages verstoßende und dementsprechend geheime Beziehungen zwischen der Roten Armee und der neuen Reichswehr. Deutsche Soldaten wurden in der Sowjetunion an schweren Waffen, Panzern und Flugzeugen ausgebildet, während umgekehrt russische Offiziere an deutschen Kriegsschulen und in der Nachfolgeorganisation des früheren Generalstabs ausgebildet wurden, darunter z.B. der spätere Marschall Tuchatschewski. Wir lassen die Frage offen, wieviel im einzelnen Stresemann von diesen militärischen Kontakten, für die auf deutscher Seite General v. Seeckt verantwortlich war, wußte – ja wissen wollte, um sie jederzeit in Genf ableugnen zu können. Seeckt war es auch, der schon Anfang der 20er Jahre für einen Krieg gegen Polen plädierte. Wir wissen heute, daß hochrangige Militärs der Reichswehr, z.B. v. Stülpnagel, fest mit einem Krieg gegen Frankreich einerseits, Polen und die Tschechoslowakei andererseits rechneten und sich in Planspielen darauf vorbereiteten. Ein solcher Krieg wäre, vor allem gegen die beiden östlichen Nachbarn, in weiten Kreisen Deutschlands populär gewesen. Man vergesse nicht, daß Stresemann diesen beiden neuen Nachbarn Deutschlands, Polen und der Tschechoslowakei, ein „Ostlocarno" versagt hatte, d.h. es gab keine freiwillige Anerkennung der neuen Ostgrenzen durch das Deutsche Reich: vor allem nicht des „Korridors" in Westpreußen und der Sudetengebiete als Teil des Prager Staates.

Wie war nun im Zeichen der guten Beziehungen Deutschland-Rußland das deutsche Verhältnis zu Polen? Es war erwartungsgemäß sehr schlecht, bis hin zu äußerster Feindschaft, zu Haß und Gewalt. Die deutsche Öffentlichkeit hat, nach Wiederherstellung eines selbständigen Staates Polen, wofür ja Berlin und Wien 1917/18 Vorarbeit geleistet hatten, keine der territorialen Bestimmungen von Versailles so einhellig abgelehnt wie die – schon in den 14 Punkten Wilsons vom Januar 1918 enthaltene – Abtretung des sog. „Korridors" (wobei Danzig als Freie Stadt unter Völkerbundsaufsicht gestellt wurde). Wenn schon die verschiedenen Volksabstimmungen in einzelnen Zonen für Aufregung sorgten, so hat die 1920 unter Aufsicht des Völkerbundes vorgenommene Volksabstimmung in Oberschlesien an den Rand des Krieges geführt, weil die endgültige Teilung nicht genau dem Abstimmungsergebnis folgte, sondern einen größeren Teil des Industriegebietes an Polen gab. Inzwischen hatten der dreimalige Einfall polnischer Freischärler unter Korfanty in die umstrittenen Gebiete und die Gegenaktionen deutscher Freikorps (Erstürmung des Annabergs) den Nationalhaß auf beiden Seiten erneut auflodern lassen der – verständlicherweise – im protestantischen Nordostdeutschland heftiger war als im fernen Süddeutschland. Trotz der Minderheitenschutzverträge, die zwischen Polen und Deutschland abgeschlossen wurden, blieb doch eine tiefe reizbare Abneigung gegen den neuen Staat Polen.

Dieses neue Polen hatte freilich eine ganze Kette von Grenzstreitigkeiten ausgelöst, in seinem Nordosten mit Litauen um Wilna, im Osten und Südosten mit Sowjetrußland um die Ukraine, die zum offenen Krieg führten; die Rote Armee stand vor Warschau, wurde dort mit französischer Hilfe zurückgeworfen. Im Frieden von Riga 1920 folgte die polnische Regierung nicht der Grenze, die der englische Außenminister Curzon vorgeschlagen hatte, sondern ging weit darüber hinaus bis zu einer Grenze, die Millionen Weißrussen und Ukrainer in den so erweiterten Staat Polen einschloß, was dann im Hitler-Stalin-Pakt vom August 1939 Stalin veranlaßte, die Ostgebiete Polens für Rußland zurückzufordern (dies wiederum führte zur Vertreibung von Millionen Polen aus den Gebieten um Lemberg, die er auch 1945 nicht mehr herausgab). Die Folge war eine große Westverschiebung Polens auf Kosten deutscher Gebiete.

Hitler, Stalin und der Krieg gegen Polen

Am 26. Januar 1934 kam es zum jähen Umschlag aller dieser Beziehungen. Der neue deutsche Regierungschef seit dem 30. Januar 1933, der „Führer“ des nationalsozialistischen ‚Dritten Reiches‘, Adolf Hitler, schloß an diesem Tag einen Neutralitäts- und Freundschaftsvertrag mit Polen. Dieser Vertrag war, wie aus dem Vorhergehenden verständlich ist, in der deutschen Bevölkerung höchst unpopulär. Der Antikominternpakt vom 26. November 1936 schien die letzten Zweifel an dem von Hitler beabsichtigten Ostkurs zu beseitigen. Doch brachte der wenige Monate vorher ausgebrochene Bürgerkrieg in Spanien noch nicht die damals allgemein gefürchtete Generalauseinandersetzung zwischen dem nationalsozialistisch-faschistischen Block und der Sowjetunion. Mit Hitler war die antirussische Haltung der späten Wilhelminischen Zeit und der Zeit des Ersten Weltkriegs wieder zurückgekehrt, dieses Mal unter der Parole der Vernichtung des Bolschewismus.

In München, wo Hitler seit 1919 wohnte, lebten zahlreiche russische adelige und bürgerliche Emigranten, die auf einen Krieg gegen Sowjetrußland brannten; dort lebte auch der 1918 von der deutschen Regierung als Hetman der Ukraine eingesetzte Skoropadski, der ein Mitbegründer des „Völkischen Beobachters" wurde und in seiner Person Hitler an sein großes Ziel erinnerte, die Ukraine als ein deutsches ‚Indien' zu erobern, wo man Getreide und Erze gewinnen würde. Auch viele Baltendeutsche, darunter ein enger Parteigänger Hitlers, Alfred Rosenberg, lebten dort. Sie waren die geschworenen Feinde nicht nur der Sowjetunion, sondern Rußlands überhaupt.

In seinem Buch „Mein Kampf" (I. Band 1924) hatte Hitler, für jedermann zu lesen, die programmatische Erklärung abgegeben: „Der Kampf gegen die jüdische Weltbolschewisierung erfordert eine klare Einstellung zur Sowjetunion (...) Wir weisen den Blick nach dem Land im Osten (...). Wenn wir aber heute in Europa von neuem Grund und Boden reden, können wir in erster Linie nur an Rußland denken". Das war Hitlers Lehre vom „Lebensraum"; ein Begriff, der übrigens zum ersten Mal in einer Erklärung der Universität München im Kriegsjahr 1916 auftauchte.

Vom ersten Tag seiner Regierung an betrieb Hitler eine gewaltige Aufrüstung. Ihren Zweck, die Gewinnung des Ostraums, sprach er in einer Ansprache an die Generale am 3. Februar 1933 offen aus; sie waren also Mitwisser seiner Ziele, und während er noch in öffentlichen Reden von Frieden sprach, betrieben sie den Aufbau einer Angriffsarmee, einer Panzerarmee, und mit Zustimmung Englands selbst die Errichtung einer neuen Seemacht mit U-Booten und, auf Betreiben des Admirals Raeder, einer Flotte von Schlachtschiffen. Zugleich baute Hitler ein strategisches Vorfeld gegen Sowjetrußland auf: zuerst durch den „Anschluß“ Österreichs, dann – schon durch eine Kriegskrise hindurch – durch den Anschluß der Sudetengebiete, und schließlich im März 1939 – unter Bruch des Münchener Vertrags vom September 1938 – durch die Besetzung der restlichen Tschechoslowakei, wobei die Slowakei als ein eigener Staat abgetrennt und eng mit dem Reich verbunden wurde. Der Prager Staat wurde das „Reichsprotektorat Böhmen und Mähren“.

Es fehlte aber noch das große Schlußstück in diesem Glacis gegen Rußland, nämlich Polen. Seit dem Abschluß des Vertrages mit Polen im Januar 1934 hat Hitler Jahr für Jahr versucht, Polen und die polnische Armee als Bündnispartner gegen Rußland zu gewinnen. Das war der Auftrag Görings, seines engsten Vertrauten, der jedes Jahr zu einem ‚Jagdaufenthalt‘ nach Polen reiste. Aber ein Bündnis brachte auch Göring nicht zustande, nicht einmal ein Durchmarschrecht der deutschen Armee durch Polen für den Fall eines deutsch-russischen Krieges. Der Bruch des Münchener Abkommens im März 1939 hingegen, der eine beleidigende Demütigung des Hauptvertragspartners Großbritannien bedeutete, veranlaßte die britische Regierung, an Polen und Rumänien, als die vermutlich nächsten beiden Objekte der Expansion Hitler-Deutschlands, Garantien für ihre Unabhängigkeit zu geben. Von diesem Augenblick an war Polen der Feind Nr. 1 für das Reich, und es bedurfte nur noch eines äußeren Anlasses zum Bruch mit dem Nachbarstaat.

In dem Jahrzehnt von 1929 bis 1939 – Stalin war seit 1929 faktischer Alleinherrscher – beschränkte sich die Sowjetunion durchaus nicht auf (wie die Parole hieß) „den Sozialismus in *einem* Lande“ (Kollektivierung der Landwirtschaft mit brutalen Methoden, Elektrifizierung, Industrialisierung mit gigantischen, wenn auch wenig effektiven Bauten und Unternehmen), sondern betrieb weiterhin durch von der „Komintern“, d. h. der Auslandsorganisation der KPdSU, zentral geleitete Agenten und durch das Zusammenspiel mit den Kommunistischen Parteien West- und besonders Mitteleuropas eine Politik der „Weltrevolution“, sei es im Glauben an diese Möglichkeit, sei es zur Schwächung der kapitalistisch-bürgerlichen Ordnung in anderen Ländern zum Vorteil der Situation der Sowjetunion.

Im faschistischen Italien wie im nationalsozialistischen Deutschland wurden die kommunistischen Parteien allerdings mit Gewalt unterdrückt, so daß solche Bestrebungen nicht mehr möglich waren. Aber wohl noch wichtiger als solche subversiven Tätigkeiten waren die Aktionen Moskaus auf der diplomatischen Ebene als Antwort auf das ‚Dritte Reich': Am 16. November 1933 die Aufnahme diplomatischer Beziehungen (nach 15 Jahren Abstinenz) mit den USA Franklin Delano Roosevelts; am 19. September 1934 der Beitritt der Sowjetunion zum Völkerbund (aus dem Japan am 27. März 1933 und Deutschland am 19. Oktober 1933 ausgetreten waren), wo sie höchst aktiv für ‚kollektive Sicherheit' tätig wurde; vor allem aber der am 2. Mai 1935 abgeschlossene französisch-sowjetische Beistandspakt (der in Deutschland sofort Erinnerungen an die französisch-russische Allianz von 1894 gegen das Deutsche Kaiserreich weckte), der noch ergänzt wurde durch einen Beistandspakt zwischen der Sowjetunion und der Tschechoslowakei vom 16. Mai 1935. Ob nun Ideologie, Parteistrategie oder Diplomatie, man wird vereinfachend sagen können, daß in den 30er Jahren im Ringen zwischen Berlin und Moskau zwei Imperialismen aufeinanderstießen, die mit dem Antikominternpakt und mit dem Beginn des Spanischen Bürgerkriegs 1936/37 sichtbar wurden, auch wenn sie damals nicht zum Weltkrieg führten.

Während Hitler auf Kriegskurs ging, verhandelten die Westmächte England und Frankreich mit Moskau über ein Abkommen, das ihre Garantieerklärung an Polen und Rumänien stärken sollte. Doch die Sowjetrussen waren äußerst zurückhaltend, da sie im Jahr vorher von der Teilnahme am Münchener Abkommen, das über das Schicksal der Tschechoslowakei entschieden hatte, ausgeschlossen worden waren. Inzwischen bedrängte Hitler (um einen Kriegsgrund zu finden) Polen mit Forderungen nach einer Autobahn durch den polnischen Korridor. Doch Polen zögerte, und England suchte zu vermitteln.

Mitten in diese Verhandlungen platzte wie eine Bombe die Meldung vom Hitler-Stalin-Pakt vom 23. August 1939, der die Weltöffentlichkeit überraschte und erschütterte. Man muß sich vor Augen halten, daß Hitler-Deutschland jahrelang (auch durch große Bild- und Textausstellungen z.B. im Berliner Reichstag) die Sowjetunion als Feind und Deutschland als Retter der Menschheit vor der „bolschewistischen Gefahr“ dargestellt hatte.

Nach wochenlangen Verhandlungen war am 19. August 1939 ein sehr weitgehendes Kredit- und Handelsabkommen mit der Sowjetunion abgeschlossen worden, von dem Hitler vor seinen Generalen am 22. August sagte: „Wir brauchen keine Angst vor [einer] Blockade zu haben. Der Osten liefert uns Getreide, Vieh, Kohle, Blei, Zink“ und so geschah es bis Juni 1941. Diese Verhandlungen führten zu politischen Besprechungen, in die sich Hitler persönlich mit einem Schreiben an Stalin einschaltete; auch war Stalin persönlich anwesend und beteiligt, als Ribbentrop am 23. August in Moskau weilte. Das Ergebnis war ein Nichtangriffs-, Neutralitäts- und Konsultationsvertrag, der durch einen geheimen Zusatzvertrag, das „Protokoll“, über die Abgrenzung der beiderseitigen Interessensphären ergänzt wurde, wobei das Deutsche Reich Finnland (von dem Rußland im Winter 1939/40 durch einen Krieg Gebietsabtretungen in Karelien erzwang), Estland, Lettland der Sowjetunion überließ; ferner nach einem möglichen Krieg mit Polen Ostpolen. Nach dem Kriege fiel in einem zweiten „Grenz- und Freundschaftsvertrag“ am 28. September noch Litauen an die Sowjetunion und die Grenze zwischen dem von Deutschland besetzten und dem an Rußland fallenden Teil Polens wurde (zugunsten Rußlands) neu festgesetzt. Dieser Vertrag vom 23. August erlaubte Hitler den Angriff auf Polen, ohne daß er mit einer feindlichen Intervention Rußlands rechnen mußte.

In einem Brief an Mussolini vom 26. August erklärte Hitler, daß weder Frankreich noch England im Westen irgendwelche entscheidenden Erfolge erzielen könnten, und daß er nach der Niederwerfung Polens seine gesamten Kräfte frei haben werde, und er folgerte: „so scheue ich mich nicht, auf die Gefahr einer Verwicklung im Westen hin die Frage der Ostgrenze zu lösen“. Tatsächlich hat England noch am 25. August ein Beistandsabkommen mit Polen abgeschlossen. England und Frankreich konnten zwar im Moment Polen nicht retten; aber an Stelle der wohl zunächst beabsichtigten lokalen Auseinandersetzung war der Europäische Krieg da.

Daß Hitler für später durchaus mit einem Krieg auch mit dem Westen rechnete, zeigt seine Äußerung in der genannten Ansprache an die Generale vom 22. August, wo er sagte: „Die politische Zielsetzung geht weiter. Der Anfang zur Zerstörung der Vormachtstellung Englands ist gemacht". (So könnte auch Wilhelm II. gesprochen haben). Was aber dachte Hitler über das künftige Verhältnis zu Rußland? Noch versicherte er: „Auch Stalin hat gesagt, daß dieser Kurs beiden Ländern zu Gute kommen wird".

Der Hitler-Stalin-Pakt war für die drei baltischen Völker eine Tragödie; er bedeutete den Verlust ihrer staatlichen Selbständigkeit, die sie heute hoffen, rückgängig machen zu können. Der Pakt bedeutete aber auch die Preisgabe der Heimat der Baltendeutschen, die dort seit 1200 lebten und die trotz Abwanderungen in den 80er Jahren und nach 1919 noch immer eine angesehene ethnische Minderheit bildeten; sie wurden später im sog. „Warthegau" in dem neuen „Generalgouvernement für die besetzten polnischen Gebiete" angesiedelt, um dann 1945 erneut auf die Flucht in das „Altreich" gehen zu müssen.

Der Krieg bedeutete aber vor allem für die Polen eine Tragödie, da Hitler ihre Vernichtung als Nation durch gewaltsame Ausrottung der polnischen Intelligenz mitsamt den Priestern zum Ziele hatte. Erneut wurde dabei der Haß zwischen beiden Völkern, Deutschen und Polen, angestachelt durch die propagandistische Ausnutzung beklagenswerter Vorgänge in den ersten Kriegstagen („Blutsonntag" in Bromberg). Durch sog. Einsatzgruppen wurden während des Polenfeldzugs und noch Monate danach erstmals Juden zu Zehntausenden mit ihren Familien erschossen.

Im Schutz des Hitler-Stalin-Paktes konnten im Frühjahr 1940 die Besetzung von Dänemark und Norwegen und der Blitzkrieg gegen Frankreich durchgeführt werden.

Zweiter Expansionskrieg gegen Rußland als „Kreuzzug" gegen den „Bolschewismus"

Unmittelbar nach dem Ende des Feldzuges gegen Frankreich gab Hitler den Befehl zur Vorbereitung des Unternehmens „Barbarossa", d.h. für den Krieg gegen die Sowjetunion; und dies, obwohl oder weil das Vorhaben einer Landung in England („Seelöwe") hatte aufgegeben werden müssen und die Luftangriffe gegen die Insel verlustreich und ohne Erfolg geblieben waren. Diplomatische Konflikte mit Moskau über die äußersten Punkte von Hitlers Einfluß- und Aufmarschgebieten in Finnland und in Rumänien führten Hitler dazu, im November 1940 mit Molotow in Berlin zu verhandeln und den Versuch zu machen, Rußlands Interessen nach Indien abzulenken; doch das war vergeblich. Zur Tarnung seines Kriegsvorhabens schloß Hitler noch am 11. Januar 1941 ein neues Wirtschaftsabkommen mit der Sowjetunion ab, das diese bis zum Juni 1941 gewissenhaft erfüllte. Doch die Russen waren nicht blind. Am Abend dieses Tages sagte Molotow bei einem Empfang für die deutsche Delegation die warnenden Worte: „Solange Deutschland und Rußland zusammengehen, können sie alles erreichen (...) Sollten sie sich aber einmal gegeneinander wenden, so wird es schwer werden – für beide".

Konflikte in und um Jugoslawien, das Hitler als deutsches Einflußgebiet betrachtete, führten im Frühjahr 1941 zum Balkankrieg, der den Angriff auf Rußland um einen Monat verzögerte und in einen endlosen Guerillakrieg überging. Man hat darüber gestritten, ob es sich im Juni 1941 um einen lange geplanten und vorbereiteten Angriffs- und Vernichtungskrieg handelte, mit einem Einschlag weltanschaulicher Motive (Kampf gegen den „Bolschewismus"); oder ob es sich um einen Präventivkrieg gegen lange vorbereitete heimtückische Pläne Stalins handelte, denen Deutschland zuvorkommen mußte. Mir scheint, daß nach den aktenkundlichen Zielen Hitlers, dem „Generalplan Ost", der die russische Bevölkerung dezimieren, den Rest auf den Stand von Heloten herabdrücken, das Land teilen und in großem Maßstab deutsche Siedler als ‚Wehrbauern' dort ansetzen wollte, es keines zusätzlichen Auslösers in Form von Meldungen über russische Truppenaufmärsche, die gar nicht stattfanden, bedurfte, um diesen Krieg, der die deutsche Herrschaft über Europa stabilisieren sollte, zu führen. Erneut mußten die deutsche Bevölkerung und die deutschen Soldaten indoktriniert werden gegenüber einem Staat, mit dem Deutschland ein „Freundschaftsvertrag" verband. Mit Propaganda über den „teuflischen" Charakter des „Bolschewismus" und die russischen „Untermenschen" sollten völkerrechtswidrige Befehle wie der „Kommissarbefehl" oder – wofür die Wehrmacht verantwortlich war – das Verhungernlassen von Millionen russischer Kriegsgefangener legitimiert und hinnehmbar gemacht werden.

Die hohen deutschen Militärs sind für diesen Krieg mitverantwortlich; denn sie haben durch ihre „Sachverständigen"-Gutachten eine Niederwerfung Rußlands binnen vier Wochen für möglich erklärt, denen sich dann nur noch weitere vier Wochen bis zum endgültigen Sieg anschließen sollten. Ja, noch mehr, der Generalstabschef des Heeres, Halder, hat bereits Mitte Juli in seinem Tagebuch den Krieg als für Deutschland entschieden beurteilt, einen Krieg, der dann mit unsäglichen Opfern auf beiden Seiten noch fast vier Jahre dauerte. Der Krieg war unternommen worden mit noch unfertiger Rüstung und mangelnder Ausrüstung (z. B. keine Winterbekleidung) und mit frevelhafter Unterschätzung der Schwierigkeiten des riesigen Raumes und der Widerstandskraft der Sowjetarmee (die anfangs große Verluste in Einkesselungsschlachten hinnehmen mußte) wie auch der Bedeutung der Verlagerung ganzer wichtiger Industriezweige weit in den Osten des Landes.

Im November/Dezember 1941 scheiterte die deutsche Offensive im kalten schneereichen Winter vor Moskau und Leningrad und konnte auch die Ölgebiete des Kaukasus nicht erreichen – alle drei strategischen Ziele, die sich Hitler gesteckt hatte, blieben also unerreicht. Im gleichen Dezember 1941 führte der Angriff Japans auf Pearl Harbor zur deutschen Kriegserklärung an die USA, die zuletzt den Krieg gegen Deutschland entscheiden sollte. Noch schlimmer, noch folgenreicher für alle Zukunft des deutschen Namens war es, daß inmitten dieser Winterkatastrophe Hitler im Januar 1942 auf der sog. „Wannseekonferenz" von Vertretern des Staates und der NS-Partei den Plan der systematischen Vernichtung des europäischen Judentums beschließen ließ: wie die Juden in Polen und Rußland, so sollten alle Juden (Männer, Frauen und Kinder) aus West-, Süd- und Mitteleuropa in neu zu errichtende Todeslager in Polen deportiert und dort getötet werden – so geschah es auch von Juni 1942 bis Ende 1944; die Zahl der Opfer betrug 6 Millionen.

Es ist hier nicht der Ort, den Fortgang des Zweiten Weltkriegs darzustellen: Stalingrad im Winter 1942/43, jene von Hitler verschuldete Katastrophe (die viele deutsche Offiziere zum Widerstand führten); die monatelangen Rückzugskämpfe in Rußland; die englischen Luftangriffe bei Nacht, die 48 deutsche Großstädte in Trümmer legten; die Landung der Alliierten in der Normandie; die amerikanischen Tages-Luftangriffe, die die Hydrierwerke zerstörten; die Besetzung Deutschlands von West und Ost, wobei die Russen in vier Jahren die weitaus größten Opfer an Menschen (über 15 Millionen gegenüber 6 Millionen Deutschen insgesamt) und an der Zerstörung ihres Landes zu tragen hatten.

Wohl aber ist hier Stellung zu nehmen zum sog. „Historikerstreit" der letzten vier Jahre (eine Ende 1989 abgeschlossene Schrift darüber zählt über 1000 Bücher und Aufsätze auf). Nach Ernst Nolte soll Hitler zu seiner Anwendung von Gewalt im innen- wie außenpolitischen Kampf und besonders gegenüber den Juden angeregt worden sein durch die Gewalttaten in der Sowjetunion, erst unter Lenin, dann seit 1928/29 unter Stalin: Vernichtung der einstigen staatstragenden Schichten als einer Klasse unter völligem Absehen von individueller Schuld; Ausrottung der selbständigen größeren Bauern, der „Kulaken", im Zuge der Zwangskollektivierung der Landwirtschaft (das waren etwa 10–15% der Bauern neben der Masse der „Dorfarmut" und den mittelgroßen Bauern), der sie sich widersetzten, und der damit verbundenen Umsiedelungen – mit dem Unterschied, daß Hitler an Stelle einer Klasse nun eine Rasse ausgerottet habe. Weitgehender noch, oder, wenn man will, tiefgehender, ist die Behauptung, daß Hitler und seine nächsten Anhänger Zeit ihres Lebens unter der Angstvorstellung gelebt hätten, sie könnten, wenn der Bolschewismus in der Welt und besonders über Deutschland siege, in der „Lubjanka", dem berüchtigten Staatsgefängnis in Moskau, unter den dort üblichen Foltermethoden enden.

Um mit der zweiten Behauptung zu beginnen, so mögen solche Angstvorstellungen vielleicht im Winter 1944/45 Hitler und seine Umgebung befallen haben, als es klar wurde, daß der Krieg verloren war – aber ganz gewiß nicht in den Jahren des Machtanstiegs Deutschlands nach 1938. Was aber die erste Behauptung über die Entstehung der antisemitischen Überzeugungen Hitlers betrifft, so gehen diese zurück auf Jugendeindrücke in Wien und München, auf den im Mittelstand und unter den Bauern in Österreich und Bayern herrschenden Antisemitismus. Hitlers Vorstellungen gingen schließlich, als er aus dem Weltkrieg zurückkehrte, auf den weit verbreiteten Glauben zurück, die Juden hätten die Revolution in Rußland im Oktober 1917 gemacht (weil mit Leo Trotzki und den Brüdern Kaganowitsch Juden an ihr beteiligt waren) und ebenso die deutsche Revolution im November 1918, auch die kurzlebige Münchener Räterepublik im April 1919 (weil deutsche jüdische Schriftsteller wie Ernst Toller und Erich Mühsam und einige russische jüdische Studenten beteiligt waren); dazu kam die Erfahrung der Gewalt im Aufstand der Linksradikalen wie – ungleich gewalttätiger – ihrer Niederwerfung durch die Freikorps. Es waren also innerdeutsche Erlebnisse, die Hitlers Weltbild formten, und nicht das „Vorbild" aus dem Rußland Stalins mit seiner gewalttätigen Industrialisierung und Zwangskollektivierung in den Jahren 1929–33.

Sowjetische Expansion 1945/49; die polnische Oder-Neiße-Grenze

Am Ende des Krieges räumten die Amerikaner das von ihnen besetzte Thüringen und Sachsen und gingen zurück auf eine im Dezember 1944 in London von den Alliierten vereinbarte Grenze ihrer Besatzungszonen, die den Osten Deutschlands Rußland zuteilte. Die Russen gaben von ihrer Besatzungszone die Südhälfte Ostpreußens, Hinterpommern, die Neumark und Schlesien (dazu die Freie Stadt Danzig) an das neue Polen; offiziell standen diese Regionen zunächst „unter polnischer Verwaltung". Das waren Gebiete, aus denen die deutsche Bevölkerung flüchtete oder vertrieben wurde. Man hat berechnet, daß über 10 Millionen Menschen ihre Heimat verloren; die Sudetendeutschen traf das gleiche Schicksal. Die polnische Bevölkerung, darunter Flüchtlinge aus den an Rußland gefallenen Gebieten, war nach allem, was seit 1939 geschehen war, nicht gerade freundlich zu den Deutschen. Die Potsdamer Konferenz der Alliierten im August 1945 verlangte allerdings eine humane Form der Aussiedlung der Deutschen.

Tiefer prägte sich in der Erinnerung der Deutschen das Verhalten der sowjetischen Soldaten bei ihrem Einmarsch in die deutschen Gebiete ein: Plünderungen, Mißhandlungen, Vergewaltigungen ereigneten sich. Durch die Berichte über diese Schrecknisse verfestigte sich ein Bild der Russen, das negative Züge trug – in Wahrheit war es die menschlich begreifliche Rache der Soldaten für all das, was die Deutschen in ihrer Heimat in vier Kriegsjahren getan hatten (auch wenn die, die das traf, nicht unmittelbar Schuldige waren). Energische Maßnahmen der sowjetischen Regierung und Armeeführung stellten die Disziplin bald wieder her.

Die Sowjetunion legte ihr politisches und ökonomisches System ihrer Zone auf – genauso wie es die Westmächte in ihren Zonen taten. Aller großer und mittlerer Grundbesitz wurde enteignet und zunächst an Kleinbauern verteilt, sehr bald aber – in Nachahmung sowjetischer Gigantomanie – in riesigen LPGs

(Landwirtschaftlichen Produktionsgenossenschaften) bis zu 8000 Hektar pro Einheit gewaltsam kollektiviert. Getreidebau und Viehzucht wurden getrennt, letztere in übergroßen Züchtereien und Mästereien betrieben. Die industrielle Produktion wurde verstaatlicht, in ca. 8000 Groß-Kombinaten, z.T. in Mammutbetrieben wie dem Braunkohlen-Chemie-Kombinat „Schwarze Pumpe". Alles stand unter einer zentralistischen Planwirtschaft nach sowjetrussischem Vorbild. Ihre Produkte, absetzbar im geschlossenen Ostblocksystem, wurden mehr und mehr unverkäuflich, als dieses System sich dem Westen öffnete. Es gab offiziell keine Arbeitslosen, dafür aber zahlreiche nicht voll beschäftigte Arbeiter. Schlimm war das System des Polizeistaats, in dem es neben über 100000 hauptamtlichen „Stasi"-Beamten bis zu einem Drittel der Beschäftigen „Kader", Aufseher, Spitzel in allen Betrieben, Schulen, Behörden usw. gab. Die Menschen wurden zum Gehorchen und Sich-Anpassen erzogen und aller Eigeninitiative und Eigenverantwortung entfremdet.

Die direkten östlichen Nachbarn der DDR (die im Laufe der Jahre von 4 Millionen Menschen verlassen wurde) wurden die Polen, die dem gleichen System unterworfen waren. Von den Ostdeutschen wurden sie nicht geschätzt. Im Gegenteil, es lebten alte Klischees wieder auf: die Polen seien hochmütig, arbeitsunlustig, unfähig, die neu gewonnenen Gebiete zu entwikkeln; sie kaufen das benachbarte ostdeutsche Gebiet aus, so relativ arm es auch sei, usw. Es wird seine Zeit dauern, bis solche Urteile und Vorurteile verblassen.

Der „Kalte Krieg" gegen die Sowjetunion und sein Abbau nach 1970

Die Situation in Europa und der Welt nach dem Kriege war von den drei großen Alliierten – Roosevelt, Stalin, Churchill – noch im Februar 1945 auf der Konferenz von Jalta erörtert worden, auf der eine Teilung Europas in ein westliches und ein östliches Einflußgebiet vorgesehen wurde. Dabei wurde allerdings eine andauernde Zusammenarbeit zwischen den drei Mächten vorausgesetzt. Das Ende der Kriegskoalition zwischen den Alliierten, das Entstehen des „Kalten Krieges“ 1947/48 und die Gründung der Bundesrepublik bzw. der DDR 1949 führten zur beiderseitigen deutschen Wiederaufrüstung, die neben realen Ängsten in der Zeit des Koreakriegs 1950–53 auch ein andauerndes „Feindbild“ zwischen NATO und Warschauer Pakt brachte. Adenauer schuf ein entspanntes freundschaftlich-nachbarliches Verhältnis zu Frankreich. Ein ähnliches Verhältnis zum Osten war in der damaligen Weltsituation nicht denkbar, in der die Sowjetunion die DDR, Polen, die Tschechoslowakei, Ungarn, Rumänien und Bulgarien militärisch-ökonomisch-ideologisch beherrschte. Doch gab es auch seit 1949 Handel mit der Sowjetunion, Otto Wolff von Amerongen war Vorsitzender eines „Ostausschusses“, die Firma Krupp unter Leitung von Berthold Beitz lieferte Maschinen, die Mannesmann A.G. lieferte nahtlose Röhren für den Erdöl- und Erdgas-Tansport, bis 1962 das Röhren-Embargo der NATO dieses Geschäft beendete.

Im März 1953 starb Stalin, seit fast 25 Jahren der gewalttätige Alleinherrscher eines Riesenreiches. Die Bevölkerung Sowjetrußlands atmete auf. Nikita Chruschtschow war von 1954 bis 1964 Führer der Sowjetunion. Er vertrat eine gewisse Entstalinisierung, übte auf dem 20. und 22. Parteitag öffentliche Kritik am „Personenkult“ unter Stalin, auch an den Prozessen und Verfolgungen, und bemühte sich um eine ‚Koexistenzpolitik‘ gegenüber dem Westen; doch ließ er den Bau der „Berliner Mauer“ 1961 und der Stacheldrahtgrenze zu. Er war ein Autodidakt gewesen. Sein Nachfolger Leonid Breschnew gehörte einer neuen Generation akademisch gebildeter Politiker an; er war einflußreich zunächst in einer Dreiergruppe (alle drei waren Ingenieure), dann alleinbestimmend bis zu seinem Tode 1981. In dieser Periode stagnierte die Sowjetunion im Vergleich zum Westen; an der Spitze ihrer Gremien stand eine „Gerontokratie“, wie man es genannt hat. Die beiden nächsten Nachfolger Andropow und Tschernenko waren alt und krank und nur kurz in der Regierung.

Das Gefühl einer spürbaren Veränderung kam erst 1984 mit einem neuen Mann an der Spitze, auch akademisch gebildet,

Jurist, durch das Furore, das er mit seinem Programm „Perestroika“ (Veränderung, Wandel) und „Glasnost“ (Klarheit, Offenheit) im Ausland machte, aber auch im Innern der UdSSR, obgleich es dort wohl nur von einer Oberschicht von Journalisten, Publizisten und Wissenschaftlern voll verstanden und dankbar aufgenommen wurde. Um zu verstehen, daß dieser Mann für die deutsch-russischen Beziehungen eine grundlegende Bedeutung gewinnen würde, müssen wir noch einmal zurückschauen. In dem Bestreben, die nach 1945 gewonnene Einflußsphäre festzuhalten, hatte die Sowjetunion mit Waffengewalt gegen freiheitliche Bewegungen interveniert: 1953 in Deutschland, 1956 in Ungarn, 1968 in der Tschechoslowakei („Prager „Frühling“) und – indirekt – 1981 in Polen. Von deutscher Seite sah man ein, daß es notwendig sei, zum Abbau der Spannungen beizutragen. Der entscheidende Schritt zum Abbau des „Kalten Krieges“ erfolgte, als Bundeskanzler Willy Brandt 1970 Verträge mit Moskau und Warschau abschloß, die das unter Adenauer gegenüber Frankreich gewonnene entspannte Verhältnis nunmehr auch (gegen heftigen innenpolitischen Widerstand) auf den Osten ausdehnten; es waren Gewaltverzichtsverträge, die zugleich die bestehenden Grenzen feierlich anerkannten, verbunden mit einem Vorbehalts-Brief, daß die Verträge nicht im Widerspruch stünden zu den politischen Zielen der Bundesrepublik, auf einen Zustand des Friedens in Europa hinzuwirken, „in dem das deutsche Volk in freier Selbstbestimmung seine Einheit wiedererlangt“.

Brandts Nachfolger Helmut Schmidt und (seit 1982) Helmut Kohl pflegten die neu gewonnenen Verbindungen, gerade auch als die Bewegung der „Solidarität“ (Solidarnosc) unter Lech Walesa die Bildung neuer freier Gewerkschaften in Polen seit 1980 ohne Intervention der Sowjetunion erreichen konnte.

1988/89 setzte Unruhe auch in der DDR ein; es kam zur Massenflucht von DDR-Urlaubern aus Ungarn, das die Grenze nach Österreich öffnete. Das war ein gewagter Schritt, doch die Sowjetunion intervenierte nicht. Im Oktober und November 1989 kam es, im Anschluß an aus der Friedensbewegung erwachsene Gottesdiensten, zu mächtigen Kundgebungen in den großen Städten der DDR mit dem Ruf: „Wir sind das Volk". Weder die Sowjetarmee noch die von ihr abhängige NVA, die Nationale Volksarmee der DDR, intervenierten; Blutvergießen wurde vermieden, eine friedliche Revolution vollzog sich. Die „Mauer" in Berlin wurde im November 1989 geöffnet. Erste freie Wahlen in der DDR fanden im März 1990 statt, die einen Sieg der Partei des Kanzlers, der CDU, ergaben. Der Schritt einer sofortigen Währungs- und Wirtschaftsreform wurde getan; die früheren Länder der DDR wurden wiederhergestellt. Am 3. Oktober 1990 konnte der Tag der deutschen Einheit gefeiert werden.

Das alles wäre nicht möglich gewesen ohne die Zustimmung der vier „Siegermächte", die noch vom Zweiten Weltkrieg her in Berlin und in der deutschen Frage Vorbehaltsrechte besaßen. Unter diesen vier war in ihrer Machtposition unmittelbar und am stärksten betroffen die Sowjetunion. Es war die Entscheidung des inzwischen zum Präsidenten der UdSSR (von 15 Republiken) aufgestiegenen Gorbatschow – bei einem Besuch in Bonn von der deutschen Bevölkerung als „Gorbi" herzlich begrüßt –, daß er seine Zustimmung zum Austritt der DDR aus dem Warschauer Pakt gab, wobei 380000 Mann sowjetischer Truppen noch bis 1994 in der früheren DDR stationiert, allerdings schrittweise abgebaut werden sollten; dafür sagte Bundeskanzler Kohl die Reduzierung der gesamtdeutschen Bundeswehr auf 370000 Mann zu (bis dahin bestand die Bundeswehr aus 480000 und die Nationale Volksarmee aus 100000 Mann). Spätere Historiker werden endgültig klären, welche Motive

Gorbatschow zu dieser Entscheidung bewegten. Eine große Rolle spielte wohl die Erwartung, daß ein durch die Wiedervereinigung in Zukunft wirtschaftlich noch stärkeres Deutschland der wichtigste Wirtschaftspartner für die Sowjetunion sein werde. (14 Milliarden Mark waren ja bereits bis 1994 für die Rückführung der russischen Truppen zugesagt worden). Gorbatschow hat bereits beim Treffen mit Kohl am 16. Juli 1990 in Stawropol im Kaukasus die Zusagen gemacht, die den 3. Oktober möglich machten und dann am 9. November den Abschluß eines Nichtangriffs-, Wirtschafts- und Freundschaftsvertrages zwischen der Sowjetunion und der Bundesrepublik erlaubten, der der Sowjetunion langfristige wirtschaftliche Vorteile bringt. Im Zusammenhang unseres Gesamtthemas scheint mir unüberhörbar zu sein, daß beide Partner, Gorbatschow und Kohl, bei diesem Anlaß öffentlich laut Bezug nahmen auf die jahrhundertealten freundschaftlichen Beziehungen zwischen der deutschen Nation und den Völkern der UdSSR, voran Rußland.

Wenige Tage später wurde ein ähnlicher Vertrag zwischen der Bundesrepublik und Polen abgeschlossen, in dessen Mittelpunkt die endgültige Anerkennung der Oder-Neiße-Grenze stand, symbolisiert durch das persönliche Treffen zwischen dem polnischen Ministerpräsidenten Mazowiecki und Bundeskanzler Kohl auf einer Brücke über die Oder. Nicht nur, weil eine Minderheit in der Bundesrepublik noch immer gegen die Anerkennung dieser Grenze agitierte, sondern auch aus allgemeineren Empfindungen fand dieser Vertrag nicht das gleiche Echo wie der deutsch-russische.

Für die Welt und die europäischen Verhältnisse noch wichtiger waren (10 bzw. 12 Tage nach dem Vertrag in Bonn) die Abrüstungsvereinbarungen zwischen den USA und der Sowjetunion am 19. November und der neue KSZE-Vertrag am 21. November über die europäische Sicherheit, die beide in Paris abgeschlossen wurden und die auf dieser Ebene den „Kalten Krieg" beendeten. Für seine Verdienste um den Abschluß aller dieser Verträge erhielt Gorbatschow den Friedensnobelpreis.

Doch noch einmal zurück zur Stimmung in der Bundesrepublik. Im November 1990 setzte die „Paketaktion" ein, eine Welle der Hilfsbereitschaft für Krankenhäuser, alte Menschen und Kinder in der Sowjetunion. In den ersten gesamtdeutschen Wahlen am 2. Dezember siegte erneut die CDU, die Partei des Kanzlers, zusammen mit der FDP. In seiner Neujahrsansprache zum 1. Januar 1991 hob Kohl die „Freundschaft" mit der Sowjetunion besonders hervor. In Umfragen Anfang Januar 1991 bezeichneten 59% der Befragten die Sowjetunion als den Staat, mit dem Deutschland am engsten zusammenarbeiten sollte, vor den USA (44%), Frankreich (36%), Polen (16%), Japan (15%), England (12%). Diese Sympathiewelle für ‚Rußland' ist um so erstaunlicher, als zu diesem Zeitpunkt eine tiefe innere Krise die UdSSR erfaßt hatte, die alles im Ost-West-Verhältnis und auch gegenüber Deutschland Erreichte wieder in Frage stellte.

Im Dezember 1990 bricht ein Aufstand gegen die Reformer aus. Reaktionär-slawophile Kräfte verbinden sich mit dem von Stalin geschaffenen Apparat, den Zehntausenden von Parteifunktionären der KPdSU; sie sind nicht bereit, ihre Machtpositionen und ihre Denkmuster aufzugeben (es fehlen ja auch alle Erfahrungen mit dem Privatkapital). Die Armee und der Geheimdienst sehen in den Verträgen vom November 1990 einen Verrat an den Interessen und der Sicherheit der UdSSR. (Der Träger der neuen Politik, der Außenminister Schewardnadse, tritt am 22. Dezember 1990 zurück). Noch ist der innere Machtkampf nicht entschieden; es wäre pure Spekulation, jetzt darüber Aussagen oder gar Prognosen zu machen. Beschränken wir uns deshalb auf die deutsch-russische Komponente:

Die nun erweiterte Bundesrepublik plant kein neues „Rapallo", wie der ‚Economist' und ‚Le Monde' schon nach Stawropol angstvoll geschrieben haben. Deutschland bleibt fest eingebunden in den Westen und treibt Politik im Rahmen und im Blick auf das künftig noch enger verbundene Europa, zu dem auch die früheren Ostblockstaaten und die Sowjetunion (wie der Westen hofft) hinstreben. Seine Politik der Zusammenarbeit mit der Sowjetunion richtet sich auch in keiner Weise gegen Polen, dessen politische und wirtschaftliche Anstrengungen unter seinem Präsidenten Lech Walesa vielmehr von den Deutschen mit tätiger Anteilnahme verfolgt werden. Auch der kulturelle Beitrag, den Polen in der jüngeren Zeit geleistet hat und leistet, findet in den letzten Jahren mehr und mehr Anerkennung. Nach 45 Jahren verordneter „Freundschaft“ mit der Sowjetunion und einer von den Moskauer Zensurbestimmungen erzwungenen Unfreiheit ist das Land dabei, sich „aus den Klauen des Bären“ geistig, politisch, wirtschaftlich freizumachen.

Gleichgültig, wie die Entwicklung der nächsten Jahre aussehen wird, ob die Föderation der 15 Republiken, die die UdSSR bilden, erhalten bleibt, oder ob das sowjetische Imperium auf die drei russisch-slawischen schrumpfen wird; gleichgültig, ob eine politische und ökonomische Reform sich durchsetzen wird, oder eine Periode reaktionärer Stagnation bleibt – jenseits des Bug wird es immer einen Machtfaktor geben, der, von der Landmasse her gesehen, größer als jeder andere sein wird. Der Kreml wird also weiter ein eminenter Entscheidungsträger bleiben, mit dem die deutsche Politik zu rechnen hat. Die dauerhafte sowjetische Umorientierung, die die westlichen Länder nicht länger als prinzipielle Antagonisten betrachtet und sich ihrer Hilfe bei der Lösung der Umgestaltungsprobleme zu versichern sucht, mißt Deutschland eine besondere Rolle zu. Dieses hervorgehobene Verhältnis resultiert nicht allein aus der von deutscher Seite erkannten Verpflichtung zur Gegenleistung für die von Moskau ermöglichte Wiedervereinigung. Es erklärt sich auch aus der jahrhundertelangen Tradition einer materiellen wie geistigen Beziehung, die in dieser Intensität von Rußland bzw. der Sowjetunion zu keinem anderen Staat unterhalten und dort auch nicht durch die Schatten zweier Weltkriege verdrängt wurde. Die Einsicht, daß diese Beziehung eine wechselseitige des Gebens und Nehmens war, ist besonders den Deutschen zu wünschen. Unser Gang durch die letzten zweihundert Jahre dieser Beziehungen wird, so ist zu hoffen, diese Erkenntnis fördern helfen.

(Abgeschlossen Februar 1991)

Anmerkungen

Einleitung

1 Zur Kriegsgeschichtsschreibung der 50er Jahre gehören auch englische Bücher über die deutsche Armee. Vgl. Telford Taylor, Sword und Swastika. Generals und Nazis in the Third Reich, New York 1952; John W. Wheeler Bennett, Die Nemesis der Macht. Die deutsche Armee in der Politik 1918–45, Düsseldorf 1954; Gordon A. Craig, Die preußisch-deutsche Armee 1640–1945. Staat im Staate, Düsseldorf 1960. – Vgl. auch Gerhard Ritter, Staatskunst und Kriegshandwerk. Das Problem des „Militarismus" in Deutschland, München 1954 ff.

2 Friedrich Meinecke, Die deutsche Katastrophe. Betrachtungen und Erinnerungen, Zürich-Wiesbaden 1946. (Die nachfolgenden Zitate auf S. 39, 26, 27.)

3 Rudolf Stadelmann, Deutschland und Westeuropa, 1948 Schloß Laupheim (Württemberg) (Die nachfolgenden Zitate auf S. 85 ff., 145, 146.)

4 Volker R. Berghahn/Wilhelm Deist, Rüstung im Zeichen der Wilhelminischen Weltpolitik. Grundlegende Dokumente 1890–1914, Düsseldorf 1988.

5 Ludwig Dehio, Gleichgewicht oder Hegemonie. Betrachtungen über ein Grundproblem der neueren Staatengeschichte, Krefeld o. J.

6 Für Dehio erschien damit die Rolle Europas ausgespielt, da in den letzten beiden Fällen die Vereinigten Staaten von Nordamerika an die Seite Englands hätten treten müssen und nunmehr der Dualismus zweier außereuropäischer Weltmächte die weitere Entwicklung der Staatenwelt bestimmen würde.

7 Zu Dehios Kritik an Ritter vgl. seinen Beitrag in der Historischen Zeitschrift, Bd. 94 (1962), S. 130–138.

8 Die genannte Biographie erschien 1957.

9 Karl Dietrich Bracher, Die Auflösung der Weimarer Republik. Eine Studie zum Problem des Machtverfalls in der Demokratie, Düsseldorf 1955.

10 Diese und die nachfolgend erwähnte Rezension Conzes in der Historischen Zeitschrift, Bd. 183 (1957), S. 378–382, und Bd. 187 (1959), S. 407 f.

11 Diese Kontroverse geht bis heute fort; sie ist aber m. E. längst entschieden durch das – sehr späte – Erscheinen der Memoiren Brünings, die zeigen, daß sein Endziel die Wiederherstellung der Hohenzollern-Mon-

archie in Deutschland war, und noch mehr, nämlich die Wiederherstellung Deutschlands als Großmacht, ja als kontinentaleuropäische Führungsmacht. Für dieses Endziel nahm er in Kauf, durch seine dogmatische Deflationspolitik Millionen verarmter Menschen ins Lager Hitlers zu treiben. Ein „Demokrat“ war Brüning nur sehr bedingt. Vgl. Heinrich Brüning, Memoiren 1918–1934, Stuttgart 1970.

12 Fritz Fischer, Ludwig Nicolovius. Rokoko, Reform, Restauration (1767–1839), in: Forschungen zur Kirchen- und Geistesgeschichte, Bd. 19, Stuttgart 1939.

13 Fritz Fischer, Moritz August von Bethmann Hollweg und der Protestantismus. Religion, Rechts- und Staatsgedanke, in: Historische Studien, Berlin 1938.

14 Fritz Fischer, Deutsche Kriegsziele, Revolutionierung und Separatfrieden im Osten 1914–1918, in: Historische Zeitschrift, Bd. 188 (Oktober 1959), S. 473–518.

15 George W. F. Hallgarten, Das Schicksal des Imperialismus im 20. Jahrhundert. Zweite Abhandlung: Deutsche Selbstschau nach 50 Jahren: Fritz Fischer, seine Gegner und Vorläufer, Frankfurt a. M. 1969, S. 118.

16 Fritz T. Epstein, Die deutsche Ostpolitik im Ersten Weltkrieg, in: Jahrbücher für Geschichte Osteuropas, Bd. 10 (1962), S. 381–394; Gerhard Ritter, Eine neue Kriegsschuldthese? Zu Fritz Fischers Buch „Griff nach der Weltmacht“, in: Historische Zeitschrift, Bd. 194 (1962), S. 646–688.

17 Der Begriff „Eliten“ ist seitdem ein Modewort geworden. Vgl. dazu Martin Broszat/Klaus Schwabe (Hrsg.), Die deutschen Eliten und der Weg in den Zweiten Weltkrieg, München 1989.

18 Fritz Fischer, Weltmacht oder Niedergang, Frankfurt a. M. 1965. Der Titel des Buches war formuliert nach einer Kapitelüberschrift in dem damals vielbeachteten Buch von Friedrich von Bernhardi „Deutschland und der nächste Krieg“ (1912).

19 Vgl. Manfred Asendorf, Was weiter wirkt. Die „Ranke-Gesellschaft – Vereinigung für Geschichte im öffentlichen Leben“, in: 1999, Zeitschrift für Sozialgeschichte des 20. und 21. Jahrhunderts, Bd. 4/1989, S. 60 (dort das Zitat aus einem Brief Ritters vom 14. Oktober 1964). – Jacques Droz und Pierre Renouvin lehrten an der Sorbonne in Paris, Fritz Stern an der Columbia-Universität New York.

20 Es handelt sich dabei um Moritz Schlesinger, bis 1933 Wirtschaftsattaché an der Deutschen Botschaft in Moskau; seit 1933 Emigrant in den USA, wo er Kurt Riezler begegnete, der in einem Kreis deutscher Exilanten aus seinen Tagebüchern vorlas. Ich besuchte ihn 1964 in Menton in Südfrankreich.

21 Gerhard Ritter. Ein politischer Historiker in seinen Briefen. Hrsg. von Klaus Schwabe und Rolf Reichardt, Boppard am Rhein 1984, Nr. 238, S. 565 f.

22 Vgl. Fritz Fischer, Krieg der Illusionen, S. 583 ff.

23 Wilhelm Muehlon. Ein Fremder im eigenen Land. Erinnerungen und

Tagebuchaufzeichnungen eines Kruppdirektors 1908–1914. Hrsg. von Wolfgang Benz, Bremen 1989. Vgl. meine Rezension in: 1999, Zeitschrift für Sozialgeschichte des 20. und 21. Jahrhunderts, Bd. 3/1990, S. 147–151.

24 Vgl. Fritz Fischer, Krieg der Illusionen, S. 640 ff., 318 ff.

25 Theodor Wolff: Tagebücher 1914–1919. Der Erste Weltkrieg und die Entstehung der Weimarer Republik in Tagebüchern, Leitartikeln und Briefen des Chefredakteurs am „Berliner Tageblatt" und Mitbegründers der „Deutschen Demokratischen Partei". Hrsg. von Bernd Sösemann, Boppard am Rhein 1984.

26 Harry Graf Kessler, Tagebücher 1918–1937, Frankfurt a.M. 1961, S. 185 ff. Vgl. besonders auch S. 290: „Früh Brief von Dietrich Bethmann, der nach seinen eigenen Schilderungen ein Hauptschuldiger am Kriege ist". „Er und Hoyos haben in Wien jede Gelegenheit ausgenützt, um den Krieg herbeizuführen, so sagte er [Dietrich v. Bethmann Hollweg, F. F.] mir selbst". Fritz Fellner, Die „Mission Hoyos", in: Deutschlands Sonderung von Europa 1862–1945. Studien zum Kontinuitätsproblem der deutschen Geschichte. Hrsg. von Wilhelm Alff, Frankfurt a.M./Bern/New York 1984, S. 283–316. (Der Brief von Haymerle S. 297, der Bericht Hoyos' S. 298.)

27 Nach dem Mord von Sarajewo (28. Juni 1914) hatte die österreichisch-ungarische Regierung einen Straffeldzug gegen Serbien beschlossen, dessen Regierung für die Ermordung des Thronfolgers Erzherzog Franz Ferdinand verantwortlich gemacht wurde; freilich nur, wenn das verbündete Deutsche Reich Wien Rückendeckung gegenüber einer eventuellen militärischen Intervention Rußlands zugunsten Serbiens zusagte (mit der geheimen Hoffnung, daß schon eine solche Zusage Berlins Rußland von einer Intervention abhalten könnte). Um die deutsche Hilfsbereitschaft zu erkunden, erfolgte die „Mission" von Hoyos nach Berlin: er überbrachte eine Denkschrift über die Lage am Balkan und eine Handschrift Kaiser Franz Josephs, die beide am Sonntag, den 5. Juli, Kaiser Wilhelm übergeben wurden. Wilhelm II. gab daraufhin den berühmten „Blancoscheck" einer Hilfszusage an Franz Joseph für jede Aktion gegen Serbien, selbst auf die Gefahr eines Krieges mit Rußland – und das hieß: des Weltkrieges – hin; diese Hilfszusage wurde tags darauf, am Montag, den 6. Juli, vom deutschen Reichskanzler Bethmann Hollweg gegenüber dem österreichischen Botschafter wiederholt und bestätigt, wodurch sie verfassungsrechtlich für das Deutsche Reich verbindlich wurde.

28 Vgl. etwa den Sammelband meiner Vorträge und Aufsätze „Der Erste Weltkrieg und das deutsche Geschichtsbild. Beiträge zur Bewältigung eines historischen Tabus", Düsseldorf 1977, und die „Streitschrift" „Juli 1914. Wir sind nicht hineingeschlittert", Reinbek 1984, zur Riezler-Kontroverse.

Die Außenpolitik des kaiserlichen Deutschland und der Ausbruch des Ersten Weltkrieges

1 Volker R. Berghahn, der Tirpitz-Plan. Genesis und Verfall einer innenpolitischen Krisenstrategie unter Wilhelm II., Düsseldorf 1971.

2 Volker R. Berghahn/Wilhelm Deist (Hrsg.), Rüstung im Zeichen der Wilhelminischen Weltpolitik. Grundlegende Dokumente 1890–1914, Düsseldorf 1988, S. 11.

3 Mitteilung von Professor John Röhl in einem öffentlichen Vortrag über Wilhelm II. in München (Historisches Kolleg) im Juni 1987.

4 Berghahn/Deist (Hrsg.), Rüstung, S. 118–122: Kap. II, Dokument 9: „Aufzeichnungen des Korvettenkapitäns Müller [...] aus dem Jahre 1896. Perspektiven einer künftigen deutschen Weltpolitik", Zitat S. 118. Müller selbst fürchtete, daß ein Krieg mit England zu einer unerwünschten Stärkung Rußlands führen könne.

5 Das Tagebuch der Baronin Spitzemberg, hrsg. v. Rudolf Vierhaus, Göttingen 1960, S. 427f. (Eintragung vom 14. März 1903).

6 Berghahn/Deist (Hrsg.), Rüstung, Kapitel I (Rüstungspolitik der Armee 1891–1909); Kapitel IX (Die Aufrüstung der Armee 1910–1914).

7 Vgl. Fritz Fischer, Rezension von Berghahn/Deist, Rüstung, in: 1999, Zeitschrift für Sozialgeschichte des 20. und 21. Jahrhunderts, Bd. 4 (1989), S. 130–134.

8 Vgl. Bernd F. Schulte, Europäische Krise und Erster Weltkrieg. Beiträge zur Militärpolitik des Kaiserreiches 1871–1914, Frankfurt a. M./Berlin 1983, S. 83ff. (die Vorbereitung der Armee auf den inneren Kampf), S. 111ff. (für die Jahre 1912–1914).

9 Vgl. Bernd F. Schulte, Vor dem Kriegsausbruch 1914. Deutschland, die Türkei und der Balkan, Düsseldorf 1980, S. 108ff. (Herresvermehrung 1913); Berghahn/Deist (Hrsg.), Rüstung, Kapitel IX. (Erhöhung der Friedenspräsenzstärke um 132000 Unteroffiziere und ‚Gemeine' sowie 4000 Offiziere).

10 Baldur Kaulisch, Alfred von Tirpitz und die imperialistische deutsche Flottenrüstung, Berlin [Ost] 1982, S. 164f. „Dabei wußte er [Tirpitz] doch, daß sich auf Grund des höheren englischen Bautempos das Kräfteverhältnis weiter zu Ungunsten der deutschen Flotte verschieben würde." Wenn Tirpitz wiederum (wie am 8. Dezember 1912, als er sagte, „daß die Marine gern das Hinausschieben des großen Kampfes um eineinhalb Jahre sehen würde") auf den „unfertigen" Zustand der Flotte hinwies, so verbarg sich dahinter kaum etwas anderes als die Befürchtung, der Krieg werde den Bankrott seiner Flottenpolitik offenkundig machen. – Auch strategisch-taktisch war er gescheitert. Vgl. Kaulisch, S. 163: Auf die Frage von Tirpitz im Mai 1914 an den Flottenchef von Ingenohl „Was machen Sie, wenn sie [die Engländer] nun nicht kommen?" (nämlich zur Entscheidungsschlacht auf der Höhe von Helgoland), wußte dieser keine Antwort zu geben.

11 Samuel Williamson, Jr., The Politics of Grand Strategy. Britain and France Prepare for War, Cambridge/Mass. 1969, S. 59ff.

12 Ebd.

13 Fritz Fischer, Krieg der Illusionen. Die Deutsche Politik von 1911 bis 1914, Düsseldorf 1969 (2. Aufl. 1970, Taschenbuchausg. 1978/87), (abgekürzt zitiert als ‚Krieg', S. 117ff., Kapitel 5 (Die Marokkokrise 1911 – der Durchbruch der nationalen Opposition).

14 Fischer, Krieg, S. 424ff., Kapitel 14 (Wachsende Schwierigkeiten für die deutsche Expansion, II. Die Türkei: Zentrum der deutschen wirtschaftlich-politischen Interessen im Orient).

15 Maximilian Harden, der Herausgeber der ‚Zukunft', drückte 1913 diese Neuorientierung wie folgt aus: „Unsere Zukunft liegt auf dem Festlande, dieses Bewußtsein ist in Deutschlands Volk zurückgekehrt" (Krieg d. Illus., S. 278).

16 Wilhelm II. war von dieser Warnung so schockiert (er hatte auf ein Bündnis mit England gehofft), daß er seine militärischen Berater zu einer „militärpolitischen Lagebesprechung" am 8. Dezember 1912 zu dem später sog. „Kriegsrat" zusammenrief. Vgl. Fischer, Krieg, S. 232ff.; John C. G. Röhl, An der Schwelle zum Weltkrieg, in: Militärgeschichtliche Mitteilungen 1977/1, S. 77–134; ders., Die Generalprobe. Zur Geschichte und Bedeutung des „Kriegsrats" vom 8. Dezember 1912, in: Dirk Stegmann, B.-J. Wendt, P.-Chr. Witt (hrsg.), Industrielle Gesellschaft und politisches System. Festschrift für Fritz Fischer zum 70. Geburtstag, Bonn 1978, S. 357–374 (wiederabgedruckt in: Deutschlands Sonderung von Europa 1862–1945, hrsg. v. Wilhelm Alff, Frankfurt a.M./Bern/New York 1984, S. 149–224).

17 Fischer, Krieg, S. 292 bzw. 298 (Wilhelm II.: „Der Kampf zwischen Slawen und Germanen ist nicht mehr zu umgehen, er kommt sicher. Wann? Das findet sich").

18 Vgl. Fritz T. Epstein, Der Komplex „Die russische Gefahr" und sein Einfluß auf die deutsch-russischen Beziehungen im 19. Jahrhundert, in: Deutschland in der Weltpolitik des 19. und 20. Jahrhunderts. Festschrift für Fritz Fischer zum 65. Geburtstag, hrsg. v. I. Geiss und B.-J. Wendt, Düsseldorf 1973, S. 143–159.

19 Fischer, Krieg, S. 291: Bethmann Hollweg warnte, „eine gewaltsame Lösung ... in einem Augenblick herbeizuführen, in dem sich uns eine, wenn auch nur entfernte Aussicht eröffnet, den Konflikt unter für uns wesentlich günstigeren Bedingungen auszutragen" (d.h., wie der folgende Text zeigt, bei einer Neutralität Englands). Er würde das „für einen Fehler von unermeßlicher Tragweite halten".

20 Vgl. Stefan T. Possony, Bewältigung der Kriegsschuldfrage. Völkerrecht und Strategie bei der Auslösung zweier Weltkriege, Köln – Opladen 1968, S. 180f. Possony spricht von dem „Datum einer – wahrscheinlich konditionellen – deutschen Kriegsentscheidung" zwischen dem 16. Oktober 1913 (österreichisch-ungarisches Ultimatum an Serbien) und dem

18. Oktober 1913 (mit einer kaiserlichen Marginalie „Jetzt oder nie!"). Moltke sagte am gleichen Tag abends zu Conrad, der Rücktrittsabsichten hatte: „Jetzt, wo wir einem Konflikt entgegengehen, müssen Sie bleiben."

21 Fischer, Krieg, S. 310ff.

22 Ebd., S. 317ff. (Der Kaiser sagte auch: „Man muß ein Ende machen!").

23 Ebd., S. 321.

24 Ebd., S. 642ff.

25 Theodor Heuss, Friedrich Naumann, Berlin 1937, S. 513; ‚Gespräch Theodor Wolff mit Bethmann Hollweg nach dessen Entlassung', in: Bernd Sösemann, Die Erforderlichkeit des Unmöglichen. Kritische Bemerkungen zu der Edition [von K.D. Erdmann]: Kurt Riezler, Tagebücher usw., in: Blätter für deutsche Landesgeschichte 110 (1974) S. 272. – Vgl. Fritz Fischer, Juli 1914: Wir sind nicht hineingeschlittert, Hamburg 1983. S. 109.

26 Fischer, Krieg, S. 481ff. (Die Limàn-Sanders-Krise. Deutsch-russische Konfrontation in Konstantinopel und an den Meerengen).

27 Der Verfasser des (anonymen) Artikels im ‚Berliner Tageblatt' war Graf Anton von Monts, früherer deutscher Botschafter in Rom

28 Fischer, Krieg, S. 583f.

29 In der Festschrift für Fritz Fellner, Universität Salzburg: The Mirror of History, Santa Barabara, Calif./Oxford 1988, S. 369–393.

30 Fischer, Krieg, S. 236f. (12. Dezember 1912, Wilhelm II. an Eisendecher).

31 Ernst Jäckh (Hrsg.), Kiderlen-Wächter der Staatsmann und Mensch. Briefwechsel und Nachlaß, 2 Bde., Berlin und Leipzig 1924, Bd. 2, S. 191f. und Anmerkung 2: „Berlin Ende November 1912: Mit Wien hab' ich [Kiderlen-Wächter] wieder meine liebe Not [um die dortige Kriegslust zu dämpfen]!" [...] Helfferich berichtet in seiner ‚Vorgeschichte des Weltkrieges' dazu: „Kiderlen sagte mir [...] Graf Berchtold wisse nie, was er wolle [...] Er [Kiderlen] fürchte sich nicht vor dem Krieg [...] Diese Möglichkeit sei nicht ausgeschlossen; er wisse darüber mehr als die Wiener und mehr, als er diesen sagen könne!"

32 Fischer, Krieg, S. 634f. (Bethmann Hollweg an Lichnowsky, 16. Juni 1914).

33 Ebd, S. 684ff.

34 Ebd., S. 689 (Wilhelm II.), S. 688 und 689 (die Berichte des sächsischen Gesandten und des sächsischen Militärbevollmächtigten über die erste Juliwoche).

35 So z.B. das Schreiben Tschirschkys in der Skutarikrise an Bethmann Hollweg vom 4. April 1913 (Krieg, S. 295): „Mit besonderem Nachdruck führe ich den obersten leitenden Stellen [in Wien] die Notwendigkeit vor Augen, daß, je mehr sie wirklich von der Notwendigkeit einer Lösung der Balkanfrage mit Waffengewalt überzeugt sein soll-

ten, um so dringender es erforderlich sei, die Dinge so zu gestalten, daß Rußland sich im Unrecht befinde und entweder dieses selbst oder seine Trabanten als die Angreifer erscheinen. Nur bei einer dieses Ziel im Auge behaltenden Politik ermögliche man es England, wenigstens anfangs eine neutrale Haltung zu bewahren."

36 Fischer, Krieg, S. 458. Selbst die am meisten probritische Gruppe unter den deutschen Diplomaten – Solf, Rosen, Lichnowsky, Kühlmann – war enttäuscht in ihren Hoffnungen auf ein deutsches Mittelafrika, das von Großbritannien konzediert werden sollte.

37 Julikrise und Kriegsausbruch 1914. Eine Dokumentensammlung, hrsg. v. Imanuel Geiss, 2 Bde., Hannover 1963/64, Bd. 1, S. 60ff.: Aufzeichnung Hoyos über Unterredung mit Viktor Naumann, Wien 1. 7. 1914, „Streng geheim!" (ÖU 9966); Fischer, Krieg, S. 686f.

38 Geiss (Hrsg.), Julikrise, Bd. 1, S. 77f.: Am 4. Juli sprach „der als Vertrauensmann der deutschen Botschaft bekannte Korrespondent der ‚Frankfurter Zeitung', Ganz, im Pressedepartment des Ministeriums des Äußeren vor, und teilte mit, er sei heute von Tschirschky empfangen worden, welcher ihm nachdrücklich und wiederholt erklärte, Deutschland würde die Monarchie durch Dick und Dünn unterstützen, was immer dieselbe auch gegen Serbien beschließen sollte ... Je früher Österreich losgehe, desto besser. Besser wäre gestern gewesen als heute, besser aber heute als morgen" (Memorandum von Forgach, Wien 4. 7. 1914, ÖU 10038). Vgl. Fischer, Krieg, S. 689.

39 Protokoll des Gemeinsamen Ministerrats unter dem Vorsitz Berchtolds vom 7. 7. 1914, in: Geiss (Hrsg.), Julikrise, Bd. 1, S. 104ff., Stürgkh ebd., S. 107f. (ÖU 10118). Vgl. den Brief Czernins an Tisza kurz vor Ausbruch des Krieges, aus dem hervorgeht, „wie sehr sich Deutschland damals bemüht habe, uns in strammer Haltung zu erhalten und das Bundesverhältnis [!] gefährdet werden könnte, wenn wir nachgäben". – Fischer, Griff nach der Weltmacht, 3. u. 4. Aufl., S. 105, Sonderausg. u. Taschenbuchausg., S. 83 (abgekürzt zitiert als „Griff"). Der ungarische Ministerpräsident Graf István Tisza leistete am 7. Juli noch Widerstand gegen den Beschluß für ein kriegerisches Vorgehen gegen Serbien, gab aber am 14. Juli nach. Dieser so folgenreiche Sinneswechsel wird von dem besten Kenner dieser Vorgänge in einem eben erschienenen Buch en détail enthüllt: József Galántai, Hungary in the First World War, Budapest 1989, S. 39ff.

40 Fritz Fellner, Die ‚Mission Hoyos' (nach dem Hoyos-Nachlaß), in: Alff (Hrsg.), Deutschlands Sonderung von Europa, S. 283–316, Zitat S. 296; Andreas Hillgruber, Riezlers Theorie des kalkulierten Risikos und Bethmann Hollwegs politische Konzeption in der Julikrise 1914, in: HZ 202 (1966), S. 333ff.

41 Nach Fellner war Hoyos zunächst einer der einflußreichsten Antreiber zum Krieg. Doch nach Wien zurückgekehrt, durchschaute Hoyos den deutschen Plan, daß nämlich der deutsche Generalstab „eine imperiali-

stische Eroberungspolitik über den Umweg über uns und Serbien einzuleiten und sich auf die Westmächte zu stürzen" wünschte. Ebd., S. 298.

42 Fischer, Griff, 3. u. 4. Aufl., S. 65, Sonderausg. u. Taschenbuchausg., S. 51; ders., Krieg, S. 692 (hier Quellenangabe in Anm. 26: Brief des ehemaligen Mitglieds des Direktoriums der Firma Krupp, Dr. Muehlon, DZA II, Rep. 90a, AVIII, 1c Nr. 4 [undatiert]). Beide obigen Zitate aus diesem Brief. – Vgl. jetzt: Wilhelm Muehlon. Ein Fremder im eigenen Land. Erinnerungen und Tagebuchaufzeichnungen eines Krupp-Direktors 1908–1914, hrsg. v. und eingeleitet von Wolfgang Benz, Bremen 1989.

43 12. Juli 1914, Szögyéni an Berchtold, in: Geiss (Hrsg.), Julikrise, Bd. I, S. 150ff. (ÖU 10215).

44 Josef M. Baernreither, Dem Weltbrand entgegen, Berlin 1928; Fischer, Griff, 3. u. 4. Aufl., S. 105f., Sonderausg. u. Taschenbuchausg. S. 83f.; ders., Krieg, S. 369; Am 14. März 1913 umschrieb Baernreither die Ziele der deutschen Expansion auf dem Balkan wie folgt: „Sicherung des Bestandes der Türkei, des Weges nach Kleinasien und Mesopotamien, der deutschen Expansion im nahen und fernen Orient", und zwar, wie Baernreither sagt, in Konkurrenz mit Österreich – Ungarn, seinem Verbündeten.

45 Willibald Gutsche, Aufstieg und Fall eines kaiserlichen Reichskanzlers. Theobald von Bethmann Hollweg 1856–1921, Berlin [Ost] 1972, S. 118ff. (10. Juli), S. 119ff. (15. Juli) S. 121f. (18. Juli 1914). Alle Angaben sind aus den Archiven quellenmäßig belegt.

46 Theodor Wolff, Tagebücher 1914–1919, hrsg. v. Bernd Sösemann (= Deutsche Geschichtsquellen des 19. und 20. Jahrhunderts, Bde. 54/I und II), Boppard a. Rh. 1984, Bd. I, S. 64 (25. Juli 1914).

47 Fischer, Griff, 1. u. 2. Aufl., S. 98f., 3. u. 4. Aufl., S. 107, Sonderausg. u. Taschenbuchausg., S. 84f. (Brief A. Ballins an Jagow vom 3. Juli 1915).

48 Sösemann (Hrsg.), Wolff, Tagebücher, Bd. II, S. 665 (27. November 1918); vgl. Anm. 1.

49 Ebd, Bd. I, S. 64, Stumm fährt fort: „Es handele sich darum, festzustellen, ob Oesterreich bei uns noch als Bundesgenosse etwas wert sei. Es dürfe nicht zurückweichen."

50 Fischer, Griff, 3. u. 4. Aufl., S. 106, Sonderausg. u. Taschenbuchausg., S. 84.

51 Sösemann (Hrsg.), Wolff, Tagebücher, Bd. I, S. 166f.

52 Der Kanzler Bethmann Hollweg hielt an dieser Überzeugung sogar noch nach seiner Entlassung 1917 fest. Er bemerkte gegenüber dem Reichstagsabgeordneten Conrad Haußmann: „Ja, Gott, in gewissem Sinne war es ein Präventivkrieg. Aber wenn der Krieg doch über uns hing, wenn er in zwei Jahren noch viel gefährlicher und unentrinnbarer gekommen wäre und wenn die Militärs sagen, jetzt ist es noch möglich, ohne zu unterliegen, in zwei Jahren nicht mehr! Ja, die Militärs! [ergänze: Was haben sie alles versprochen, F.F.]. Er war nur zu vermeiden durch die Verständi-

gung mit England, das ist noch heute meine Meinung" (aber eben diese vermochte der Kanzler nicht zu erreichen gegen den Widerstand von Wilhelm II. und von Tirpitz). Zitat nach Fischer, Krieg, S. 671.

53 Vgl. Sösemann (Hrsg.), Wolff, Tagebücher, Bd. I, S. 167: „Sie waren dann dazu da, das zu verhindern." Stumm: „Das war unmöglich." Wolff: „Das weiß man doch nie, was in zwei Jahren passiert."

54 Das war der Titel, den die Hamburgische Wochenzeitung ‚Die Zeit' für meine Besprechung der Wolff-Tagebücher am 13. April 1984, S. 17f., wählte. Ich stimme dem voll zu und nenne die Namen der drei Hauptverantwortlichen (im Abstand noch Moltke wegen seiner Memoranden an die zivile Reichsleitung im Juli/August 1914).

55 Sösemann (Hrsg.), Wolff, Tagebücher, Bd. I, S. 234f. [Hervorhebung von mir, F.F.]. Von den genannten vier war Zimmermann, 1914 Unterstaatssekretär, der einzige Bürgerliche, Korpsstudent, von August bis Dezember 1914 Chef des Auswärtigen Amtes in Berlin (da Bethmann Hollweg und Jagow sich im Großen Hauptquartier aufhielten), Vertrauensmann der OHL, 1916 bis zum Sturz Bethmann Hollwegs im Juli 1917 Staatssekretär des Auswärtigen, als solcher verantwortlich für das „Zimmermann-Telegramm" im Frühjahr 1917, das dazu beitrug, die USA in den Krieg gegen Deutschland zu bringen, au fond alldeutsch gesinnt. Vgl. Fischer, Juli 1914, S. 106 (auf S. 105ff. werden dort die Mitarbeiter Bethmann Hollwegs vorgestellt).

56 Für den 26. und 27. Juli vgl.: The Mirror of History, S. 380.

57 In: Gerhard Ritter. Ein politischer Historiker in seinen Briefen, hrsg. v. Klaus Schwabe und Rolf Reichardt, Boppard a. Rh. 1984, S. 565f.

58 Historische Zeitschrift 194 (1962), S. 646–668, bes. S. 663f.

59 Fischer, Krieg, S. 701f.

60 Ebd., S. 702. Nach dem Krieg behauptete Jagow, daß es die Aufgabe der deutschen Diplomatie gewesen sei, „den Krieg in einer Form zu rechtfertigen, die uns als die ‚Angegriffenen' erscheinen lassen konnte". Vgl. Gutsche, Reichskanzler Bethmann Hollweg, S. 121.

61 Tagebuch des Chefs des kaiserlichen Marinekabinetts, Admiral von Müller, 1. August 1914; vgl. Fischer, Krieg, S. 724 u. Anm. 152. Vgl. auch: The Mirror of History, S. 380ff.

62 Wilhelm II, an Kaiser Franz Joseph, 31. Juli 1914, in: Geiss (Hrsg.), Julikrise, Bd. 2, S. 467f.

63 Graf Mensdorf an Berchtold, 29. Juli 1914, abgesandt 29. Juli 16.32 Uhr, angekommen 30. Juli, 9.00 Uhr, in: Geiss (Hrsg.), Julikrise, Bd. 2, S. 247f.: „Sir E. Grey sei sehr beunruhigt [sagt Tyrell zu Mensdorf] und suche fort nach einem Ausweg, um Konflagration zu verhindern [...] russische Interessen [so resümiert Mensdorf] lassen England kühl, *wenn es sich aber um ein vitales Interesse Frankreichs oder gar Machtstellung Frankreichs handelt*, so ist keine englische Regierung in der Lage, eine Beteiligung Englands an der Seite Frankreichs zu verhindern" (Hervorhebung von mir, F.F.).

64 Alfred von Tirpitz, Erinnerungen, Leipzig 1920, S. 243, Anm. 1: „Daß Österreich sich seine eigene Kriegserklärung an Rußland noch lange überlegen und uns dadurch vor schwere Stunden stellen würde, konnte ich damals nicht übersehen ... Moltke sagte mir zu meinem Entsetzen, wenn die Österreicher zurückzuckten, hätten wir Frieden um jeden Preis schließen müssen". Vgl. Hartmut Pogge von Strandmann, Germany und the Coming of War, in: R. I. W. Evans, H. Pogge von Strandmann (hrsg.), The Coming of the First World War, Oxford 1988, S. 116.

65 Auch in den Ansprachen des Kaisers am 31. Juli und am 1. August sowie in der von Bethmann Hollweg entworfenen „Thronrede" am 4. August zur Eröffnung des Reichstags wird die alleinige Kriegsschuld Rußlands emphatisch ausgesprochen. In einer Verlautbarung des Pressechefs Hammann vom 1. August wie in dem von Riezler verfaßten deutschen Weißbuch vom 2. August, verteilt am 3. August, wird eine Zusammenarbeit mit England zur Erhaltung des Friedens behauptet. Im Bundesrat, dessen Zustimmung verfassungsrechtlich notwendig war, sprach der Kanzler am 1. August, 12 Uhr, ausschließlich vom Krieg mit Rußland und Frankreich. England erwähnt er nicht.

66 British Blue Book, Doc. No. 160, Sir E. Goschen an Sir Edward Grey, London, 8. August 1914. Goschen bezieht sich hier auf sein Abschiedsgespräch mit dem Reichskanzler Bethmann Hollweg am 4. Augsut 1914 um etwa 19.30 Uhr, in dessen Verlauf der Kanzler diesen verzweifelten Ausruf tat. (Die Verzweiflung bezieht sich auf den Kriegseintritt Englands, nicht auf den Kriegsausbruch.)

67 Vgl. L. L. Farrar, Jr., The Short-War Illusion. German Policy, Strategy and Domestic Affairs August-December 1914, Santa Barbara, California/Oxford, 1973.

68 Fischer, Krieg, S. 777f.

69 Karl Dietrich Erdmann, Hat Deutschland auch den Ersten Weltkrieg entfesselt? Kontroversen zur Politik der Mächte im Juli 1914; Egmont Zechlin, Julikrise und Kriegsausbruch 1914, in: Politik und Geschichte. Europa 1914 – Krieg oder Frieden, hrsg. v. der Landeszentrale für Politische Bildung Schleswig-Holstein, Kiel 1985, S. 19–48 und S. 51, sowie Zechlin, S. 90ff., über die deutsche Tradition des Präventivkriegs. Vgl. für eine Kritik an Erdmanns und Zechlins Ansichten: Pogge von Strandmann, Germany and the Coming of War, S. 92–96 und S. 107–114.

70 Egmont Zechlin veröffentlichte erstmals in einem Aufsatz ‚Motive und Taktik der Reichsleitung' (in: Ders., Krieg und Kriegsrisiko. Zur deutschen Politik im Ersten Weltkrieg. Aufsätze, Düsseldorf 1979, S. 96) einen bis dahin unbekannten Bericht des bayerischen Gesandten in Berlin, Graf Lerchenfeld, vom 5. August 1914 über eine Aussage des Generalstabchefs vom selben Tage. Moltke erklärte, „auf das bestimmteste zu wissen, daß zwischen Rußland, Frankreich und England für 1917 ein Angriffskrieg gegen Deutschland beschlossen war. Als den Leiter der Machenschaft betrachtet Moltke Rußland [...]" Ob allerdings diese Be-

hauptung (für die Moltke keinerlei Quelle angibt) mehr ist als eine Verteidigung des eben beginnenden Krieges, für den, wie er sagt, „Rußland nicht fertig und Frankreichs Armee in einem Übergangsstadium begriffen ist", mag man bezweifeln. – Der italienische Generalstabschef Pollio (der kurz vor Kriegsausbruch starb) machte dieselbe Behauptung im Mai 1914 verbunden mit einem Rat an Deutschland, einen Präventivkrieg zu führen, „ganz im Geiste Ihres großen Königs Friedrich, als er 1756 den eisernen Ring seiner Gegner durchbrach". Fischer, Krieg, S. 583.

71 Luxemburg sollte deutscher Bundesstaat, Belgien ein deutscher Vasallenstaat werden.

72 Fritz Fischer, Der Erste Weltkrieg und das deutsche Geschichtsbild, Düsseldorf 1977, S. 151–206: deutsche Kriegsziele, Revolutionierung und Separatfrieden im Osten 1914-1918, Zitat S. 158.

73 „Septemberprogramm", in: Fischer, Griff, 1. u. 2. Aufl., S. 107ff., 3. u. 4. Aufl., S. 113ff., Sonderausg. u. Taschenbuchausg., S. 90ff.

74 Bethmann Hollweg an den Historiker Erich Marcks, 17. Juli 1916: „Ich [...] konnte in meinen Reden über die Sicherung unserer Grenzen gegen jede Gefahr, für die Beseitigung der Einfallstore Belgien und Polen nicht hinausgehen. Meine Andeutungen schlossen die Einbeziehung Belgiens und Polens in den Machtbereich Mitteleuropas ein [...] (ebd., S. 107 bzw. 112f. und S. 89).

75 Zum Mitteleuropäischen Wirtschaftsverband vgl. Anm. 73, „Programm", Nr. 4.

76 Georges-Henri Soutou, L'Or et le Sang. Les buts de guerre économiques de la Première Guerre mondiale, Paris 1989.

77 Englische Ausgabe London 1984; deutsche Ausgabe: Die Ursprünge des Ersten Weltkriegs, München 1988. Siehe bes. Kap. 6, S. 195ff.

78 Dies geschah vor allem durch deutsche Nationalökonomen und Historiker. Vgl. Paul M. Kennedy, The Rise of the Anglo-German Antagonism 1860–1914, London/Boston/Sydney 1980, Kap. 16, S. 306ff. „Rising und Declining Empires: Power-Political Interpretations of Global Economic Trends." Diese Ideen, auch unter eingehender Behandlung Deutschlands, wurden von Paul M. Kennedy wiederaufgenommen in seinem Werk: The Rise and Fall of the Great Powers. Economic Change and Military Conflict from 1500 to 2000, New York 1987; dt. Ausgabe: Aufstieg und Fall der Großen Mächte, Frankfurt a. M. 1989.

79 Fischer, Juli 1914, S. 17f., über die wirtschaftliche Schwächung Frankreichs, nach dem „Septemberprogramm" (s. oben Anm. 73) und einem 1919 bekannt gewordenen Katalog von Forderungen (August 1914) gegenüber Frankreich, der für den deutschen Botschafter in Washington zur Weitergabe an Wilson bestimmt war. Vgl. Juli 1914, S. 115, Anm. 17. Die dort angekündigte Veröffentlichung kommt noch.

80 Fischer, Krieg, S. 532 (Kapitel 16. II: Die Diskussion um die Erneuerung der Handelsverträge mit Rußland und Österreich, S. 527ff.). Dort, S. 535, auch eine Resolution südrussischer Exporteure in Kiew von An-

fang März 1914: „Rußland muß sich von der für eine Großmacht erniedrigenden wirtschaftlichen Abhängigkeit von Deutschland befreien."

81 Über das „Einfuhrscheinsystem" vgl. ebd., S. 533f.; über die russischen Gegenmaßnahmen ebd., S. 536ff., bes. S. 539f.

82 Th. [Theobald] von Bethmann Hollweg, Betrachtungen zum Weltkriege, 1. Teil (= 1. Bd.: Vor dem Kriege, Berlin 1919) und 2. Teil (= 2. Bd.: Während des Krieges, Berlin 1921), Bd. 1, S. 188, 189; Bd. 2, S. 65f., S. 67ff. Vgl. jetzt die Neuausgabe der ‚Betrachtungen' (hrsg. v. Jost Dülffer, mit Einleitung und Dokumentenanhang, Essen 1989).

83 Fischer, Griff, 3. u. 4. Aufl., S. 108, nach den Bülow-Memoiren.

84 Vgl. Fischer, Der Erste Weltkrieg und das deutsche Geschichtsbild, S. 337: Der Großindustrielle Hugo Stinnes äußerte 1911 gegenüber Claß, um den Führer der Alldeutschen vom Drängen auf den Krieg abzuhalten: „Lassen Sie noch 3–4 Jahre ruhiger Entwicklung und Deutschland ist der unbestrittene wirtschaftliche Herr in Europa. Die Franzosen sind hinter uns zurückgeblieben. Sie sind ein Volk der Kleinrentner [. . .]"

85 Vgl. Jost Dülffer/Karl Holl (Hrsg.), Bereit zum Krieg. Kriegsmentalität im wilhelminischen Deutschland 1890–1914, Göttingen 1986, und Heinz Lemmermann, Kriegserziehung im Kaiserreich, Studien zur politischen Funktion von Schule und Schulmusik 1890–1918, 2 Bde., Lilienthal – Bremen 1984.

86 Fischer, Griff, 1. u. 2. Aufl., S. 99, 3. u. 4. Aufl. S. 108, Sonderausg. und Taschenbuchausg., S. 85.

87 Kurt Riezler, Tagebücher [usw.], hrsg. v. K.D. Erdmann, Göttingen 1972, S. 368, Eintragung vom 1. August 1916. – Der Begriff „Weltherrschaft" wird von Riezler im gleichen Sinne noch mehrfach gebraucht. Kurz nach dem Kriege hat General W. Groener, der Nachfolger Ludendorffs, in einer Ansprache vor den Offizieren des Großen Hauptquartiers das Wort kritisch verwendet: „der unbewußte Versuch [Deutschlands] – ich sage ausdrücklich unbewußte Versuch – mit England um die Weltherrschaft zu ringen, [war] von vorneherein gescheitert . . . Wir haben unbewußt nach der Weltherrschaft gestrebt . . ehe wir unsere Kontinentalstellung fest gemacht hatten . . ." Fischer, Krieg, S. 1, Motto.

88 Adolf Gasser, Der deutsche Hegemonialkrieg von 1914, in: Deutschland in der Weltpolitik des 19. und 20. Jahrhunderts, S. 307–339, Zitat S. 338 (wiederabgedruckt in: Adolf Gasser, Ausgewählte historische Schriften, Basel/Frankfurt a.M. 1983, S. 47–82).

89 Zara S. Steiner (Cambridge): „When war was considered, it was not thought of in modern terms. Except for a few sensitive observers, military action in the old style was a possible extension of diplomacy." Zit. nach: Zara S. Steiner, Britain and the Origins of the First World War, London 1977, S. 213–241. Vgl. James Joll, The Origins of the First World War, London 1984.

Kaiser Wilhelm II. und die Gestaltung der deutschen Politik vor 1914

1 Jost Dülffer, Regeln gegen den Krieg? Die Haager Friedenskonferenzen 1899 und 1907 in der internationalen Politik, Berlin 1981, S. 291 (zur Abrüstungsfrage), S. 312ff., 318, 336ff. (zur Schiedsgerichtsbarkeit).
2 Bruno Gebhardt, Handbuch der Deutschen Geschichte, Stuttgart, 1960, Bd. 3, S. 298, (Bülow 25. 6. 1908).
3 Fritz Fischer, Krieg der Illusionen. Die deutsche Politik 1911–1914, Düsseldorf 1969 (2. Aufl. 1970), (im folgenden zitiert: Fischer, Krieg), S. 103f.
4 Andrew Carlson, Wilhelm II and the Daily-Telegraph Affair. A Study of Disfunctionalism of Politics and Society in Wilhelminian Germany, noch ungedruckt mit umfassender Bibliographie.
5 Ebd. Kapitel 5 (The Supressed Hale Interview). – Vgl. meinen Beitrag „Exzesse der Autokratie. Das Hale-Interview Wilhelms II. vom 19. Juli 1908", in diesem Band.
6 Fischer, Krieg, S. 105f.
7 Ebd., S. 188 (Wilhelm II. an Bethmann Hollweg, 5. 3. 1912).
8 Ebd., S. 201 (Wilhelm II. im Gespräch mit Walter Rathenau, 13. 2. 1912).
9 Ebd., S. 236f. (Wilhelm II. an Eisendecher, 12. 12. 1912).
10 Zum sog. „Kriegsrat": Fischer, Krieg, S. 231ff., Kapitel 9 (Der vertagte Krieg) – Die neueste Darstellung von John C. G. Röhl, Der militärpolitische Entscheidungsprozeß in Deutschland am Vorabend des Ersten Weltkriegs, in: Ders., Kaiser, Hof und Staat. Wilhelm II. und die deutsche Politik, München 1987, S. 175–204. Mit umfassenden Literaturangaben, einschließlich Röhls eigenen Arbeiten seit 1969.
11 Der Umschwung vom Dezember 1912 wurde schon eingeleitet durch die Rede des Kaisers vor den Kommandierenden Generälen zu Neujahr 1911/12. Vgl. Fischer, Krieg, S. 177f.
12 Ebd., S. 571f. (Pollio Mai 1914), S. 583: „Ich glaube wirklich, daß die Jahre 1917 oder 1918, die allgemein (partout, mais partout) von den Gegnern des Dreibundes als Termin für ein allgemeines Losschlagen genannt werden, nicht nur der Phantasie entsprungen sind."
13 Zum 18. 10. 1913: ebd., S. 572f.
14 Konopischt (I) und Berchtold: ebd., S. 310ff.
15 Tschirschky, 28. 10. 1913: ebd. S. 317.
16 Albert von Belgien: ebd., S 317ff.
17 Bethmann Hollwegs Gespräch mit Cambon: ebd., S 642ff.
18 H. G. Zmarzlik, Bethmann Hollweg als Reichskanzler 1909–1914. Studien zu Möglichkeiten und Grenzen seiner innenpolitischen Machtstellung, Düsseldorf 1957, S. 114ff.
19 Fischer, Krieg, S. 481ff. bzw. 483ff.

20 Ebd. S. 424ff.; S. 428f., (Aufteilungspläne), S. 439, (Kanzler an Kaiser 20. 3. 1913), S. 440f. (Kaiser über Türkei).
21 Ebd., S. 611f. (Bemerkungen Wilhelms II. zum Schreiben Botschafter Wangenheims an Auswärtiges Amt 8. 6. 1914).
22 Ebd. S. 543ff., S. 549ff. (Graf Monts). Vgl. Klaus Wernecke, Der Wille zur Weltgeltung. Außenpolitik und Öffentlichkeit im Kaiserreich am Vorabend des Ersten Weltkriegs, Düsseldorf 1970, Diss. Hamburg 1968, S. 244ff., S. 249f.
23 Fischer, Krieg, S. 556 (Moltke an Conrad 13. 3. 1914), S. 577f. (Conrad 9. 3. 1914), S. 579f.
24 Ebd., S. 581f. (12. 5. 1914), S. 583 (Waldersee 18. 5. 1914), S. 583f. (Moltke-Jagow).
25 Ebd. S. 601f. (Wien), S. 604ff. (Tisza), S. 608ff. (Konopischt [II]).
26 Ebd. S. 684 (Max Warburg 21. 6. 1914).
27 Ebd. S. 689 (Kaiser 3. oder 4. 7. 1914), S. 690ff. (Potsdam 5. 7. 1914). Vgl. Immanuel Geiss (Bearb.), Julikrise und Kriegsausbruch 1914. Eine Dokumentsammlung, Hannover 1963, Bd. 1, S. 85ff. (Bericht Bethmann Hollwegs über Unterredung mit Wilhelm II. am 5. 5. 1914), S. 83ff. (Szögyény, österreichischer Botschafter in Berlin, an Berchtold 5. 7. 1914), S. 92f. (derselbe an Berchtold 6. 7. 1914).
28 Fischer, Krieg, S 692 (Gespräch mit Krupp [nach Brief des Krupp-Direktors Dr. Mühlon]).
29 Ebd., S. 721f. – Zum 31. 7. und 1. 8. 1913 siehe ebd., S. 737f.
30 Kaiser Wilhelm II. Ereignisse und Gestalten aus den Jahren 1878–1918, Leipzig/Berlin 1922, S. 112f.
31 Mitteilung von John C. G. Röhl.
32 Walter Görlitz (Hrsg.), Der Kaiser ... Aufzeichnungen des Chefs des Marinekabinetts Admiral Georg Alexander von Müller über die Ära Wilhelms II., Göttingen 1965, S. 36–41.
33 Das Tagebuch der Baronin Spitzemberg, hrsg. v. Rudolf Vierhaus, (= Deutsche Geschichtsquellen des 19. und 20. Jahrunderts, Bd. 43), Göttingen 1960, S. 427f. (14. 3. 1903).
34 Vgl. meinen Beitrag „Theobald von Bethmann Hollweg“ in diesem Band.

Exzesse der Autokratie, Das Hale-Interview Wilhelms II. vom 19. Juli 1908

1 Das hier vorgestellte Dokument – das Hale-Interview – ist mit der freundlichen Erlaubnis des Verfassers, Andrew R. Carlson, seiner im Manuskript vorliegenden Studie: Wilhelm II. and the Daily-Telegraph Affair. A Study of the Disfunctionalism of Politics and Society in Wil-

helminian Germany (420 pp., mit Anmerkungen und umfassender Bibliographie), entnommen. – Der Umfang der eigenen Anmerkungen wurde auf das Notwendigste beschränkt.

2 Vgl. Charles à Court Repington, Militärkorrespondent der TIMES, Oberst a. D., Aufsätze in der TIMES 1908. – Oron J. Hale, The Great Illusion, 1900–1914, New York 1971, Kap. über Pressestimmen zur Invasionsfurcht . – Entsprechend gab es auf der deutschen Seite den sog. „Kopenhagen-Komplex".

3 Zur Fl. Novelle vgl. Volker R. Berghahn, Der Tirpitz-Plan, Düsseldorf 1971, S. 556 ff.

4 Vgl. A. R. Carlson, p. 19 ff.

5 Die große Politik der Europäischen Kabinette 1871–1914, Bd. 26. Die Britischen Amtlichen Dokumente über den Ursprung des Weltkrieges 1898–1914 (Deutsche Ausgabe der British Documents) Bd. 6 I.

6 Vgl. A. R. Carlson, p. 121–186 (Chapter V: The Suppressed Hale Interview), Text ebd. p. 149–175.

7 Vgl. ebd. p. 165 ff.

8 Über die Entstehung des englisch-japanischen Bündnisses (1902) und seine Auswirkungen vgl. William L. Langer, The Diplomacy of Imperialism, 2nd, ed., New York 1951, p. 747 ff.

9 I. Zu Manila 1898: S. F. Bemis bzw. T.A. Bailey in ihren Darstellungen der amerikanischen Diplomatiegeschichte. – A. S. Jerussalismski, Die Außenpolitik und die Diplomatie des deutschen Imperialismus Ende des 19. Jahrhunderts, Berlin 1954, S. 649 ff. – John A. Moses and Paul M. Kennedy (ed.), Germany in the Pacific and Far East, 1870–1914, St. Lucia Queensland 1977, p. 140 ff. „Evidence indicated that Germany first considered the acquisition of the Philippines"; gewonnen wurden aus dem Erbe des spanischen Kolonialreichs aber nur die Karolineninseln. Vizeadmiral v. Diederichs vor Manila contra Admiral Dewey, der dort die spanische Flotte vernichtete, ohne einen Mann zu verlieren. (Als die amerikanische die zweite spanische Flotte vor Kuba vernichtete, verlor sie einen Matrosen). Für die emotionale Bedeutung des Spanisch-Amerikanischen Krieges, der Amerika mehr erregte als der Erste Weltkrieg, vgl. Samuel E. Morrison und Henry St. Commager, Das Werden der Amerikanischen Republik, Stuttgart 1950, Bd. II., S. 361 ff. und S. 368 ff. – II. Zu Venezuela 1904: Vgl. Bemis bzw. Bailey und Morrison/Commager wie oben (Bd. II., S. 447 f.) und Hermann Oncken, Das Deutsche Reich und die Vorgeschichte des Weltkrieges, Leipzig 1933, Bd. II, S. 534 ff.

10 Vgl. Reinhard R. Doerries, Washington – Berlin 1908–1917. Die Tätigkeit des Botschafters Johann Graf von Bernstorff in Washington vor dem Eintritt der Vereinigten Staaten in den Ersten Weltkrieg, Düsseldorf 1975, S. 25.

11 H. H. Herwig/D. F. Trask, Naval Operations Plans between Germany and the USA, 1898–1913, in: Paul M. Kennedy (ed.), The War Plans of the Great Powers 1880–1914, London 1979, S. 39 ff.

12 Vgl. Anm. 8.
13 Vgl. Fritz Fischer, Krieg der Illusionen. Die Deutsche Politik 1911–1914, Düsseldorf 1969, S. 105ff.
14 Ebd. S. 106f. (Bericht des russischen Botschafters in Berlin, Graf Osten-Sacken, vom Frühjahr 1909).

Drucknachweise

Die Außenpolitik des kaiserlichen Deutschland und der Ausbruch des Ersten Weltkriegs. In: Gregor Schöllgen (Hrsg.), Flucht in den Krieg? Die Außenpolitik des kaiserlichen Deutschland. Darmstadt 1991, S. 25–67.

Kaiser Wilhelm II. und die Gestaltung der deutschen Politik vor 1914. In: John C. G. Röhl (Hrsg.), Der Ort Kaiser Wilhelms II. in der deutschen Geschichte. (Schriften des Historischen Kollegs, Kolloquien Bd. 17). München 1991, S. 259–284.

Exzesse der Autokratie. Das Hale-Interview Wilhelms II. vom 19. Juli 1908. In: Wilhelm Alff (Hrsg.), Deutschlands Sonderung von Europa 1862–1945. Frankfurt a. M./Bern/New York 1984, S. 53–78.

Theobald von Bethmann Hollweg. In: Wilhelm von Sternburg (Hrsg.), Die deutschen Kanzler von Bismarck bis Schmidt. Königstein/Ts. 1985, S. 87–114.

Hitler war kein Betriebsunfall. In: Spiegel-Spezial. 100 Jahre Hitler. Hamburg 1989, S. 103–105.